世纪中国论坛典藏文库

创新魔咒：

新经济能否带来持续繁荣？

Sustainable Prosperity in the New Economy?
Business Organization and High-Tech Employment in the United States

William Lazonick
[美]威廉·拉让尼克 著 黄一义 冀书鹏 译

上海遠東出版社

出版说明

出版作为人类思想和智慧的凝结，集聚了发明创造和社会实践的经验与成果，推动了人类文明进步。飞速发展的数字和互联网技术并未削弱出版业的这一功能，反而前所未有地促进了其创新发展。

长期以来，上海世纪出版集团始终以弘扬主旋律、引领学术思潮、关注时代命题为己任，并围绕中国发展的重大事件、重大战略决策和重大理论问题举办“世纪中国论坛”。结合2016年“世纪中国论坛”，上海世纪出版集团融合移动端、语音端等新技术，以纸电一体同步发布的方式隆重推出《世纪中国论坛典藏文库》，实现了出版方式与互联网、新技术、新模式的融合发展，表达了出版人在奉献好书的同时，努力践行社会责任、文化理想的使命追求。

《世纪中国论坛典藏文库》聚焦中国经济的长期增长主题，荟萃了诺贝尔经济学奖得主、熊彼特奖得主和中国经济学杰出贡献奖得主等中外著名经济学家的扛鼎之作，著译并重，经典闪耀。

著名经济史学家安格斯·麦迪森早在1998年出版的《中国经济的长期表现》英文版中就预言，中国可能在2015年成长为世界最大的经济体，从而恢复它在 1890 年之前所享有的世界经济地位。2014 年，在《中国的奇迹：发展战略与经济改革》出版 20 周年之际，经济学家林毅夫在为图书新版撰写的长篇序言中特别指出："出乎主流经济学界预料之外的是，中国经济在此书出版后 20 年却基本沿着我们在书中所预测的增长轨迹前进。"

然而，中国经济自 2012 年增速明显减慢，国内生产总值（GDP）增长率一直处于下行趋势。经济学家们所预言的奇迹或增长赖以产生的基础是否改变？对于未来，我们是否还有足够的信心？

首届中国经济学杰出贡献奖得主吴敬琏在专著《中国增长模式抉择》第一版（2005 年）中，就指出了转型、结构调整不能取得成效的很多具体原因，归结到一点，就是存在体制性障碍，核心内容就是政府仍然在资源配置中起决定性的作用，抑制或排除了市场的作用。他在第四版的序言中写道："中国在 21 世纪面对着两个必须解决的问题，一个是体制改革，一个是发展转型。"

无独有偶，中国经济改革研究的先驱巴里·诺顿在《中国经济：转型与增长》一书中，全面描述和评价了 1949 年以来的中国经济，并把中国的制度转型放在经济增长的大框架里论述，既突出了转型对中国经济增长的必要性，也突出了转型对中国经济增长的促进作用。

显然，制度转型不可能一蹴而就。诺奖得主道格拉斯·诺思和斯坦福大学教授青木昌彦在各自的经典作品《制度、制度变迁与经济绩效》与《比较制度分析》中，分别从东西方的不同视角阐释了制度的内涵，揭示了制度在经济发展和绩效中的作用。

公共选择理论的奠基者曼瑟·奥尔森的遗著《权力与繁荣》则提出了“强化市场型政府”这一分析经济增长的前沿性概念，为金融危机后的亚洲以及其他发展中国家的治理演变和经济政策提供了有用的分析框架。

对于那场起始于亚洲的金融危机，沈联涛用《十年轮回：从亚洲到全球的金融危机》一书进行了详细的解剖，并警示我们2017年可能发生的另一场全球金融危机。对于可能引发危机的高杠杆问题，瑞典的邓达德等在《新国富论：撬动隐秘的国家公共财富》一书中给出了全新的解决方案，并因此被《经济学人》和《金融时报》推荐为2015年度图书。

根据“十三五”规划的蓝图，中国经济将保持中高速增长，到2020年国内生产总值和城乡居民人均收入比2010年翻一番。2015年11月，习近平总书记提出要着力加强供给侧结构性改革，这是实现收入翻番的必由之路，其目标就是通过消除生产要素供给能力和配置效率以及全要素生产率提高的体制性障碍，消除经济运行中不平衡、不协调、不可持续的因素，一方面挖掘传统增长动能的潜力，另一方面开启新的可持续增长动能，最终实现经济增长方式的转变。正如习近平总书记指出的：“中国共产党人和中国人民完全有信心为人类对更好社会制度的探索提供中国方案。”我们将以出版更多的精品力作传播道路自信、理论自信、制度自信和文化自信，为实现中华民族伟大复兴的中国梦作出贡献。

《世纪中国论坛典藏文库》编委会

2016年7月

正如拉让尼克这本著作再次提醒我们的，任何一种经济发展方式或经济增长模式都具有相应的微观基础，或说是相应的企业模式。从这个理论视角看，只有当中国目前主导的企业模式发生转变时，中国的经济发展方式才可能转变。

——路风

目录

推荐序

威廉·拉让尼克的最新力作《创新魔咒:新经济能否带来持续繁荣?》被译成中文出版,对于中国的读者来说是一场及时雨。这本于2010年获得熊彼特学会奖的新著,不仅可以帮助我们理解美国工业组织和经济的变化,而且向我们展示了以微观视角来把握宏观结构变化的理论方法,从而有助于我们去思考和分析中国经济发展中的重大问题。

本书对于中国读者的第一个意义是帮助理解美国的经济变化。2008～2009年的全球金融危机让中国人意识到美国经济在最近这些年里出现了问题。一方面,美国在技术、科学和高等教育等方面仍然雄踞霸主地位,其经济保持着高度的创新性;但在另一方面,美国经济也呈现出过分金融化、制造业衰落、收入差距持续扩大、就业不稳定等特征。美国经济发生这些变化的机制是什么?这些变化对于美国经济前景的含义是什么?仅仅从宏观经济变量(如储蓄、投资、就业等)上看,很难把握这种变化的制度和社会内涵,而本书的贡献恰恰在于帮助增进这些理解。

拉让尼克是以美国企业模式的转变为解释变量来把握美国经济变化的。在本书中,他考察的焦点是美国信息通信技术(ICT)工业中的主导企业模式在过去三十年间的转变,其目的是分析美国的"新经济企业模式"替代"旧经济企业模式"的机制,从而解释导致美国经济的宏观特征变化的原因。

新经济企业模式起源于以"硅谷"为代名词的微电子技术革命。虽然以半导体晶体管为代表的基本技术是由传统大企业开发出来的,但后来推动半导体技术迅速发展的却是从20世纪50年代崛起的新企业。由于技术性质、市场和融资方式的特定条件,这些创业新企业在其发展过程中形成了一系列特征：采用开放的行业技术标准，专注于核心元器件的纵向专业化，集中于设计、试验和品牌营销而把生产外包，通过收购新生的技术公司积累新的能力；有组织的风险投资，在纳斯达克市场发行股票，红利很少或根本不派发，增长所需资金来自利润存留外加以股票为收购的支付手段，回购股票以支撑股价；劳动力的高度流动性和无保障的就业，向员工发放股票期权以留住员工并吸引新人加入，无工会，等等。

这些特征不同于美国的传统企业模式。美国"旧经济企业模式"——大企业主导美国经济——形成于20世纪最初的几十年间，已故美国著名企业史学家钱德勒曾对这种大企业的兴起作出过经典的描述和分析。旧经济企业模式的一个主要特征是资产所有权与公司资源配置的管理控制相分离，领取薪水的职业经理保持着对企业的承诺，他们的薪资水平由组织内部的薪资结构决定，而不是由市场决定；企业的扩张建立在内部能力基础上的成长，基于相关技术的基础上向新产品市场的扩张；在财务上，企业投资的融资来源主要依靠内部的积累，"保留并再投资"是企业行为的准则；在组织上，从事管理和技术的白领是被终身雇用的，而蓝领工人则通过工会也获得了事实上的终身雇用。

在第二次世界大战之后的几十年里，这种传统的企业模式支撑着美国的经济增长，也保证了就业的稳定和收入的均等。但美国传统企业在20世纪60年代和70年代遭遇到两个问题：第一，这些大企业通过内部积累和并购已经长得太大，特别是在60年代的非相关多元化浪潮中建立了太多的事业部，跨越了太多的行业。当这种情况导致在70年代的业绩不佳时，美国企业又遇到第二个问题：国际竞争的激化，特别是日本工业的崛起。日本企业逐渐在诸如汽车、消费电子产品、机床、钢铁和半导体（存储芯片）等大批量生产的工业中取得了对美国企业的优势。到80年代，过度集中化的美国企业不得不实行重组，经历了声势浩大的公司并购和所谓"铁锈地带"的工厂关闭的浪潮。

也恰恰在这个时期，"股东价值最大化"作为一种新的意识形态开始盛行。它最初是一批金融经济学家在70年代发展出来的理论（委托代理理论）。以市场总是比组织在资源配置上更有效率为前提，这种理论把股东看作是主人，而经理是代理人；认为由于公司经理不受市场机制的约束，所以倾向于为自己谋取私利，至少是违反主人的利益。针对美国公司管理控制的传统以及70年代的不佳业绩，这些学者要求以公司控制权市场来接管经理的权力，以股本回报率来衡量公司的业绩，并设计出激励机制使经理们去实现股东价值最大化。这种理论与金融资本的利益结合起来，逐渐成为促进企业模式转变的重要力量。

随着金融管制的放松、机构投资者的兴起以及纳斯达克的建立，美国股票市场在企业重组过程中对于资本和劳动再配置的作用越来越大，而金融资本利益的膨胀加大了要求从外部控制企业和增加资本流动性的压力。随着金融资本的渗透，美国传统企业模式在80年代发生了一个决定性的变化：企业管理者的利益逐渐与金融资本结盟，并因此而改变了忠于自己企业并主要依靠内部积累进行投资的传统。拥有越来越多股票期权的经理们以股东利益最大化的名义大量裁减雇员和加大向股东分配的力度（不仅包括红利，而且还有股票回购），并以通过重组所导致的短期利润上升来使自己的报酬不断暴涨。到90年代初，旧经济企业模式的基础——得到就业保障的"组织人"——解体了，企业管理层的行为倾向也从"保留并再投资"转变为"缩编加分钱"。

这种"缩编加分钱"的行为倾向当然不能支撑美国经济的增长。但幸运的是，美国在20世纪90年代后半期发生了新经济革命——这就是信息和通信工业中新经济企业所引领的美国经济"中兴"。这些新经济企业在80年代和90年代几乎把所有的留存利润都用来投资于企业的成长，很少甚至从来不进行现金分红。但同时，它们并未沿袭以往的就业模式，而是发展了一种更为流动和更具弹性的雇工机制：更喜欢用年轻员工。为了应对激烈的竞争，一些传统大企业也向新企业模式转型。随着美国家庭对股票投资收益的依赖性越来越强，随着股市的高流动性诱使风险资本乐于对具有高度不确定性的产品和工艺进行投资，随着股票期权计划对于吸引和留住员工的作用越来越大，新经济革命不仅使20世纪80年代和90年代的股市繁荣持续不衰，而且更使股市变成了动员资本和劳动乃至推动公司成长的主角。

在这些条件和力量的影响下，美国的公司经济在21世纪最初的十年完成了从旧企业模式向新企业模式的转变。2000年之后，在拉让尼克重点考察的信息通信技术工业中，羽翼丰满的新经济企业以及像惠普和IBM这样转型为新经济模式的旧经济企业，不再遵循"保留并再投资"的准则，而是专注于股票的回购以维护公司股价。这种转变使股票市场从对创新的支持（通过促进资本和劳动力流入新兴企业），转向滋生就业不稳定的投机和引起收入不平等的操纵。同时,美国公司加速向海外转移,越来越多地雇用来自印度和中国的更廉价高技术劳动力。于是,新经济的流行做法——股东价值最大化的意识形态、公司回购股票的实践、生产的外包及其向海外转移,使动荡的股市、不稳定的就业、日趋扩大的收入不平等成为美国经济的特征。

上述极其扼要的概括就是拉让尼克在本书中所描述和分析的美国经济变化过程。拉让尼克并没有美化旧经济企业模式,也没有忽略产生新经济企业模式的技术、融资和就业的客观原因,他所真正抨击的是股东价值最大化的意识形态以及相应的制度安排和组织行为,这反映出他的理论立场——经济发展的根本动力是创新,以及他的道德立场——对劳动者的关怀。他指出,美国经济金融化着重表现在美国公司总是试图以对创新的投资和高质量工作机会的创造为代价,向股东分配"价值",尤其是以股票回购的形式。操纵股价使经理们的薪酬暴涨,但公司资源分配的金融化则使就业更加不稳定,收入更加不公平。控制着公司资源配置的一小撮人正在攫取空前的财富——正是他们中的一些人导演了2008年的金融危机。这种行为阻碍了美国企业对生产性资源的开发和利用,从而影响到创新与经济增长的潜力。因此,拉让尼克认为,美国经济脆弱的根源就在于遍及各方面的"股东价值观"。

中美两国经济在全球化条件下已经形成密切的联系,如果我们对美国的经济变化有所理解,我们也就能够更好地理解我们自己的经济问题,这是本书对于中国读者的第二个意义。

在美国完成拉让尼克所述的从旧经济企业模式到新经济企业模式转变的过程中,中国经济增长的动力源也发生了变化:在最近十几年来越来越依赖出口(表现为出口依存度的不断上升),而出口的增长又是高度依赖外资企业的——由外资企业实现的出口占总出口的比重从20世纪90年代中期的35%左右攀升到2008年金融危机之前的超过70%。

中国近十年来出口激增的一个重要原因,是跨国公司在中国采取优惠外资政策的条件下,把劳动密集型的生产环节转移到中国——更准确地说,把中国变成了生产向美国出口产品的"总装厂"。中国出口的需求条件在很大程度上取决于美国的经济走向和宏观政策:互联网泡沫在21世纪初破灭后,美国政府和美联储为避免陷入日本式的经济衰退,采取了前所未有的财政和货币政策刺激经济,带动进口大增。这是推动中国出口和出口依存度在2001年之后大增的需求条件。这一背景的结果是中国的经济增长在最近十年里特别依赖对美国的出口,2002～2005年期间每年对美国的贸易顺差都超过全部贸易顺差总额。

美国企业把生产向海外转移的一个主要途径就是在中国投资设厂,或在主导产业链的条件下把中国当作生产基地(例如苹果的iPad)。这种"产业转移"的后果之一就是中美在所谓"高技术"领域的贸易中,美国成为逆差的一方。但正如拉让尼克在本书中所言,这种贸易缺口体现了信息通信技术产业价值链诸环节的投资和就业的全球化,而美国的跨国公司则是这些价值链的龙头,贸易逆差并不证明美国公司缺乏竞争力。事实上,尽管在中国的出口中,被列为高技术产品的比例在上升,但中国实际上在多数领域都没有完整地生产产品的能力,而必须依赖外国的设计、营销和零部件供应,所以中国基本上是以廉价劳动力从事组装生产来参与这种国际分工。

当然,外资涌入中国的根本原因是中国本身的政策使然。如果我们相信"以市场换技术"是可以兑现的,那么引进外资自然是越多越好。但实践证明,以技术引进代替自主创新的做法无助于中国的能力成长,而过多依赖外资对这种能力的成长更是具有抑制作用。如果我们能够理解拉让尼克所分析的美国经济变化,我们就会更冷静地想一想,中国近年来的经济增长在多大程度上是依靠自己能力的成长,又在多大程度上是依靠"外力"推动。

特别能反映出中美两国经济之间奇特关系的是中国持续了近20年的"双顺差"(指国际收支表中同时出现经常项目顺差、资本和金融项目顺差)格局。从经济学的基本原理来讲,贸易顺差意味着中国是资本输出国,即中国的储蓄率足以支持相当高的投资率,而无需外国资金的补充。但在事实上,中国在保持贸易顺差的同时又大量引进外资,导致了资本项目的顺差。"双顺差"使中国积累起巨额的外汇储备,到2011年3月底已超过3万亿美元,占全球总的外汇储备的四分之一。但中国巨大的外汇储备却没有什么投资出路,主要用于购买诸如美国国债之类的债权资产(中国目前持有1.15万亿美元的美国国债)。根据美国Conference Board在2008年的调查,美国在华企业平均回报率为33%。相反,中国购买美国国债的回报率估计不会超过1%～3%。这种以高代价引进外资,又把因此而积累起来的外汇储备用于购买低收益的债权资产的情况,用中国著名经济学家余永定的话说,"无异于穷人以高价从富人手中借来钱,然后又将钱廉价地借回给富人"。

对一些人来说，“双顺差”似乎反映了中国的成功和强大，但转换一下视角，就看出这个格局也反映出中国经济的脆弱性。抛开资源瓶颈、环境恶化和贫富差距扩大等国内条件不说，中国近年来出口迅速增长所导致的中美两国贸易不平衡的扩大，已经带来要求人民币升值，或采用浮动汇率甚至开放金融市场的强大国际政治压力。这次全球金融危机之后，保护国内就业机会已经成为美国压倒一切的政治主题，也使得美中之间的贸易不平衡成为一个重大的国际政治问题。更值得警惕的是美国采用金融和财政政策来解决贸易不平衡：美联储从2010年11月开始实施的“量化宽松”政策，推动了对美贸易顺差国的通货膨胀，也迫使中国不得不加快人民币升值以对付通货膨胀。

在这种条件下，理解美国的企业模式变化及其经济变化，对于理解我们自己的经济发展问题是有重要意义的。在美元霸权下，美国仅凭印制钞票就可以购买其他国家的商品和资产，而对美贸易顺差的中国却只能把日益膨胀的外汇储备用来购买美国国债，廉价地为美国融资。按照经济学教科书，美国贸易赤字的原因是储蓄率太低，但滥发货币以支持军事霸权，也同样会导致贸易赤字。根据拉让尼克的分析，美国企业模式的转变标志着美国经济的金融化。那么，通过金融手段来维护美国全球霸权的做法也应该是美国经济金融化的推手。拉让尼克以本书的书名——“新经济能否带来持续繁荣？”——来质疑美国的经济模式，而我们也会产生类似的质疑：中国目前的这种经济增长模式及其呈现出来的“繁荣”能否持续？如果不转变经济发展方式，中国经济是否会越来越被华尔街金融资本的利益所左右？

本书的第三个意义是为中国读者展示了一个分析经济变化的理论视角，即从企业模式的演变来探索和分析经济变化。这是一种理论与历史相结合的动态分析方法，继承了熊彼特的传统。熊彼特说过：“资本主义就其性质来讲是经济变动的一种形式或方法，不仅不是，而且也永远不可能是静止的。”他看到“在经济体系内部存在着自动破坏可能达到的任何均衡的能量源泉”，“并不仅仅依赖于外部因素来把经济体系从一个均衡推向另一个均衡”。在这个被熊彼特称之为“创造性毁灭”的过程中，“开启资本主义发动机并使其不断运动的基本推动力来自于新的消费品，新的生产或运输方法，新的市场和资本主义企业所创造的新的工业组织形式”。

正如上述熊彼特的引言所暗示的，如果把经济变化看作是中心问题，就必须找到经济变化的微观机制。拉让尼克本书中的"微观机制"是企业模式，而他用来定义这个变量的框架则是他近年来发展的"创新企业理论"(见本书第六章)。这个理论的要义是:(1)推动经济发展的是能够改变技术和市场条件的企业,即创新企业;(2)企业具有实质的组织内容,其功能是把生产性资源转化为通过市场销售能够产生收入的产品和服务,这个过程由战略、组织和财务三个基本活动所决定,而这些基本活动是否转化为创新过程则取决于相应的社会条件——战略控制、组织整合与财务承诺;(3)创新企业的社会条件——由规治配置资源、雇用劳动和融资的特定经济制度所决定——在国家之间是不同的,所以可以用来作为比较国家间经济绩效差异的分析框架。这个理论视角之所以重要,正如拉让尼克在本书中所言,是因为在发达国家中配置资源的是公司经理而不是市场,所以美国经济与其说是"市场经济"(market economy),不如说是"公司经济"(corporate economy)。于是,拉让尼克从新企业的崛起开始,通过引入那些影响了企业活动的制度变化,概括出企业模式的转变及其对经济结构的影响。因此,拉让尼克的这本著作也向中国读者展示了一种理解和分析经济变化的理论视角。

以这种理论视角来分析中国的问题,可以给我们带来正统经济学所无法提供的洞察力。例如,"转变经济发展方式"已经被中国政府列为"十二五"规划中的重点任务,并随之成为一个流行语。但怎样才能转变经济发展方式,即怎样才能从主要依靠资本和资源投入的"粗放增长模式"转变到主要依靠技术进步和生产率提高的新增长模式?政府领导人提出要提高教育和研发投入占GDP的比重,要发展战略性新兴产业,等等。这些措施没有错,但仅凭几个经济总量的变化并不足以推动经济发展方式的转变。

正如拉让尼克这本著作再次提醒我们的,任何一种经济发展方式或经济增长模式都具有相应的微观基础,或说是相应的企业模式。从这个理论视角看,只有当中国目前主导的企业模式发生转变时,中国的经济发展方式才可能转变。

对于中国企业的主导模式,如果从拉让尼克的框架(战略-财务-组织)看,可以概括出几个要点:依赖技术引进,疏于自主开发,甚至满足于在技术上受到控制的组装生产;往往在缺乏核心能力的条件下追逐规模扩张,导致过多的非相关多元化和投机性的财务目标;民营企业普遍把员工当作廉价劳动力而非生产性资源,而国有企业则沿袭着等级制。尽管中国企业的构成较为复杂，但从总体上则具有一个被普遍承认的共同性：缺乏对发展技术和能力的长期承诺。这种行为倾向也有其制度条件，与各级政府重GDP增长而轻制度建设以及依赖技术引进和外资的政策都是相互联系在一起的。如果这个概括接近于事实，那么可以很容易看出，这种企业模式如果不转变，中国经济发展的动力就不可能从主要依靠资源投入转变为主要依靠技术进步和生产率的提高。

幸运的是，从计划到市场的体制变化为一些创新者提供了发展空间，所以在中国经济中也出现了转变经济活动性质的力量，其中最突出的是竞争性企业在最近20年间的崛起。这里所谓的“竞争性企业”指的是在技术和资本密集型工业中依靠自主开发进行竞争的企业，明显的例子包括电信设备工业中的华为、中兴，汽车工业中的奇瑞、吉利，电子元器件工业中的京东方，以及装备工业中的上海振华港机等等。但实际上，这种企业的数量正在增加。这种企业具有两个重要的共同性：第一，这种企业都在开发和改进产品、工艺和服务方面保持了不懈的努力，而无论是否需要从国外“引进”技术。第二，这种企业的“竞争性”既来自从依靠政府到面向市场的转变，也来自对技术学习过程的自主控制。事实证明，竞争性企业在任何中国工业中的崛起都会明显促进这个工业的技术进步，明显增加创新的频率和速度。

我们无法在这里详细讨论中国竞争性企业发展的问题，但我们可以肯定的是，从主导了过去三十年发展的企业模式向竞争性企业模式的转变，才是决定中国经济发展方式转变的关键。因此，政府以支持竞争性企业成长为导向的政策转变和制度建设，而不是实施由政府操作的项目，才是推进经济发展方式转变的有力杠杆。在这个问题上，拉让尼克的理论框架对于我们的思考和分析是极具价值的。当进口的“股东价值最大化”意识形态也已经在影响中国企业改革的理论时，拉让尼克提出的创新企业理论，可以帮助我们思考中国应当采取什么样的改革政策。

从上述三个方面来看，拉让尼克这本新著中译本的出版，其意义远超过对西方学术进展的一般介绍。即使对于没有什么理论兴趣的读者来说，这些内容读起来也会饶有兴味，甚至富于教益。它的实证内容相当丰富，从中可以了解微电子技术革命和“硅谷”企业的演进史，美国就业模式以及美国股票市场的演变。

在本书之前，拉让尼克已经有两本书被翻译成中文出版(《车间的竞争优势》和《公司治理与产业发展：一种基于创新的治理理论及其经验依据》)，使许多中国读者熟悉了他的名字和研究。这本新著与前两本著作一脉相承，不仅给我们带来了关于美国工业组织和经济变化的丰富信息和洞见，也会启发我们对中国经济发展走向的深层思考。

路　风

国家信息化专家咨询委员会第三届委员会委员

北京大学政府管理学院教授

2011年7月

献给我的父母路易斯·拉让尼克和珀尔·拉让尼克

序 言

当我在2009年3月撰写这篇序言时，美国正经历大萧条以来最严重的经济危机。奥巴马政府采取了一系列刺激政策，力图把经济拉回正常的轨道。然而，正如本书阐释的那样，在这次危机之前，美国经济就存在着一些根本性问题。即使能够复苏，经济也无法形成稳定而持续的增长，即我所谓的"持续繁荣"——如果这些根本性的问题不能得到解决的话。

在过去30多年，美国的收入分配已变得愈加不平等，国民收入中的很大一块被最富有的家庭攫取，其程度已到了令人发指的地步。在此期间，美国经济中的"中产阶级"工作岗位——那种可以提供体面生活水平的稳定就业机会——正在无可救药地趋于灭绝。即使美国的经济形势整体还算繁荣，但那些受过良好教育且工作经验丰富的劳动者仍然在饱受经济不稳定的困扰——这是本书的一个主要发见。

在本书，我对信息通信技术（ICT）产业中的"新经济企业模式"对这种不稳定和不平等的促成作用进行了分析。最近十多年，美国的信息通信技术公司一直在利用中国和印度等国家低工资的合格劳动力来取代训练有素且经验丰富的美国工人。（美国）对发展中国家经济增长的这种贡献体现了一种进步。问题在于，思科、惠普、IBM、英特尔和微软这样的公司并没有将其来自全球化的利润用于维持和提升美国工人的就业机会，而是年复一年地将数十亿美元用来回购自家发行在外的股票，以提升其股价。

这种公司资源配置模式基于这样一种公司治理信条：只有力图实现"股东价值的最大化"，公司才能取得优越的经济绩效。在本书中，我揭露了这种观点的虚妄性，并且说明这种"股东价值"论将在实践中导致美国经济的不稳定和不平等，进而损害其创新能力的积累。本书提供了一种新的思路，说明怎样的公司治理才能导致经济的持续繁荣。

本书所依托的研究可以追溯到20年以前；那时我首次着手研究美国公司经济的金融化，以及随后产生的所谓“管理资本主义”（杰出的企业史学家钱德勒语）或本书所谓“旧经济企业模式”的衰落。20世纪80年代后半期，当时我的本职学术岗位是在哥伦比亚大学伯纳德学院经济系，我参加了钱德勒在哈佛商学院举办的“企业史研究小组”，从中获益良多。《企业组织与市场经济的神话》(*Business Organization and the Myth of the Market Economy*, Cambridge University Press 1991)一书的出版就是当时取得的一项成果。该书对新古典经济学关于市场可以对美国经济的实际资源配置加以整合的观点进行了批判。另一项成果是1992年发表于《产业与公司变革》(*Industrial and Corporate Change*)学刊中的论文《公司控制权市场的控制：管理资本主义的历史意义》；在该文中，我首次将批判矛头转向代理理论和股东价值论。

此后不久，我结识了奥苏丽文(Mary O'Sullivan)；当时她还是哈佛商学院的工商管理硕士、哈佛企业经济学的博士研究生。她关于公司财务、金融经济学和产业公司演变的种种见解对本书的分析贡献良多。我的头一个重要研究课题是由杰罗姆·利维(Jerome Levy)经济研究所资助的，其成果则是一卷论文集：《公司治理与持续繁荣》(*Corporate Governance and Sustainable Prosperity*, Palgrave 2002)。其中心议题是股东价值论主导的公司治理所导致的美国优秀工作岗位的流失问题。该书的作者包括鲍勃·富兰特(Bob Forrant)、菲尔·莫斯(Phil Moss)和克里斯·蒂利(Chris Tilly)等。他们都是我在马塞诸塞大学洛厄尔分校区域经济和社会发展系的同事；我与他们经常就美国经济的就业和收入分配问题进行讨论。

1993年，应马塞诸塞大学洛厄尔分校的校长威廉·霍根(William Hogan)和主管大学关系和发展的副校长弗雷德里克·斯佩罗尼斯(Frederick Sperounis)之邀，我离开哥伦比亚大学加入该校。这两位校长均致力于开展全校范围的跨学科研究，以达成对经济和社会发展现实的深刻理解。我在区域经济和社会发展系的同事约翰·伍丁(John Wooding)随后成为洛厄尔分校的教务长。我要对这三个人表示感谢，他们为本书所依托的研究提供了良好的智力环境和工作条件。

自20世纪90年代以来，通过对欧洲和亚洲的公司治理、创新和经济绩效的比较研究，我对美国资本主义特殊演变模式形成了更加明确的认识。欧洲经验的要点在于，整个欧盟一直在坚持其独特的公司治理体制，而拒绝全盘接受美国的股东价值模式。我要说，这种做法符合欧洲人的根本利益。亚洲经验的重要性在于，自20世纪50年代末日本经济起飞以来，这一地区形成了世界上最有活力的发展中经济体；其中近年来中国和印度越来越重视信息通信技术产业，把它作为经济增长的发动机，而其非常能干的劳动力队伍则使这种经济增长如期而至。

我要感谢基思·史密斯(Keith Smith)；在他担任研究所主任期间介绍我在1993年参加挪威奥斯陆的技术、创新和经济政策研究小组，由此介入欧洲联合研究项目。1996年至2007年，我以欧洲工商管理学院(INSEAD)客座教授的身份继续我的研究，主持了欧盟的一项重要研究课题——公司治理、创新和经济绩效(CGEP)，并参与了孟德斯鸠-波尔多第四大学由Yannick Lung主持的欧盟后续项目——以知识为基础的欧洲社会经济模式(ESEMK)的研究。这些课题的研究，以及与斯德哥尔摩经济学院的亨里克·格利姆斯泰特(Henrik Glimstedt)和柏林科学中心的尤瑞克·吉更斯(Ulrich Jürgens)的合作对本书亦多有贡献。

20世纪90年代初，我与东京大学的Kazuo Wada和大阪大学的Takeshi Abe合作进行一项关于日本经济发展中的组织和技术动态互动的研究，由此开始了我对亚洲的研究。1996年至1997年我作为东京大学客座教授的经历，以及随后参与由东京大学Akira Kudo和谢菲尔德大学Glenn Hook主持的关于日本企业的研究使我对日本经济有了更深入的理解。Ronald Dore是一位知识渊博、思想敏锐的学者，我与他就日本和比较资本主义等问题多有讨论，令我受益匪浅。

1997年至1999年，由于我在哈佛大学的社会学学生卢启文的关系，我加入了欧洲工商管理学院。他的先导性著作*China's Leap into the Information Age* (Oxford University Press 2000)使我看到了中国正在发展中的创新能力；本书第5章对此有所讨论。不幸的是，卢启文在手稿刚刚完成之际撒手人寰。通过他的著作，我结识了伦敦大学亚非学院和中国人民大学的Dic Lo；他在2006年成为我中国启蒙之行的东道主。通过我在马塞诸塞大学洛厄尔分校的研究生，特别是Hao Xie、Yue Zhang和He Gao，我对中国的了解亦颇有增益。

我对印度经济的第一手研究始于1993年我与洛厄尔分校的同事迈克尔·贝斯特(Michael Best)和已故的Sukant Tripathy合作进行的关于印度麻纺工业的研究。当时印度受过教育的失业者高达数千万人。20世纪90年代末,印度信息技术(IT)服务业的迅猛发展改变了这一切。2007年,我两度访问印度IT服务业的中心城市班加罗尔,近距离地观察那里发生的经济转型。我要特别感谢西隆市的Parteii Sawyan,通过她的朋友汇丰印度公司的首席执行官Naina Kidwai的帮助,我得以接触一批印度IT服务公司,包括Infosys、Mindtree和Wipro的经理。他们向我讲述了关于印度信息通信技术产业的种种知识,为此我要感谢惠普印度公司的Arundhati Chakraborty、Amrita Dhindsa和Sunil Swarup, IBM印度公司的Muthukrishnan Subramanian, Infosys公司的Somnath Baishya、Bikramjit Maitra和Deependra Moitra, Ittiam公司的Srini Rajam, Mindtree公司的Puneet Jetli、Krishnakumar Natarajan和R. K. Veeraraghavan,摩托罗拉印度公司的Mohan Kumar,路透社印度分社的Swati Bhatia和Marion Leslie,以及Wipro公司的Ranjan Acharya、Jatin Dalal、Vinod Harith、Ashok Herur、Divakaran Mangalath、Sudip Nandy、Veena Padmanabhan、Jessie Paul和Swapna Pillai。

在美国,拉塞尔·塞奇(Russell Sage)基金会于20世纪90年代末给我提供了资助,供我对互联网繁荣期朗讯科技公司如何解决其Merrimack Valley工厂熟练生产工人(该厂拥有5 600名员工)的短缺问题进行研究。然而,在研究过程中,繁荣变成了萧条,结果该课题也变成了关于一家大型高技术制造厂如何瓦解及其失业员工如何安置的研究。通过这项研究,我结识了Merrimack Valley工厂的经理爱德华·马奇(Edward March),随后几年他成为我在马塞诸塞大学洛厄尔分校重要的同事,使我对技术变革过程的研究得到很多启发。

这一工厂层面的研究为此后的研究项目提供了一个契机;首先是作为CGEP项目的一部分,与马利·卡朋特(Marie Carpenter)和奥苏丽文在欧洲工商管理学院合作,就新经济企业模式(以思科为典型)对朗讯、北电和阿尔卡特这样的旧经济通信设备企业的战略、组织和财务方面的影响进行研究。欧洲工商管理学院为我们提供了与阿尔卡特巴黎总部的经理们进行交流的机会。我要特别感谢François Béhague、Jean-Luc Corniglion和伊丽莎白·伊斯特兰德(Elizabeth Eastland)花费时间为我们解说阿尔卡特在互联网繁荣和衰退期间的组织和技术变化。此后在2003年,我与亨里克·格利姆斯泰特合作开始进行对瑞典的通信设备巨头爱立信的研究。在该公司全球薪酬和福利副总裁马库斯·希尔德(Marcus Sheard)的出色配合下,我们对爱立信如何引进美国式的雇员股票期权计划然后又对其加以改造,使之适合瑞典更为平均主义的企业模式的做法进行了分析。

依据我们对通信设备企业的研究,2007年8月,马利·卡朋特、亨里克·格利姆斯泰特、爱德华·马奇和我在欧洲工商管理学院发起组织了一个关于全球通信技术产业创新和竞争的研讨会,使业内人士和学者汇聚一堂。除了为本书提供资料外,这次会议还导致我与Arthur D. Little咨询公司的佩特·希拉福什(Petter Kilefors)和马丁·罗特(Martyn Roetter)合作开展全球通信技术产业的研究。

虽然所有这些工作均为本书提供了养分,但W. E. Upjohn就业研究所的资助却使这些宽泛的研究凝结为一本专著。该研究所对本书的支持绝非仅限于提供资助。苏珊·豪斯曼(Susan Houseman)鼓动我申请此项资助,在整个项目运作期提供了可贵的指导和耐心的帮助。两位不知名的提名者对本书的资金申请提出了审阅意见。凯文·霍伦贝克(Kevin Hollenbeck)对本书的结构和出版提供了很好的建议。鲍勃·沃森(Bob Wathen)是一个优秀的文字编辑,他帮助我从一个较为宏大的画面中勾勒出重点,并削除了一些游离主线的冗言。最后,理查德·维尔瓦(Richard Wyrwa)对本书进行了非常专业的审定,本杰明·琼斯(Benjamin Jones)的排版校对工作亦堪称出色。

自2005年以来,本书的一些资料就在我于世界各地进行的讲座上有所披陈。某些章节的早期版本曾经在一些刊物和论文集中发表,但大都较为偏重经验性,不如本书这样概括。这些出版物包括*Internet and Digital Economics*、*The Future of Work in Massachusetts*、*Employee Pensions: Policies, Problems, and Possibilities*、*The Oxford Handbook of Information and Communication Technologies*、*Perspectives of Corporate Governance*、*Industrial and Corporate Change*、*Louvain Economic Review*和*Capitalism and Society*。

除前面提到的诸位贤达对本书的智力贡献外,我与以下各位人士的讨论或其给出的意见亦令我有所受益;他们是Ron Adner、Sanjay Anandaram、Tosun Aricanli、Randy Barber、Ross Bassett、Christophe Belleval、Michael

Best、Margaret Blair、Danny Breznitz、Eric Brousseau、Kristine Bruland、Bob Buchele、Leonardo Burlamaqui、Jose Cassiolato、Ha-Joon Chang、François Chesnais、Chris Clott、Andrea Colli、Tony Daley、Stephen Diamond、Yves Doz、Ciaran Driver、Steve Early、Jim Elliott、Dieter Ernst、Jan Fagerberg、Kaidong Feng、Tom Ferguson、Lou Ferleger、Patrick Fridenson、James Galbraith、Teresa Ghilarducci、Debbie Goldman、Margaret Graham、Leslie Hannah、Susan Helper、Ronil Hira、Ha Hoang、Ken Jacobson、Martin Kenney、Bruce Kogut、Jackie Krafft、Sarah Kuhn、Kenji Kushida、Helena Lastres、Feng Lu、Robin Mansell、Stephen Marglin、Bill Mass、John Mathews、Mariana Mazzucato、Lars Mjøset、David Mowery、David Musson、Wim Naudé、Mario Pianta、Andrea Prencipe、Mike Prokosch、Dan Raff、Ravi Ramamurti、S.L. Rao、Petri Rouvinen、Mari Sako、Catherine Sauviat、Claude Serfati、Stefano Solari、Ed Steinmueller、Tim Sturgeon、Jomo Kwame Sundaram、Christian Weller、Chip White、Steven White、Cynthia Williams、Peer Zumbansen和John Zysman。我的研究助手对本书有所贡献者有：Bob Bell、He Gao、Mustafa Erdem Sakinc、Oner Tulum、Hao Xie和Yue Zhang，他们已成为我正在进行的研究工作的合作者。我还要感谢Isa Cann、Tim Harrigan、Ben Hopkins、Sarah Johnson、Léah Lazonick、Mindy Lu、Paulsen Mrina、Dimitra Paparounas和Susan Roe等人的研究辅助工作。

我的女儿，艾什莉(Ashley)、莉亚(Léah)和凯茜(Casey)多次听到我说这本书就快写完了。现在，它真的完成了。我希望她们知道，她们对本书的兴趣对作为父亲的我多么重要。最常听我念叨本书进展情况的莫过于卡萝尔·奥加(Carol Oja)了。她是一个出色的音乐理论家，一个了不起的人；她一针见血的提问和见解有助于我在头脑中和手稿上厘清自己的论证。最后，我想把本书题献给我的父母，路易斯·拉让尼克(Louis Lazonick，1914～1995)和珀尔·拉让尼克(Pearl Lazonick，1917～2005)。作为曾亲历大萧条的过来人，他们非常清楚稳定和平等的经济增长的重要性。

1

“新经济”新在哪里？其持久性何在？

“组织人”的终结

20 世纪 90 年代下半叶，互联网的繁荣宣告了新经济的到来，它向世人承诺：经过 90 年代前半期的经济停滞，信息通信技术(ICT)的创新将重新带动经济走向繁荣。然而，2001～2002 年经济的急剧衰退使人不禁对新经济实现其诺言的能力产生疑问，甚至令人开始怀疑这一经济模式是否真的可以冠以“新经济”的称号。一位名叫约翰·卡西迪(John Cassidy)的记者在 2002 年曾出版过一本题为《互联网骗局》(*Dot. con: The Greatest Story Ever Sold*)的著作；这一书名也许恰如其分地指出了新经济的本质。如果新经济只是一场镜花水月，在投机风暴兴起和崩解之后，经济生活就会回到喧嚣一时之前的状态。

现在我们已经了然：新经济确实包含许多浮夸不实的成分，但与此同时，也不乏新的、重要的、具有持久性的东西，其力量足以改变人们以前的生活方式。我们把这种新的、重要的、具有持久性的东西的核心称之为“新经济企业模式”(New Economy business model, NEBM)——这种企业组织模式使美国人的就业方式和条件，乃至美国经济的运行方式发生了重大改变。

新经济企业模式发轫于硅谷，并由此扩展到美国其他地区。由于美国信息通信技术企业的海外扩张，以及美国以外的高技术企业开始采用美国企业模式的某些要素，新经济企业模式也对世界其他地区，特别是欧洲和亚洲一些经济体的就业造成了影响。随着海外(特别是印度和中国)一些受过良好教育的高技术劳动力的流入以及美国的信息通信技术公司将自己的各种业务环节分设到海外(特别是印度和中国)，21 世纪头 10 年信息通信技术产业高技术劳动力的全球化程度较互联网革命之前有了很大的提升。

20 世纪 90 年代后期，互联网大潮使“新经济”成为一个家喻户晓的名词，但这一大潮的消退并未导致新经济企业模式的退位。相反,它的一些主要特征在21世纪头10年的美国高技术企业变得更为普及和强化了。这些特点——包括创业企业、垂直专业分工、风险资本和劳动力的高流动性等——使新经济企业模式依然独领风骚,在美国占据着统治地位,并且令许多国家的政策制定者和企业领导人争相效法。

与此同时,与这种企业模式相伴随的则是动荡的股市、收入的不平等和就业的不稳定,包括与高技能工作岗位流向海外相联系的不安定。如果我们把"持续繁荣"定义为经济增长的成果转化为稳定的就业和平等的收入分配,那么美国的经济繁荣似乎是不可持续的。因此,我们需要对新经济企业模式的组织和产业动力机制进行更深入的了解,以确定其创新能力是否能够导致更令人满意的社会成果。

曾经统治美国公司经济数十年的"旧经济企业模式"(Old Economy business model, OEBM)起源于二战之后,并一直延伸到20世纪80年代;在就业稳定和收入均等方面,其成就远胜于当前的新经济企业模式。旧经济企业模式的社会基础是所谓"组织人"——在50年代的美国备受青睐(Whyte 1956)。"组织人"具有如下典型特征:白人、盎格鲁-萨克逊血统、新教徒、男性,高中毕业后即接受大学教育,在职业生涯早期即进入一家大公司工作,收入不菲,一干就是三四十年,沿着公司的等级阶梯逐步擢升、在退休时则可获得约定给付的养老金(defined-benefit pension)和补贴很高的医疗福利。① 他们很看重大公司提供的就业稳定性,同时很忌讳跨企业的跳槽之举。

组织人的起源可以追溯到20世纪最初几十年,在二战后的几十年间发展为遍布美国公司办公室的主要人群。具有讽刺意味的是,当20世纪80年代强大的日本竞争者对美国的旧经济公司步步紧逼时,美国许多研究日本"终

---

① 在20世纪50年代初,社会学家赖特·米尔斯(C. Wright Mills 1951)就白领员工的意义撰写了一篇颇有影响力的论文。在完成了其畅销书《组织人》(*The Organization Man*)时,威廉·怀特(William H. Whyte)还是《财富》杂志的一名编辑,后来成为一名杰出的都市社会学家。怀特对组织人特征的概括,通常被理解为具有贬义,而组织人则被视为磨平了个人棱角的官僚体制的牺牲品。但怀特本人却并不认同这种解释。在1982年的一次访谈中,他表示:"我不认为《组织人》是一部针砭性的著作……毕竟,我本人就曾经是一些出色的组织中的一个组织人,而且我不认为成为一名组织成员是有失颜面的。但很多人并没有阅读这本书,就按照自己的想法随意加以解释,以此来抨击美国的现代生活。在公司工作的人都是没有灵魂的行尸走肉?我认为这完全是无稽之谈。"见1982年10月15日理查德·赫夫纳(Richard H. Heffner)对怀特的采访,http://www.the openmind.tv/searcharchive_episode_transcipt.asp? id=1509(accessed June 26,2009)。

身雇用”制的学者认为这种组织模式与美国人的活法大异其趣。然而，早在20世纪上半叶，美国公司就已经把担任各种管理工作并支取薪水的职能、技术和行政管理职员都变成组织人了。更有甚者，到了50年代和60年代，那些领取小时工资而不是薪金的工会工人，也开始运用集体谈判的方式来保护其年资等级地位，因此他们实际上也能够享受终身雇用的待遇，并且随着经济的稳步增长而期望将来退休后能够拿到约定给付的养老金以及全套医疗福利，就像其所在公司的那些支薪管理者一样。

从历史的角度来看，可以把新经济企业模式恰当地形容为“组织人的终结”。这并不是说，新经济的公司已无需建设复杂的存续性组织了。为了获得和保持竞争优势，诸如英特尔、微软和思科这样的新经济蓝筹公司必须将其复杂的层级和职能劳动分工体系中的成千上万名员工的劳动付出整合为一体。对于创新型企业而言，整合劳动分工的作用在于开发和利用新技术。实际上，我们可以认为，鉴于高技术的复杂性以及信息通信技术行业的“开放式系统”所造成的竞争加剧，建立独一无二的组织能力对于这种企业取得成功的重要性非但没有减弱，反而更显重要了(Lazonick 2008a)。

此外，雇员从一而终，为一家公司工作一辈子的情况也没有完全灭绝；产业界龙头公司的雇员流动率依然很低。毋宁说，这里的新变化在于**承诺**的缺失：或明说或暗示，美国的高技术公司已不再承诺为雇员提供就业保障、技能养成和职务升迁的前景了。当一名雇员投入一家新经济公司，他也没有打算为这家公司干一辈子，拥有高技术能力的个人也不一定愿意为一家公司工作多年甚至几十年。跨企业的流动可以为雇员带来诸多好处，包括为一家较小的企业工作、选择工作地区、显著增加薪水、获得面向雇员的股票期权和新的学习体验。与其旧经济的前辈相比，新经济企业组织承诺的显著消失是双向的——无论是雇主还是雇员。

与这种组织承诺降低相辅相成的是，美国信息通信技术企业所雇用的员工变得更为全球化了。这种全球化是由高技术工作的海外转移和高技术人才的跨国流动所致；这并不是什么新现象，但在过去十年间开始大行其道。在雇用关系方面，美国信息通信技术业的大公司已经彻底全球化了，这不仅是出于降低工资成本的战略，而且是为了借助美国以外地区，特别是亚洲地区日益增强的信息通信技术技能。

虽然新经济企业对高技术就业的影响直到20世纪90年代后半期才得以

彰显，但其发展已经历了半个世纪之久。实际上，其起源可以追溯到20世纪50年代中期，那时旧经济的大工业公司正如日中天。新经济企业的发轫是与微电子技术革命互为表里的；50年代后期计算机芯片的开发为70年代后期微电脑革命的兴起奠定了技术基础，而后者又为90年代互联网的商业化建立了基本的技术设施。尽管美国政府和旧经济的大企业实验室为这些变化提供了重要的乃至不可或缺的支持，但每一次创新浪潮总会为一批创业企业的崛起提供机会，而这些企业则趁势成为这些新技术得以商业化的主力。

这些新企业主要集中在20世纪70年代开始闻名于世的硅谷地区，因而进一步促进了这种特殊企业模式的形成。从60年代后期开始，风险资本家为位于斯坦福大学附近的众多创业企业提供了资助，由此形成一个全新的行业，即专门培育新生的高技术企业成长的风险投资业。通过提供股票期权形式的报酬，这些创业企业从老企业挖来了不少“人才”；这种股票期权通常被用来替代一部分薪水，将来企业一旦上市或出售给大公司，其潜在的市场价值十分可观。

随着这些新生企业的成长壮大，每年向更多的员工发放股票期权就成为它们留住流动性颇高的员工同时吸引新人加入的一个主要手段了。然而，这些企业的后续成长并不只是通过更多的新设备投资和雇用更多的员工，同时它们还收购新生的高技术公司，而用来支付收购的几乎无一例外是本公司的股票而非现金。此外，无论何时何地，只要有可能，信息通信技术企业都会争取成为只从事设计、试验和销售最终产品的系统集成商，而将零部件的制造业务外包出去，以便自己可以专注于高附加值的工作。随着专业化代工企业的能力提升（包括组织遍布全球和生产线高度自动化），可以为更广大的市场提供制造服务，这种外包战略也变得益发经济和有效了。

早在20世纪80年代末，信息通信技术产业这种新企业模式的上述特点就已经为产业观察家所熟知。然而，只是到90年代后期，互联网开始风行天下时，这种企业模式才对新企业的形成、产品市场的竞争、跨企业的劳动力流动和生产率产生了足够的影响，并被人们广泛地定义为新经济的概念。在本书，我将叙述新经济企业模式在过去半个世纪的演进，以此为基础来说明21世纪第一个10年高技术就业全球化的缘由及其对美国高技术就业机会的含义。

在美国的信息通信技术产业，新经济企业模式已无可争议地取代了旧经济企业模式的主导地位。新经济企业模式已经并将继续成为美国经济创新的主要发动机，并因此成为美国的经济增长之源。但衡量一个经济体的表现，增长指标并不是唯一的。只有那种既能取得增长、同时这种增长还能提供稳定的就业和平等的收入分配，即我称之为“可持续的繁荣”的经济才能获得经济学家的高分。但正如我在本书中证明的那样，在最近10年左右的时间，新经济企业模式虽然是创新的发动机，但也促成了不稳定和不平等。信息通信技术产业仍然在帮助美国成为世界上最富有的国家，无论就经济总量和人均收入而言都是如此。然而，新经济企业模式在信息通信技术产业支配地位的日益加强，同时也意味着该产业劳动者就业和收入不安定的与日俱增，并因而成为导致整个美国经济走向就业不稳定和收入不平等的重要因素。

在互联网大潮兴起和衰退之后，21世纪以来的就业形势出现了一个新现象，即就业不稳定或失业的范围已经扩大到信息通信技术业那些高学历和资深的员工，因为他们的前雇主更愿意雇用那些较为年轻的工作者。与此同时，通过海外转移，这些公司正在把各种高技能的工作转移到工资成本更低的国外，而这些工作曾经被美国人视为自己的禁脔。就学历和资历而言，这些在新经济企业模式下遭受失业威胁的高技术工作者在另一个时代正是那种(为公司倚重的)组织人，虽然他们已不一定像20世纪50年代那样通常由盎格鲁-萨克逊血统的白人新教徒男性所组成。21世纪头10年，公众对“美国工作岗位出口”的激烈反应实际上不过是一曲哀悼组织人之死的挽歌。

在本书中，我将说明这个新时期就业不稳定和收入不平等的根源何在，并指出政府、企业和个人对此该如何应对。我将探究，美国是否能重构其高技术企业模式，以促成稳定和平等的经济增长。鉴于其创新能力，世界各地的政策制定者和企业领导人把美国的企业模式奉为圭臬，以为只要在自己的国家或地区推行这种模式就能使其国家和社会做大做强。如果美国经济，包括支配其资源配置方式的企业模式被视为全世界的榜样，那么我们就有责任分析其运行及影响因素，弄清楚它缘何不能促成稳定和平等的经济增长，以及我们怎样才能改变这种状况的应对之道。

在何种制度和组织条件下，发达经济——不仅是美国经济——才能实现持续的繁荣？这是我着力研究的问题，而本书则是这种探究的一个步骤。与此相应，虽然我探讨的是美国最具代表性的信息通信技术产业的起源及其运行和影响，但我的兴趣并不在于该产业本身。毋宁说，我之所以对信息通信技术产业进行详细的研究,是因为在过去一个世纪的大部分岁月,特别是近几十年,它是美国经济创新能力的核心部门。为了实现增长,经济需要创新;按照经济学的说法,我把创新定义为在通行的要素价格下较之以往品质更高或成本更低的产品和服务。但创新并不一定会导致持续繁荣。在本书中,我将探寻何种类型的国家制度和企业组织能够支持创新的进程,以及这种国家创新体系对整个经济的就业稳定和收入平等的影响。

美国经济的创新和增长

美国是世界最大的经济体,其人均国内生产总值(GDP)超过其他所有发达国家的水平。表 1.1 显示了 1950～2006 年美国和其他发达经济大国、一些较小的发达国家和部分增长最为快速的发展中经济体人均实际 GDP(以 1990 年国际美元为准,即换算成实际购买力)的增长情况。这些数据表明各国(或地区)的人均 GDP 增长速率是参差不齐的,说明即使在如今的全球化时代,国家(或地区)作为分析经济增长的单位仍然关系重大(Lazonick 2007a)。

表 1.1　与美国相比,一些国家(和地区)的人均实际 GDP(1950～2006)

	实际 GDP[a]						
	1950	1960	1970	1980	1990	2000	2006
美国	$9 561	$11 328	$15 030	$18 577	$23 201	$28 403	$30 983
美国(298.4)[b]	100	100	100	100	100	100	100
日本(127.5)	20	35	65	72	81	73	73
加拿大(33.1)	76	77	80	87	81	79	80
法国(61.7)	55	67	78	81	78	74	72
德国(82.7)	41	68	72	76	69	67	65
意大利(58.1)	37	52	65	71	70	66	63
英国(60.6)	73	76	72	70	71	71	74
芬兰(5.2)	44	55	64	70	73	70	75
荷兰(16.5)	63	73	80	79	74	78	75
挪威(4.6)	57	64	67	81	80	88	90
瑞典(9.0)	70	77	85	80	76	72	77
瑞士(7.5)	95	110	112	101	93	79	76
韩国(48.8)	9	11	14	22	38	50	58

（续表）

	实际 GDP[a]						
	1950	1960	1970	1980	1990	2000	2006
中国台湾(23.0)	10	13	20	32	43	60	64
中国大陆(1310.8)	5	6	5	6	8	12	21
印度(1095.4)	6	7	6	5	6	7	8

注：a　1990 年国际 Geary-Khamis 美元；
　　b　括号中是 2006 年的人口数(百万人)，美国在各比较年份均为 100。
资料来源：Maddison (2007)；Conference Board (2008).

20 世纪下半叶最具戏剧性的成功故事来自日本；该国从二战后的废墟中崛起，在 1970 年成为世界第二大经济体——就 GDP 总量而言(参见 Maddison 2007)。其致富之道是通过引进国外、特别是美国的技术，然后开发和利用这些技术，做出比美国产品质量更高、成本更低的产品。日本成功的亮点在于，通过创新，于 20 世纪 70 年代和 80 年代在一系列产业(诸如大批量生产的汽车、家用电子产品、机床、钢铁和半导体)取得了对美国企业的竞争优势，而这些产业在 50 年代和 60 年代还是美国人的天下。虽然 70 年代日本的低工资和较长的工作时间(再加上石油危机及其引起的对小型节能车的需求)有助于日本人对美国市场的攻城略地，但有证据表明，即使在日本人的工资水平已得到显著提高的 70 年代末和 80 年代(体现在表 1.1 的人均 GDP 数据上)，日本通过其发展的具有高度创新力的经济，依然有能力继续扩大其竞争优势。实际上，到 90 年代中期，日本人的年平均工作小时数已经低于美国人了(International Labour Organization 1999)。

自 20 世纪 80 年代以来，继日本之后，亚洲的一些经济体，特别是韩国、中国台湾和中国大陆，对美国在高技术和资本密集型产业的霸主地位发起了一轮又一轮的挑战。而在劳动密集型的信息技术服务领域，印度已经成长为强大的竞争者。对这些经济体的发展来说，其关键因素不仅在于美国的技术转移，而且其生产能力的发展还有赖于美国的大学教育和工作经验——这种现象在此前的日本从未出现过，本书将对此进行深入的研究。

虽然一些亚洲经济体正在迎头赶上，但直到 21 世纪头 10 年，美国仍然是一个具有高度创新性的经济体。美国人均实际 GDP 的年平均增长速度在 20 世纪 60 年代为 3.04%，70 年代为 2.18%，80 年代 2.10%，90 年代为 1.86%，21 世纪头 10 年为 1.49%。无论 21 世纪的美国经济存在何种问题，但就美国人整体而言，这些问题绝非源自生产能力的缺乏。与此同时，中国和印度这样的国家已经发展了巨大的创新能力，同时工资水平仍远低于目前的美国，随着这些国家国际竞争力的与日俱增，美国实际人均GDP的增长率长期以来一路走低。这些变化可能会加剧美国经济的不稳定和不平等，使持续繁荣变得更加遥不可及。

不稳定

从1930年到1941年，美国的平均失业率为17.4%，其波动幅度介于1930年的8.9%到1933年的25.2%(U. S. Bureau of the Census 1976，第126页)。为了摆脱大萧条的阴影，美国加入了第二次世界大战。战后，美国国会于1946年通过了《就业法》，规定美国政府有义务推行能够保障美国公民全面就业的经济政策。从此之后，美国的失业率从未达到过两位数，其最高点分别为1982年的9.7%和1983年的9.6%。如图1.1所示，20世纪50年代美国的失业率为4.5%，60年代为4.8%，70年代为6.2%，80年代为7.3%，90年代为5.6%，21世纪头10年为5.0%(截至2007年)。

虽然政府的干预显然杜绝了另一次大萧条发生的可能性，但如图1.1所示，无论是在每个年代期间或数个年代之间，美国的就业率远远说不上稳定。黑人和西班牙裔人的失业率远高于白人，黑人的失业率在1983年甚至达到了19.5%的大萧条时期的水平。此外，图1.1还表明，虽然配偶健在的已婚男性属于失业率最低的群体，但在不同年份其就业率的波动幅度也相当显著。

在组织人的时代，长年就职于一家公司的就业模式是美国就业稳定的基石。在近期一篇关于工作稳定的调查报告中，亨利·法伯(Henry Farber 2008，第1页)指出，“大量的证据表明，在美国长期就职(于一家公司)的情况正趋于式微”。借助《当前人口调查》(Current Population Survey)1973～2006年的数据，法伯(第27页)指出，在20世纪90年代和21世纪的头10年，美国劳动者的就职年限正在缩短，其中尤以男性为甚。此外，教育程度和资历也不再像以往那样对就业稳定具有保障作用了。运用《去职工人调查》(Displaced Worker Survey)的数据，法伯(第35页)发现，在20世纪80年代，具有大学学历者的失业率比高中学历者低22%，但在21世纪头10年下降为仅低12%。他还发现，在80年代，45～54岁的职工的失业率比20～24岁者高19%，而21世纪头10年这一数据高出了58%。

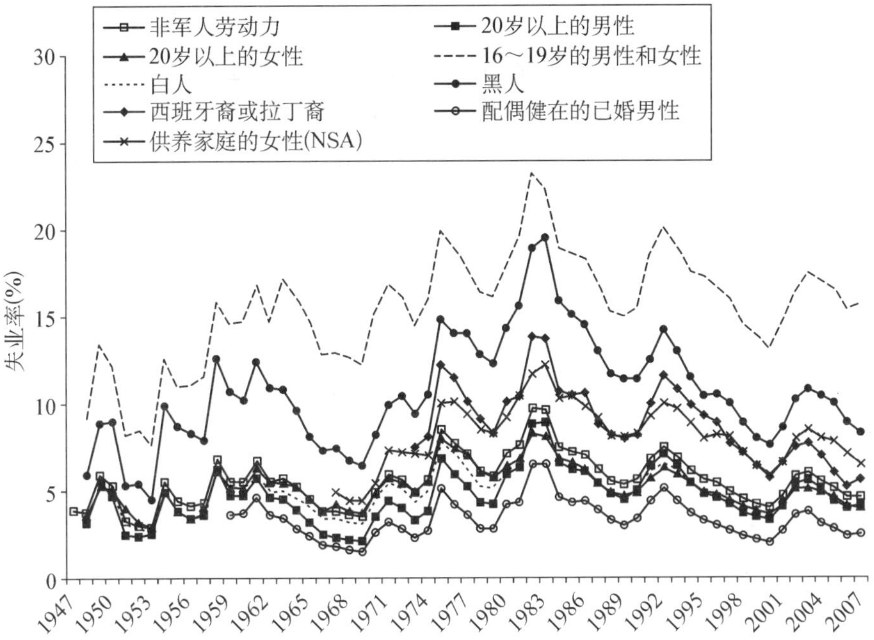

图 1.1　1947～2007 年美国各种劳动人口的失业率

注：1972 年以前的黑人失业率包括其他少数民族；NSA 意为“未经季节调整”；美国非军人劳动力的年平均失业率：50 年代为 4.5%，60 年代为 4.8%，70 年代为 6.2%，80 年代为 7.3%，90 年代为 5.8%，21 世纪头 10 年为 5%（截至 2007 年）。

资料来源：U.S. Congress(2009，表 B－42)；U.S. Bureau of the Census (1976，第 135 页)。

如果劳动者的就业收入在其职业生涯变得不稳定，其累积财产的金融回报也会是如此。许多美国人把相当一部分财产投入到股票市场，无论是通过直接持有股票还是通过共同基金、养老基金或保险机构间接持有。1999 年，美国公司股票的市值达当年 GDP 总量的 211%，相当于 1990 年 GDP 的 3.5 倍，而人均持有的公司股票（以 2007 年美元的购买力计算）达 86 994 美元（Board of Governors of the Federal Reserve System 2008，表 L213）。按实际购买力计算，2007 年美国人均持有的股票价值比互联网大潮初起时的 1996 年高出 41%。

1945 年，家庭持有美国公司股票总量的 93%，而 2007 年仅为 25%。不过，在 2007 年，以当年美元的购买力计算，美国家庭人均直接持有的股票仍比 1945 年要高 88%。1965 年，养老基金（私营和政府管理的）持有公司股票总量的 6%，而 1985 年，这一比例上升到 28%。虽然在 2007 年该比例仍滞留在 23%，但注入共同基金的储蓄比例却在稳步增长，其持有的公司股票比例在 1985 年仅为 5%，2007 年则激增到 26%。共同基金的大发展体现了养老金模式从约定给付到约定提存(defined-contribution pension)的转变，而后者(即约定提存的养老金)则更多地是通过个人退休金账户进行管理的(因而更多地投入股市——译者注)(IRAs;并参见第4章)。共同基金占个人退休金账户资产的比例从1985年的17%上升到1999年的49%;1999年，共同基金吸收了约定提存养老金总资产的30%，但吸收约定给付养老金的份额仅为6%;其掌握的资产大都投资于股票(Engen & Lehnert 2000，第802～803页)。

如表1.2所示，股票市场的收益相当不稳定，不仅各年份差异很大，而且各年代之间也是如此(该表未包括2008年的负收益情况)。20世纪80年代和90年代，股票市场非同寻常的高价差收益使美国人以为股票市场可以为他们带来长期的财务保障。这种高价差收益可能是来自创新型企业的真实生产率收益，但也可能是来自高强度的股票投机，从而导致股市更大的不稳定。更有甚者，如果创新和投机仍不足以推升股价，那么，在华尔街的鼓励下，公司的经理们会通过操纵手段来拉抬股价。因此，正如我将在第6章阐述的那样，在21世纪头10年股市疲软时，美国的公司，包括一些最大的高技术企业，为抬高自家股票的价格开展了大规模的股票回购，因而使公司的收益从其他利益相关者转移到股东手上。同时，我还将证明，从长期来看，即使对于股东来说，通过回购股票造成的股价升高也是难以为继的①。

表1.2　1960～2007年美国公司股票和债券的年均收益(%)

	1960～1969	1970～1979	1980～1989	1990～1999	2000～2007
实际股票收益	6.63	−1.66	11.67	15.01	0.96
价差收益	5.80	1.35	12.91	15.54	2.09
股利收益	3.19	4.08	4.32	2.47	1.64
CPI的变动[a]	2.36	7.09	5.55	3.00	2.78
实际债券收益	2.65	1.14	5.79	4.72	3.34

注：股票收益取自标准普尔指数所含的500家美国公司;债券收益取自穆迪评级为AAA级的美国公司债券。

a　消费者物价指数。

资料来源：根据U.S. Congress (2009，表B-62，B-3，B-95和B-96)对Lazonick & O' Sullivan (2000a)论文资料的更新。

① 在杰罗米·西格尔(Jeremy Siegel)的知名著作《股票的长期表现》(*Stocks for the Long Run*，现已更新到第4版)一书中，关于股票回购只是一笔带过(Siegel 2008，第98页);然而，自20世纪90年代以来，股票回购已经成为将公司收益转移给股东的主要模式。

不平等

旧经济企业模式的一个主要特征是资产所有权与公司资源配置的管理控制相分离(Lazonick 1990,1991)。公司顶级高管的薪资水平，主要由其所领导的公司管理组织内部的薪资结构而非由外部的高管劳动市场所决定。随着职业生涯的推移，通常受过大学教育的管理人员可以指望自己在公司内部被逐步擢升；在他们退休后，则可以根据公司的约定给付养老金计划获得有保证的收入流，以此作为其多年服务的奖赏。职员和生产工人——他们通常只有高中学历——也可以指望自己终身就业于一家公司，尽管他们注定只能是一个“计时”而非“支薪”的雇员。

关于美国收入分配的研究表明，在二战结束之初的几十年，曾出现过趋于均等的走势，但在70年代中期戛然而止了。80年代初期发生了经济衰退，一个明显的不平等趋势随之出现，并一直延续到现在(参见 Autor, Katz, and Kearney 2008; Bradbury 1996; Danziger & Gottschalk 1995; Goldin & Katz 2008; Jones & Weinberg 2000; Levy & Murnane 1992; Moss 2002; Piketty & Saez 2003,2006; Pryor 2007; Saez 2005)。图1.2显示了1947～2007年美国不同家庭类别的基尼系数，从中可以观察到上述趋势。基尼系数是一个

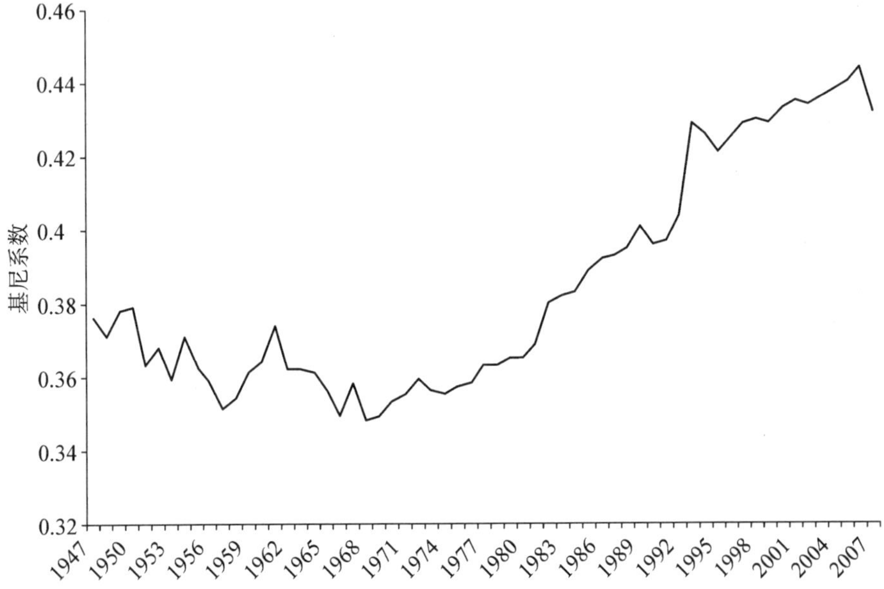

图1.2　1947～2007年美国所有家庭的基尼系数

资料来源：表 F-4 in U.S. Census Bureau (2009).

用来衡量收入不平等程度的指标；其数值越高，各家庭之间的不平等程度就越高。如果基尼系数为零，表示所有家庭拥有同样多的收入；如果该系数为1，则表示一个家庭获得所有的收入而其他所有家庭的收入为零。在70年代中期之前，收入平等状况的改善是显而易见的；在此之后则一路走坏。

图1.3清楚地展示了20世纪70年代中期以后家庭收入分配的这种恶化态势。该图显示了美国较高与较低收入百分位数家庭之间收入之比的变动情况，不同的图形均出现了上扬，其中最明显的是那些极端组别（如第90百分位数与第10百分位数，第95百分位数与第20百分位数）的收入之比。据统计(Piketty & Saez 2006)，图1.4表明自1985年以来，收入最高的1%的家庭在总收入的占比出现了显著的提高，仅次于此的收入最高的4%的家庭（即该图中最高的2%～5%）自80年代初以来份额也有所提升。2004年，美国公司股权资产的37%为最富有的1%的家庭所拥有，而最富有的20%的家庭则拥有公司股权资产的80% (Allegretto 2006)。此外，我们还将看到，公司高管报酬的相当一部分（如果不是大部分）来自作为一种薪酬模式的股票期权。如果说，家庭、政府和公司对股市的愈益依赖造成了美国经济的不稳定，那么，股票市场的收益分配则造成了美国经济的不平等。

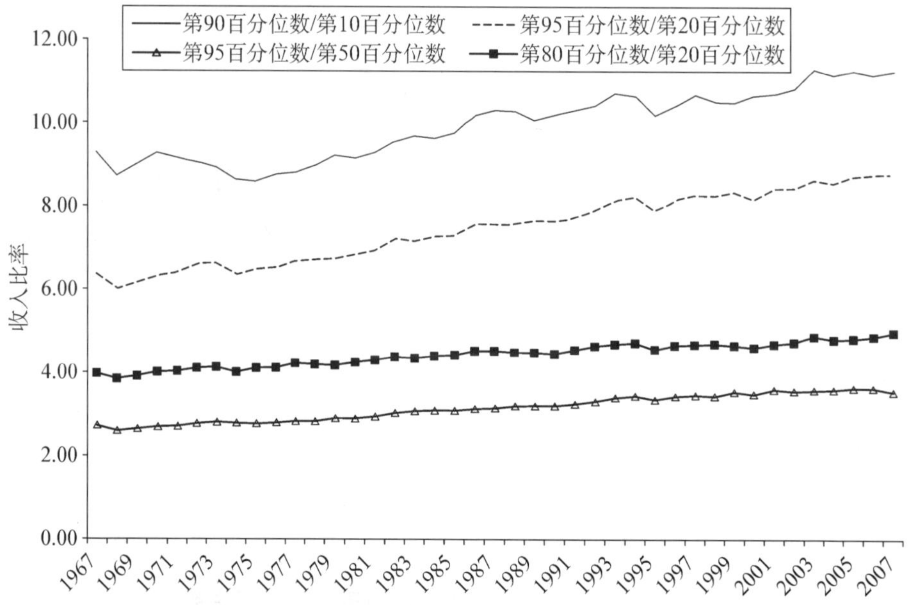

图1.3　1967～2007年美国某些收入百分位数的相对收入变化

资料来源：DeNavas-Walt, Proctor, and Smith (2008).

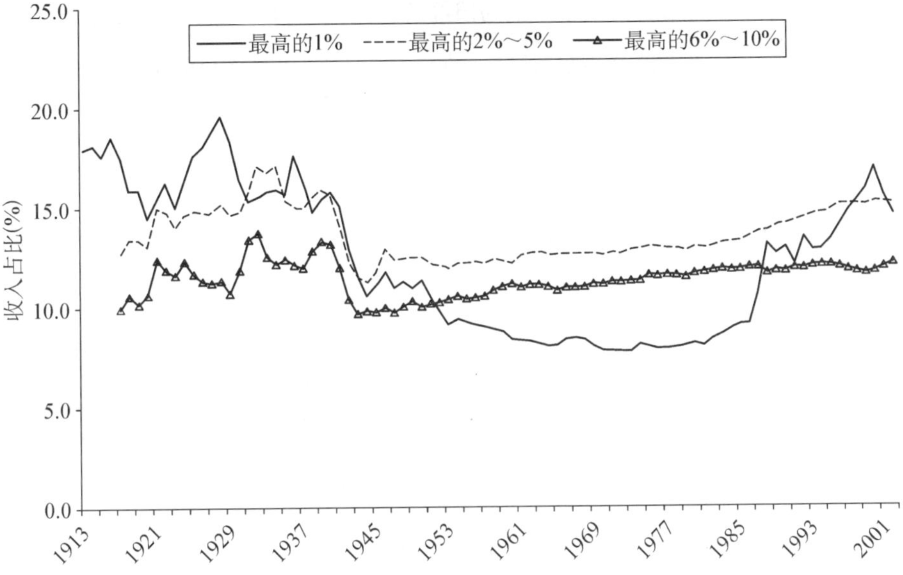

图 1.4　1913～2002 年美国收入最高者在总收入的占比

资料来源：Piketty & Saez (2006，第 201 页). Excel file available at http：//elsa. berkeley. edu/～saez/ (accessed June 29，2009).

信息通信技术产业

何谓企业模式？新经济企业模式与旧经济企业模式的区别何在？我们可以根据企业为之竞争的产品市场，以及企业调动其资本和劳动来开展这种竞争的方式来定义(详细说明可参看 Lazonick 2007b)。因此，正如表 1. 3 所示，一种企业模式可由以下三方面来规定：1. **战略**：企业为之竞争的产品市场类型以及它为该市场提供产品和服务所采用的生产流程；2. **财务**：它为其流程和产品筹集资金直至其能够产生财务回报的方式；3. **组织**：它动员其劳动力的技能和努力来为上述投资添加价值的方式。

新经济企业模式的演进是与美国信息通信技术产业的发展密切相关的。美国商务部(2003)把信息通信技术产业规定为如下类别：计算机硬件的生产制造；计算机软件和服务；通信设备和通信服务。[①] 根据商务部出版的题

① 美国商务部(2003)将这些产业统称为 IT。我用 ICT 来表述同样的产业，是为了突出旧经济企业模式下信息与通信技术的组织分割，以及新经济企业模式下信息与通信技术目前正在进行中的融合。

表 1.3　信息通信技术产业的旧经济企业模式和新经济企业模式

	旧经济企业模式	新经济企业模式
战略、产品	通过内部能力建设来实现增长；以相关技术为基础扩展至新的产品市场；为进入全国市场开展地理扩张。	新企业进入专业化的市场；将自有品牌的部分销售给系统集成商；通过收购新生的技术公司积累新的能力
战略、流程	专有技术的开发和专利取得；在本国和海外进行价值链的垂直一体化。	基于行业标准的技术交叉授权；价值链的垂直专业化；对一般性工作进行外包和海外转移。
财务	来自个人储蓄、家庭和商业伙伴的风险投资；在纽约证券交易所上市；稳定的股利支付；增长所需资金来自利润留存和公司债券的发行。	有组织的风险投资；在纳斯达克市场发行股票；股利很少或根本不派发；增长所需资金来自利润留存，外加以股票作为收购手段；回购股票以支撑股价。
组织	有保障的就业；从一而终的职业生涯；支薪和计时的雇员；工会；约定给付养老金；就职期间和退休后由雇主出资的医疗保险。	无保障的就业；跨企业的劳动力流动；授予对象广泛的股票期权；无工会；约定提存养老金；雇员承担医疗保险费用的较大部分。

为《2003年数字经济》(*Digital Economy 2003*)的报告，在互联网大潮最高峰的2000年，该产业的产出占美国GDP的9%，在21世纪头10年的初期则为8%(Henry & Dalton 2003，第16页)。

在1993～2000年间，信息通信技术产业的雇员数增长了51.9%，而同期美国整个企业部门的雇员数增长了20.8%。在2000年，该产业的雇员总数为538万人，相当于美国企业部门雇员总数的4.8%。虽然信息通信技术产业的雇员数在2001年和2002年分别下降了0.6%和10.7%，但该产业2002年仍雇用了478万人，即美国企业部门雇员总数的4.4%(Cooke 2003，第21～22页)。根据美国经济分析局(BEA)的数据，信息通信技术产业的生产部门(即不包括通信服务业在内①)2000年、2003年和2006年雇用的全职员工分别为468万人、367万人和376万人，占这三年美国企业部门就业人数的比例分别为4.4%、3.5%和3.5%(BEA 2009)。

① BEA把ICT生产产业定义为计算机和电子产品、出版发行业(包括软件)、信息和数据处理服务、计算机系统设计和相关服务。

图 1.5 和图 1.6 显示了信息通信技术产业四个主要部门就业和实际工资水平(以 2000 年美元购买力计算)的变化情况。如图 1.5 所示，20 世纪 90 年代后期，上述四个部门的就业人数均出现了显著的增加，并在 2001 年达到了 1 658 628人的最高点，几乎是 1994 年就业人数的 2.4 倍。从 2001 年到 2003 年，其就业人数净减少超过 320 000 人，但在 2006 年又恢复了 140 000 多人。这几个部门的实际工资水平在 90 年代后半期均有所增加，但出于各种原因(第 2 章将要讨论)，这种增长在 2000 年戛然而止了——特别是在半导体和软件发行行业，然后随着 2001 年的经济衰退出现大幅下跌，直到 2006 年也未出现明显的回升(图 1.6)。

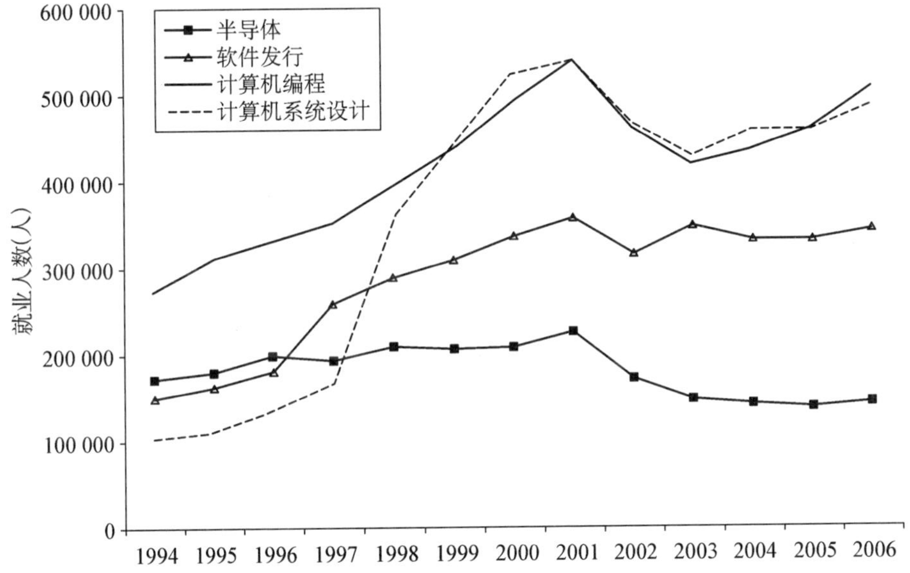

图 1.5　1994～2006 年信息通信技术产业四部门的就业情况

注：1994～1997 年采用 SIC 的分类，1998～2006 年采用 NAICS 的分类。半导体及相关设备：SIC 3674，NAICS 334413；软件发行：SIC 7372，NAICS 511210 和 334611；计算机编程服务：SIC 7371，NAICS 541511；计算机系统设计：SIC 7373 加 7379 之一半，NAICS 54152。

资料来源：U. S. Census Bureau (2008a).

一般说来，信息通信技术产业从业人员的收入要比其他大多数经济部门高很多。2006 年美国信息通信技术产业雇员的平均年收入(按当年美元购买力计)为：软件发行为 111 212 美元，半导体为 77 915 美元，客户计算机编程服务为 76 462 美元，计算机系统设计服务为 73 497 美元，数据处理、存储及相

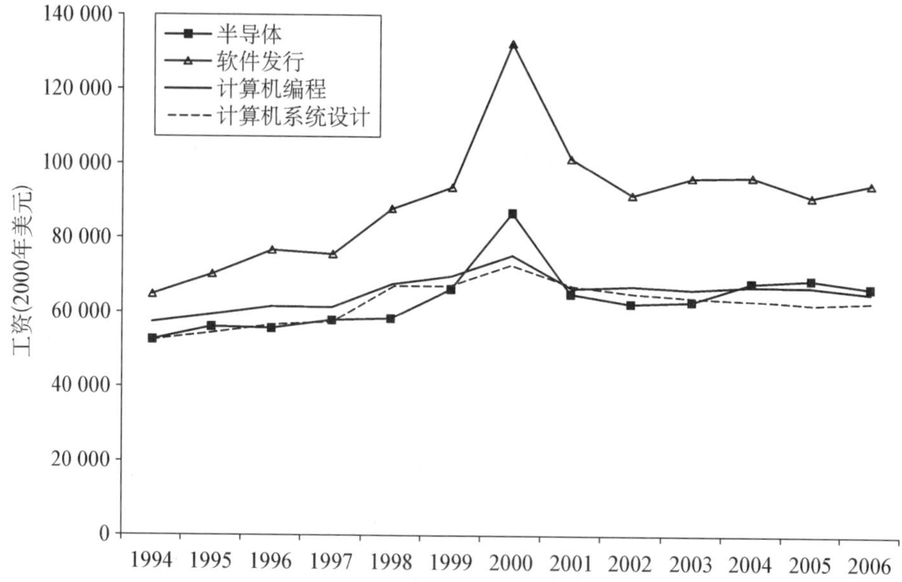

图 1.6　1994～2006 年信息通信技术产业四部门的实际工资(2000 年美元)

注：参见图 1.5 的 SIC 和 NAICS 分类。
资料来源：U. S. Census Bureau (2008a).

关服务为 62 620 美元(U. S. Census Bureau 2008a)①。2006 年,信息通信技术产业生产部门全职员工的薪酬比美国其他货物生产部门的全职员工要高 56%(BEA 2009)。继 2001～2002 年的衰退之后,信息通信技术产业在 2003～2004 年经历了“无就业复苏”,在 2005 年其产出实现了 13.3%的实质增长。信息通信技术产业的生产部门 2006 年的增加值为 3.9%,对当年美国 GDP 实际增长的贡献率达 14.2% (Howells & Barefoot 2007)。

虽然美国仍然是信息通信技术产业的世界领导者,但如表 1.4 所示,美国在信息通信技术产品的国际贸易方面却存在逆差。美国人口普查局把贸易领域的高技术产品分成 10 类：生物技术、生命科学、光电子、信息和技术、电子、柔性生产、先进材料、宇航、武器和核技术。除 2006 年和 2007 年的宇航产品出口外,信息通信技术产品自 2002 年以来的出口量均比其他高技术产品大得多,而其进口量则是仅次于它的两个类别——电子和宇航产品的 5 到 7 倍。这种显著的国际贸易缺口,体现了信息通信技术产业价值链诸环节投资和就

① U. S. Census Bureau (2008a,1994 - 1997 data：http：//censtats. census. gov/cbpsic/cbpsic. shtml;1998 - 2006 data：http：//censtats. census. gov/cbpnaic/cbpnaic. shtml).

业的全球化，而美国的跨国公司则是其龙头。因此，不能用贸易逆差来证明美国本土的信息通信技术产业的公司缺乏竞争力。

表 1.4　2002～2007 年与所有先进技术产品（ATP）相比较，美国的信息通信技术（ICT）产品的进出口情况

	ICT 出口（10 亿美元）	ICT 进口（10 亿美元）	ICT 的国际贸易收支（10 亿美元）	ICT 占 ATP 出口的比例（%）	ICT 占 ATP 进口的比例（%）	ICT 占美国 ATP 贸易逆差的比例（%）
2002	53.3	100.7	−47.4	29.6	51.8	285.6
2003	53.1	110.1	−57.0	29.5	53.2	212.4
2004	59.3	132.5	−73.2	29.4	55.6	198.7
2005	64.1	147.2	−83.1	29.7	56.7	190.2
2006	69.2	160.8	−91.6	27.4	55.3	240.3
2007	74.8	179.7	−104.9	27.4	55.0	196.2

资料来源：U. S. Census Bureau (2008b).

实际上，在 21 世纪头 10 年的前半期，美国的信息通信技术产业仍然十分具有创新性。2000 年，美国本土的信息通信技术企业的研发支出占美国所有公司的研发支出的 26.0%，2001 年则提升至 31.2%（Henry & Dalton 2003，第 18 页）。在 2003 年初，全美企业部门总共 1 075 500 名全职研发科学家和工程师中，有 40% 在信息通信技术企业供职（National Science Foundation 2003）。表 1.5 显示了 2006 年名列全球研发支出前 100 位的美国信息通信技术公司的研发开支情况。

表 1.5　2005 年和 2006 年名列全球研发支出前 100 位的美国信息通信技术公司

信息通信技术公司	全球名次		研发支出（百万美元）		研发占销售额的比重（%）		雇员人均研发支出（千美元）	
	2006	2005	2006	2005	2006	2005	2006	2005
微软	5	7	7 121	6 584	13.9	14.9	90	93
英特尔	12	14	5 873	5 145	16.6	13.3	62	52
IBM	14	11	5 682	5 378	6.2	5.9	16	16
摩托罗拉	22	24	4 106	3 680	9.6	10.0	62	53

（续表）

信息通信技术公司	全球名次		研发支出（百万美元）		研发占销售额的比重(%)		雇员人均研发支出(千美元)	
	2006	2005	2006	2005	2006	2005	2006	2005
思科系统	23	30	4 067	3 322	14.3	13.4	81	86
惠普	28	26	3 561	3 490	3.9	4.0	23	23
甲骨文	48	55	2 195	1 872	12.2	13.0	29	33
德州仪器	50	51	2 190	2 015	15.4	15.1	71	57
太阳微系统	56	49	2 008	2 046	14.5	15.7	53	54
高通	66	89	1 516	1 011	20.1	17.8	135	109
EMC	77	90	1 254	1 005	11.2	10.4	40	38
谷歌	79	119	1 218	578	11.5	9.4	114	102
Advanced Micro Devices	80	77	1 205	1 144	21.3	19.6	73	116
Applied Materials	86	95	1 138	941	12.4	13.5	81	73
博通	89	115	1 117	681	30.5	25.5	213	159
Electronic Arts	95	108	1 041	758	33.7	25.7	132	105

注：微软、甲骨文、太阳微系统和 Electronic Arts 的财年均截至次年的上半年，因此，其 2006 年的数据反映的是截至 2007 年上半年的情况，2005 年的数据反映的是截至 2006 年上半年的情况。2005 年，研发支出占销售额的比重 Freescale 为 20.3%，朗讯为 12.5%，Freescale 排在全球研发支出的第 74 位，而朗讯排在第 75 位。Freescale 的雇员人均研发支出为 52 000 美元，朗讯为 39 000 美元。2006 年 12 月，Freescale 退市，朗讯则被阿尔卡特收购，因此无法获得这两家公司 2006 年的可比数据。
资料来源：Hira & Ross (2007).

企业所采用的技术及其为之竞争的产品市场，是影响企业研发支出的主要因素之一。例如，英特尔、德州仪器、高通（为 CDMA 无线通信设备设计集成电路的领先公司）、Advanced Micro Devices (AMD)和博通(Broadcom)等公司的研发支出占销售额的比重相当高；而迄今为止，IBM 和惠普这两家销售额最大的信息通信技术公司，其研发支出占销售额的比例以及员工的人均研发支出却非常低。在第 3 章我们将看到，IBM 和惠普在 21 世纪头 10 年的这种研发资源配置状况是它们从旧经济企业模式向新经济企业模式转变的直接后果。

无论美国还是外国企业，信息通信技术企业都是美国专利申领的首要大户。自 1993 年以来，IBM 每年都是获得专利最多的公司，佳能则每年均居于第 2 或第 3 位。2007 年，IBM 获得了 3 148 项专利，韩国的三星获得了 2 725 项，日本的佳能 1 987 项，松下 1 941 项，英特尔 1 865 项，微软 1 637 项，东芝

1 549项，索尼 1 481 项，美国美光科技（Micron Technology）1 476 项，惠普 1 470项。在这 10 家获得专利最多的公司中，松下、三星和索尼部分属于信息通信技术产业，其他 7 家，包括其中 5 家美国公司，均基本上或完全属于信息通信技术产业。2007 年获得专利数前 35 位的其他美国信息通信技术公司还有德州仪器（以 752 项专利列第 17 位），太阳微系统（610 项，第 26 位），思科系统（582 项，第 27 位），博通（533 项，第 31 位）和施乐（517 项，第 33 位）（IFI Patent Intelligence 2008）。

信息通信技术产品对生产率的贡献贯穿整个美国经济。罗伯特·索洛（Robert Solow 1987）在一篇关于科恩（Cohen）和齐斯曼（Zysman）（1987）所著的《制造关系重大》（*Manufacturing Matters*）一书的评论文章中写到，尽管这两位作者都坚信计算机化的制造业将使生产率告别过去的模式而提升到一个新的台阶，但美国的工业如何有效地利用计算机仍是一个有待解决的问题。接下来，索洛这样评论科恩和齐斯曼的窘境：“所有人都认为这样一场技术革命将极大地改变我们的生产方式，但无论在哪里（包括日本），与之相伴的却是生产率的停滞而非提升；像所有其他人一样，这两位作者想必对这一事实多少会感到尴尬。”然后，索洛嘲讽地说道：“你可以在任何地方看到计算机时代，除了生产率的统计数据”，这句话如今已成为广为人知的名言。

然而，虽然 20 世纪 80 年代和 90 年代前期对计算机及其使用的投资扩展未能导致生产率的上升，但在 90 年代后期和 21 世纪头 10 年，与信息通信技术相关的生产率却得到了爆炸式的增长（Baily & Sichel 2003；Brynjolfsson & Hitt 2003；Gordon 2003；Jorgenson 2001；Oliner & Sichel 2002；Roach 2003）。为什么要如此之久“计算机时代”才能在生产率方面打上自己的印记？

回答这一问题的关键，在于要懂得生产率（的提升）不仅有赖于技术的**开发**，而且有赖于技术的**利用**。技术开发本身无助于生产率；实际上，技术开发会拉低生产率，因为它要吸收资源，将其投入于不发生价值产出的经济活动。无论是个人、企业、地区还是国家，其开发的技术只有经过一段时间，在该技术得到利用、形成产品销售并产生收入时才能转化为现实的生产率。事实上，只有通过技术的利用，技术开发的高额固定费用才能转化为低单位成本（参见 Lazonick 1991，2006，2008b）。开发成本，即经济学家所说的固定成本之一种，既取决于其所费生产资源在投入时点的规模，也取决于其多久才能形成生产能力并产生财务回报的时间长短。

正是出于这样的理由，为吸引经营性企业（按定义它们必须有利润才能生存）进入以新技术为基础的产业，政府必须对有形的基础设施和无形的知识基础进行开发性投资。美国政府在资助计算机革命方面发挥了根本性的作用。没有发展型国家的支持，微电子技术革命根本就不会发生（Braun & MacDonald 1982；Flamm 1987, 1988；Lécuyer 2006；Leslie 1993a, b；Mowery & Langlois 1996；National Research Council 1999；Tilton 1971）①。

随着信息通信技术产业的发展，与之相关的科学与工程教育和研究亦应运而生，并为其他经济部门接触先进技术和训练有素的劳动力提供了外部性（例见 Lenoir 等 2003）。20 世纪 60 年代硅谷发生的革命亦创造了对风险资本的需求，正如我将在第 2 章阐释的那样——作为一个行业，它形成于 70 年代初期，其存在的理由就是催生新兴企业的创建。

20 世纪 70 年代和 80 年代诞生于硅谷的新经济企业模式亦得益于旧经济企业的投资决策和生产资源，其中最突出的则是 IBM。自 50 年代以来，IBM 一直是世界最大的计算机公司；基于英特尔的微处理器和微软的操作系统，它在 80 年代初开发了个人电脑；这后来成为新经济企业模式主要特征之一——产业结构垂直专业化——的首要动因。

即使在 20 世纪 80 年代，在很大程度上（按索洛的说法）除了生产率统计，人们到处都能看到计算机的时代，信息通信技术产业的两个部分仍然独立发展，从产业角度来看，计算机生产和音频的传输实际上是互不相关的。只是在基于分组交换的数据通信出现之后，信息与通信技术产业才走到了一起——在 80 年代后半期是以局域网的形式，90 年代前半期则是以互联网的形式。在 21 世纪头 10 年，无线通信革命亦随之发动，3G（第 3 代）无线通信技术则借助互联网实现了信息技术的融合。90 年代中期以来信息通信技术产业对生产率增长的贡献，以及随之出现的新经济企业模式对旧经济企业模式的压倒性胜利，正是这种信息和通信技术通过互联网而实现整合的过程之组成部分——ICT（信息通信技术）这个词组的含义即由此而来。

① 也可参看汉布雷克特（Hambrecht 1984）关于一个杰出的硅谷投资银行家的描写。

旧经济和新经济公司 20 强

2005 年，在财富 500 强的美国公司中，有 53 家可以归类为信息通信技术产业公司[①]。这 53 家公司的总营业额达 9 090 亿美元，员工总数达 260 万人。其中的 26 家——总营业额达 3 320 亿美元，雇员数为 871 000 人——可以被认定为新经济企业。表 1.6 和表 1.7 分别列示了 2005 年度 20 家最大的旧经济和 20 家最大的新经济公司在过去 10 年的营业额和雇员数。表 1.7 的新经济企业必须满足以下条件：1. 成立于 1957 年或此后；2. 不能是从旧经济公司现有的分部拆分而来的；3. 其壮大不是通过收购旧经济公司或与之合并而实现的（例如 Electronic Data Systems、Comcast 和 IAC 等，它们均被归类为旧经济公司）。

我把 1957 年作为企业进入新经济列表的初始时间，是因为在那一年，8 名科学家和工程师离开了位于加利福尼亚帕罗奥多市的肖克利（Shockley）半导体实验室（刚成立两年），在附近的山景城（Mountain View）创立了仙童（Fairchild）半导体公司。这家公司是位于纽约长岛的仙童摄影器材公司的一个分部。正如人们所熟知的那样，仙童半导体公司的创建引发了一系列连锁反应，最终促成硅谷成为微电子技术开发的中心（Berlin 2005; Kenney 2000; Lécuyer 2006; Lee 等 2000; Lenoir 等 2003）。正如我将在第 2 章说明的那样，20 世纪 50 年代末，新经济企业模式首先是在硅谷作为一种可行的企业模式形成的，并最终压倒了旧经济企业模式。请注意，表 1.7 的 20 家公司中有 14 家位于加利福尼亚，有 11 家位于硅谷。

---

① 鉴于本书的写作有一个酝酿过程，我所采集的关于最大的 20 家新经济和旧经济公司的数据是 2005 年的，取自 2006 年发布的财富 500 强榜单。2007 年最大的 20 家公司，取自 2008 年发布的财富 500 强榜单，其中有 15 家旧经济公司和 18 家新经济公司与表 1.6 和表 1.7 相同。2007 年旧经济公司榜单中被剔除的有南方贝尔（BellSouth，2006 年 12 月被 AT&T Inc. 收购）、朗讯科技（2006 年 12 月被阿尔卡特收购，变成了阿尔卡特-朗讯）、Cox Communications（2004 年 12 月退市，曾名列 2005 年财富 500 强榜单，但此后再未上榜）、NCR（2007 年的总营收为 62 亿美元，未能跻入最大的 20 家公司之列）和 Freescale Semiconductor（2006 年 12 月退市）。2007 年新进入榜单的公司有 Liberty Media（第 13 位）、Automatic Data Processing（第 14 位）、Liberty Global（第 15 位）、Virgin Media（第 17 位）和 Embarq（第 20 位，2006 年 5 月由 Sprint Nextel 本地电话业务分拆而来）。Liberty Media、Liberty Global 和 Virgin Media 从根基上来说均属于旧经济公司。2007 年新经济公司榜单中被剔除的包括 Solectron（2007 年 10 月被新加坡的 Flextronics 公司收购）和 AMD（2007 年的总营收为 60 亿美元，未能进入最大的 20 家公司之列），取而代之的是 eBay（第 18 位）和 Cablevision Systems（第 20 位）。

表 1.6　2005 年销售额最大的 20 家旧经济公司在 1996 年和 2000～2005 年的就业情况

旧经济公司	2005 年销售额(10 亿美元)	雇员(人)							2005 年雇员人均销售额(美元)
		1996	2000	2001	2002	2003	2004	2005	
IBM (1911;NY;10)	91.1	240 615	316 309	319 876	315 889	319 273	329 001	329 373	277 000
惠普(1939;CA;11)	86.7	112 000	88 500	86 200	141 000	142 000	151 000	150 000	578 000
Verizon 通讯(1885;NY;18)	75.1	62 600	260 000	247 000	229 500	203 100	210 000	217 000	346 000
AT&T Inc.[a](1885;TX;39)	43.9	61 540	220 090	193 420	175 400	168 950	162 000	189 950	231 000
摩托罗拉(1928;IL;54)	36.8	139 000	147 000	111 000	97 000	88 000	68 000	69 000	533 000
Sprint Nextel[b](1899,KS;59)	34.7	48 024	84 100	83 700	72 200	66 900	59 900	79 900	434 000
Comcast[c](1963;PA;194)	22.3	16 400	35 000	38 000	82 000	68 000	74 000	80 000	279 000
南方贝尔(1885;GA;106)	20.6	81 241	103 900	87 875	77 000	76 000	62 564	63 066	326 000
Electronic Data Systems[d] (1962;TX;108)	20.5	100 000	122 000	143 000	137 000	132 000	117 000	117 000	175 000
施乐(1906;CT;142)	15.7	86 700	92 500	78 900	67 800	61 100	58 100	55 200	284 000
Qwest Communications (1885;CO;160)	13.9	720	67 000	61 000	47 000	47 000	41 401	39 348	353 000
德州仪器(1930;TX;167)	13.4	59 927	42 481	34 724	34 589	34 154	35 472	35 207	381 000
DirecTV Group (1932;CA;168)	13.2	86 000	9 000	13 700	11 600	12 300	11 800	9 200	1 435 000
First Data (1871;CO;224)	10.5	40 000	27 000	29 000	29 000	29 000	32 000	33 000	318 000
Alltel (1943;AR;251)	9.5	16 307	27 257	23 955	25 348	19 986	18 598	21 373	444 000
朗讯科技(1869;NJ;255)	9.4	124 000	126 000	77 000	47 000	34 500	31 800	30 500	308 000
Cox Communications (1898;GA;273)	9.0	7 200	19 000	20 700	21 600	22 150	22 350	22 530	399 000
IAC/InterActiveCorp[e] (1977;NY;313)	7.1	4 750	20 780	16 900	23 200	25 700	26 000	28 000	254 000

（续表）

旧经济公司	2005 年销售额（10 亿美元）	雇员（人）							2005 年雇员人均销售额（美元）
		1996	2000	2001	2002	2003	2004	2005	
NCR（1884；OH；357）	6.0	38 600	32 900	31 400	30 100	29 000	28 500	28 200	213 000
Freescale 半导体[f]（1928；TX；368）	5.8							22 700	256 000
平均(每家企业,除雇员人均数据外)	27.3	72 808	96 885	89 334	87 621	83 111	81 062	81 027	391 000

注：括号内数据和所写：成立年份、总部所在的州、在 2006 年财富 500 强的排名。2006 年财富 500 强企业中的信息通信技术产业公司被分为如下类别：计算机外设、计算机软件、计算机、办公设备、金融数据服务、信息技术服务、互联网服务和零售、网络和其他通讯设备、半导体和其他电子元器件、电信。空格＝没有相关数据。

a 2005 年，1885 年创立于得克萨斯的 SBC（当年排名财富 500 强的第 33 位）收购了 1877 年创立的 AT&T（当年排名财富 500 强的第 56 位）。在此之后，SBC 更名为 AT&T Inc.。1996 年和 2000～2004 年的数据取自 SBC，AT&T Corp. 的雇员数如下：1996 年 130 000 人；2000 年 166 000 人；2001 年 117 800 人；2002 年 71 000 人；2003 年 61 000 人；2004 年 47 565 人。

b 2005 年 8 月，Sprint（2005 年名列财富 500 强第 65 位）收购了创立于 1987 年的 Nextel（2005 年名列财富 500 强第 157 位）。

c 在 2000～2001 年，通过收购 AT&T 宽带的订户，Comcast 开始转型为美国最大的互联网线路公司。

d 1984 年，通用汽车收购了 Electronic Data Systems，然后在 1996 年将其分拆为一家独立的公司。

e 1998 年，脱胎于 Home Shopping Network 的 HSN 公司收购了曾经为派拉蒙和 MCA 所有的 USA Networks，在 21 世纪头 10 年的初期，该公司先后更名为 USA Interactive 和 IAC/InterActiveCorp。

f 2004 年末，摩托罗拉将其半导体部门分拆为 Freescale 半导体公司。

资料来源：*Fortune*（2006）；hoovers. com；S&P Compustat database.

表 1.7　2005 年销售额最大的 20 家新经济公司在 1996 年和 2000～2005 年的就业情况

新经济公司	2005 年销售额（10 亿美元）	雇员（人）							2005 年雇员人均销售额（美元）
		1996	2000	2001	2002	2003	2004	2005	
戴尔（1984；TX；25）	55.9	8 400	36 500	40 000	34 600	39 100	55 200	65 200	857 000
微软（1975；WA；48）	39.8	20 561	39 100	47 600	50 500	55 000	57 000	61 000	652 000
英特尔（1968；CA；49）	38.8	48 500	86 100	83 400	78 700	79 700	85 000	99 900	388 888
思科系统（1984；CA；83）	24.8	8 782	34 000	38 000	36 000	34 000	34 000	38 413	646 000
Computer Sciences（1959；CA；141）	15.8	33 850	58 000	68 000	67 000	90 000	90 000	79 000	200 000
苹果电脑（1977；CA；159）	13.9	10 896	8 568	9 603	10 211	10 912	12 561	15 810	879 000
甲骨文（1977；CA；196）	11.8	23 111	41 320	42 297	42 006	40 650	41 658	49 872	236 000
Sanmina-SCI（1980；CA；198）	11.7	1 726	24 000	48 774	46 030	45 008	42 115	42 821	273 000
太阳微系统（1982；CA；211）	11.1	17 400	38 900	43 700	39 400	36 100	32 600	31 000	358 000
Solectron（1977；CA；227）	10.5	10 781	65 273	60 000	73 000	66 000	59 500	47 000	223 000
EMC（1979；MA；249）	9.7	4 800	24 100	20 100	17 400	20 000	22 700	21 000	462 000
亚马逊（1994；WA；272）	8.5	151	9 000	7 800	7 500	7 800	9 000	12 000	708 000
EchoStar Communications（1993；CO；273）	8.4	1 200	11 000	11 000	15 000	15 000	20 000	21 000	400 000
SAIC（1969；CA；285）	8.0	20 931	39 078	41 500	40 400	38 700	44 900	43 800	183 000
Jabil Circuit（1966；FL；303）	7.5	2 649	19 115	17 097	20 000	26 000	34 000	40 000	188 000
Applied Materials（1967；CA；317）	7.0	11 403	19 220	17 365	16 077	12 050	12 960	12 750	549 000
谷歌（1998；CA；353）	6.1					1 628	3 021	5 680	1 074 000

（续表）

新经济公司	2005 年销售额（10 亿美元）	雇员（人）							2005 年雇员人均销售额（美元）
		1996	2000	2001	2002	2003	2004	2005	
Advanced Micro Devices（1969；CA；367）	5.8	12 200	14 696	14 415	12 146	14 300	15 900	15 900	365 000
高通（1985；CA；381）	5.7	6 000	6 300	6 500	8 100	7 400	7 600	9 300	613 000
雅虎（1995；CA；412）	5.3	155	3 259	3 000	3 600	5 500	7 600	9 800	541 000
平均（每家企业，除雇员人均数据外）	15.3	12 816	30 396	32 640	32 509	32 242	34 366	36 062	424 000

注：括号内数据和所写：成立年份、总部所在的州、在 2006 年财富 500 强的排名。2006 年财富 500 强企业中的信息通信技术产业公司被分为如下类别：计算机外设、计算机软件、计算机、办公设备、金融数据服务、信息技术服务、互联网服务和零售、网络和其他通讯设备、半导体和其他电子元器件、电信。空格 = 没有相关数字。

资料来源：*Fortune*（2006）；hoovers. com；S&P Compustat database.

以IBM和惠普两大巨头为首,表1.6中的6家旧经济公司,包括施乐、电子数据系统(EDS)、First Data和NCR都是成色十足的信息技术企业①。而两家半导体公司——德州仪器和Freescale半导体既为信息技术部门也为通信技术部门提供芯片,但重心在通信装置方面。德州仪器的主要业务是为蜂窝电话业设计数字信号处理芯片,而Freescale半导体是2004年从无线通信技术公司摩托罗拉分拆出来的。朗讯科技与摩托罗拉一样同属信息通信技术产业的通信分支,它是1996年从AT&T Corp.分拆出来的,在2006年与法国的电信设备企业阿尔卡特合并为阿尔卡特-朗讯②。

表1.6中的其余10家公司属于通信服务提供商。其中5家是贝尔系统公司(Bell System)的直系后代;后者在1984年1月1日解体之前是一家受管制的垄断企业,经营本地和长途电话业务。AT&T是贝尔系统的母公司,全美的本地电话运营公司均归属于其旗下。西部电气公司(Western Electric)是AT&T的全资子公司,负责为贝尔系统公司提供电信设备;闻名世界的研究机构贝尔实验室则为AT&T和西部电气公司共同拥有,专门从事基础和应用性的科学研究。贝尔系统的解体使7家地方性的电话运营公司(RBOCs)从AT&T分离出来,而西部电气和贝尔实验室则以AT&T技术分部的名义被纳入其内部组织。这7家RBOCs分别是Ameritech、Bell Atlantic、南方贝尔(BellSouth)、NYNEX、Pacific Telesis (PacTel)、Southwestern Bell Corp.(SBC)和US West。此后Bell Atlantic和NYNEX被并入了Verizon,Ameritech、Pacific Telesis和AT&T Corp.被并入SBC,并在2005年更名为AT&T Inc.,US West则并入了Qwest。2006年12月,AT&T Inc.收购了南方贝尔,至此,在贝尔系统公司解体23年后,AT&T Corp.和7家RBOCs被整合为3家公司:AT&T Inc.、Verizon和Qwest。③

与此相对照,在这20家最大的新经济公司中,只有3家属于通信类企业:

---

① 2008年8月惠普以139亿美元收购了EDS。

② 2000年,朗讯将从事企业网络业务的Avaya剥离;后者2005年的营业额达49亿美元,员工总数18 555人,在2005年的财富500强榜单中名列第434位;2001年,朗讯又剥离了Agere Systems,一家从事通信芯片业务的公司,该公司在2005年财富1 000强榜单中名列第904位。

③ 随着无线通信的发展,AT&T Corp.于2001年把AT&T无线公司分拆为一家独立的公司,同年,SBC和南方贝尔合资设立了一家名为Cingular的公司。2004年,Cingular收购了AT&T无线公司。2006年12月,AT&T Inc.(即前SBC)收购了南方贝尔,结果,Cingular被更名为AT&T移动,成为AT&T Inc.的全资子公司。

制造互联网路由器和交换机的思科系统公司、卫星电视的主力厂商 EchoStar 通信公司[①]和无线通信设备制造商高通公司。即便这样，思科对其产业的支配地位也来自于其软件的开发，使它可以用一套（网络）设施和设备实现信息和通信技术的融合，即音频、数据和视频的“三重奏”。这些设施和设备发展的关键在于更强大、更小型化和更便宜的电脑的开发，也就是说，来自微电子技术革命。而这一革命的核心则是一家硬件企业即英特尔和一家软件企业即微软公司；这两家公司都是通过向 IBM 的个人电脑及其兼容机（名列新经济企业榜单第 1 名的戴尔电脑即属于此种产品的提供商）提供核心部件而壮大起来的。晚于英特尔一年诞生于硅谷的 AMD 几十年以来一直扮演英特尔芯片第二货源的角色，近年来则通过自己的芯片设计与英特尔展开了硬碰硬的正面竞争。

应用材料公司（Applied Materials）是全球最大的半导体设备生产商，而 Solectron（2007 年以后成为 Flextronics 公司的一部分）、Sanmina-SCI 和 Jabil Circuit 则属于全球最大的电子制造服务（EMS）提供商，为 IBM、惠普、戴尔和思科这样的公司提供印刷电路板和其他器件。其他公司也分别在信息技术领域建立了自己的特色领地，如苹果公司的创新型电脑、太阳微系统公司的电脑工作站、EMC 的信息管理和存储。甲骨文（Oracle）是数据库软件的领导者，而计算机科学（Computer Sciences）和 SAIC 则在信息技术服务领域排在“旧经济”企业 EDS 之后。最后，亚马逊、谷歌和雅虎与“旧经济”的 IAC 一道，被《财富》的产业分类归类于“互联网服务和零售业”（这一类别首次出现于 2005 年榜单）。这些企业 2005 年的营业额令其首次上榜（参见 Lazonick 2007b，第 67～68 页）。

新经济企业模式——经济增长的不稳定和不平等因素

旧经济企业模式的退位及其被新经济企业模式所取代，是过去 30 年美国经济趋向更大的就业不稳定和收入不平等——从而逆转了二战结束之后最初的 30 年经济增长更为稳定和平等的趋势——的重要原因，这是本书的一个基本论题。虽然自 20 世纪 60 年代起，新经济企业模式就在信息通信技术产

① 2008 年 1 月，EchoStar Communications 更名为 DISH Network，同时将一部分业务分拆出来，组成名为 EchoStar Corporation 的公司。

业开始生长壮大,但 20 世纪 90 年代后期到 21 世纪头 10 年前期互联网大潮的兴起和衰退才是新经济企业模式取代旧经济企业模式的关键契机。

诸如英特尔、微软、甲骨文、太阳微系统和思科系统这样的公司,一开始就是从新经济企业模式的胚胎中成长起来的。而在一些旧经济企业巨头当中,IBM 首先从 20 世纪 90 年代开始就开展了一系列变革,包括产品市场战略从低毛利的硬件向高毛利的软件和服务的转变;研发方向从专有技术向开放型技术,以及凭借众多的专利与其他企业进行交叉授权并结成战略同盟的转变;在财务上从向股东提供稳定的股利到通过大额回购提升股价的转变;就业方面从其标志性的"终身雇用"和可观的养老金向注重雇用关系的灵活性,包括旨在吸引更年轻、更具流动性的雇员的可转移养老金体制的转变;并通过这些变革完成了向新经济企业模式的蜕变。20 世纪 90 年代后期,其他一些主要的旧经济信息通信技术企业,如朗讯、施乐、摩托罗拉、德州仪器和惠普也纷纷采纳新经济企业模式的诸要素;随着 21 世纪初经济的急剧衰退,新经济企业模式终于成为所有信息通信技术企业的范式。在本书,我追溯了信息通信技术产业新经济企业模式的这种变化,并就其对美国经济持续繁荣的含义进行了分析。

第 2 章对新经济企业模式的兴起,从 20 世纪 60 年代其在硅谷的起源到 90 年代后期互联网鼎盛时最终成为信息通信技术产业的主导模式的整个过程进行了分析。我特别强调股票市场对资本和劳动再配置的促进作用,它促成了从老字号的大公司支配的旧经济时代向创业企业浪潮汹涌的新经济时代及与之相应的稳定向不稳定的转变。对资本再配置的促进作用来自纳斯达克(NASDAQ,即全国证券交易商自动报价系统协会的缩写)的建立,这一全国性的电子交易市场允许企业以较纽约证券交易所宽松许多的条件上市;对劳动再配置的促进作用则来自股票期权作用的变化——它从旧经济体制下增加高管人员税后收入的一种手段,变成了吸引广大专业、技术和行政管理雇员的薪酬模式,使其愿意脱离旧经济模式下的稳定岗位而接受新经济的不稳定工作。

第 3 章分析了一些旧经济公司,特别是 IBM、惠普和朗讯科技是怎样进行重建、以实现从旧经济企业模式向新经济企业模式的转变(其中朗讯未获成功)。无论在旧经济下的大型机还是新经济下的个人电脑领域,IBM 均处于核心地位;在 20 世纪 90 年代初,它前瞻性、戏剧性且成功地完成了从旧经济企业模式向新经济企业模式的转变。惠普也是这样:1999 年,它把其创始人威廉·休利特(William Hewlett)和大卫·帕卡德(David Packard)最早建立的企业即安捷伦(Agilent)公司分拆出去，从此集中发展其大约 15 年前开展起来的开放式系统打印机产品。与此相对照，朗讯科技——于 1996 年从 AT&T 分离出来并拥有享誉世界的贝尔实验室的公司——1999 年还是全球最大的电信设备企业，却在其吸收新经济企业模式诸要素时几乎毁于一旦，最终沦为一家法国公司的子公司，即阿尔卡特-朗讯。本章的三个案例均表明，随着企业从旧经济企业模式转向新经济企业模式，就业的不稳定性极大地增加了。从朗讯的例子我们还可以看到，当一家旧经济公司的高管们紧盯着公司股价，以此作为衡量业绩的主要尺度，却又无法完成向新经济企业模式的转型时，将造成灾难性的后果。

第 4 章分析了旧经济企业模式和新经济企业模式下就业稳定与退休待遇稳定之间的关系。在旧经济企业模式下，传统的不可转移、“后端增值”(back-loaded)的约定给付养老金计划鼓励员工一辈子就职于一家公司；在向新经济企业模式的转变过程中，一些旧经济公司采用了可转移、但仍为约定给付的现金余额计划。这种做法比较有利于较年轻的员工，而且通常是作为一种过渡，以最终取代现金余额计划，转向约定提存的 401(k)计划。与此相对照，诸如微软、甲骨文、思科和戴尔等大多数新经济公司在其员工就职于该公司期间只向他们提供一种选择，即约定提存的养老金计划。许多旧经济公司会利用约定给付养老金体制来裁减员工，即启动提前退休计划，从而使参与此计划者的退休金的价值变大(以此引诱他们提前退休——译者注)。到 21 世纪头 10 年的中期，约定提存的退休金待遇已成为大多数旧经济公司新聘员工的唯一选择，有些公司甚至将其推广到全体员工。只有那些工会势力作为劳资双方集体谈判的对手依然强大的信息通信技术企业才能成为这种情形的例外。在新经济企业模式下，美国的高技术劳动力正面临全球高质素、低工资劳动供给的压力，同时缺乏任何有效的工会制度来保障其工作和薪酬条件。

第 5 章对信息通信技术产业劳动力全球化的内在因素进行分析。自 20 世纪 60 年代以来，许多亚洲国家政府及其本土企业的发展战略与美国信息通信技术企业的投资战略以及美国的移民政策相互交织和影响，使高技术劳动力的供给实现了全球化。这一进程导致美国的资本流向亚洲的劳动以及亚洲的劳动流向美国的资本，其结果是为许多亚洲国家的广大劳动者打开了一扇大门，提供了一个通向就职于高技术行业、从而发展自己的生产能力的新机会。同理,对美国的高技术劳动者而言,他们不得不与高质素、且成本往往低得多的居住在遥远国度的劳动者竞争工作岗位,而且这种竞争正愈演愈烈。随着21世纪头10年海外转移的加速展开,即使是那些高学历且资深的美国信息通信技术员工,他们也面临着前所未有的经济不稳定的压力。在这种情形下,美国需要的是创造更多的工作机会,以充分利用这些高学历且资深的高技术劳动者的生产能力。

第6章指出,受广泛流传、但理论上缺乏依据的“公司应按股东价值最大化原则加以管理”的意识形态驱动,信息通信技术企业的高管们所选择的资源配置方式,往好了说是无法支持,往坏了说甚至有害于美国高技术员工与全球劳动力供给的竞争(在不降低自己的收入和生活水平的条件下)。这些高管们非但没有利用全球化所带来的利润来提升美国高技术员工的能力和创造新的本土就业机会,反而痴迷于(请允许我采用这一心理学的说法)运用公司的财务资源回购自家公司的股票。我认为,股票回购的唯一目的是抬升公司的股价,而作为丰厚的公司股票期权奖励的被授予者,公司高管们进行这种资源配置决策,首要的受益者正是他们自己。

最后,第7章讨论了新经济企业模式的兴起并取得支配地位对经济繁荣的意义。随着雇用关系的转变、高技术劳动力的全球化和公司对股东价值最大化的乐此不疲,美国那些高学历且资深的高技术员工正面临经济不稳定的压力,即使是在那些可以为之提供稳定且报酬合理的就业的信息通信技术公司已赚得钵满盆盈之时。就其积累多年的能力而言,这些信息通信技术人士在美国劳动大军中当属最容易找到稳定且收入不菲工作的人群。然而,尽管年龄较长的高技术员工的非全时工作甚至失业的情况所在多有,那些高技术公司的经理们却总是喋喋不休地声称美国存在着STEM(科学、技术、工程和数学)人才的短缺。这些经理们实际想要的是那些更为年轻、愿意长时间工作同时领取较低薪酬的劳动力。

这些经理还对美国的K-12教育系统未能培养大批的这种劳动力而横加指责。美国政府确实需要对国家教育基础的投资继续承担义务,但政府投资本身并不能够造就持续繁荣。为实现稳定和平等的经济增长——不仅是为了美国的高技术工作者,同时也为了那些在我们社会中处于落后地位的群体——我们必须对目前指引美国公司资源配置决策的、具有破坏性的“股东价值”意识形态加以质疑并与之论争。

2

新经济企业模式的兴起

微电子技术革命的起源

旧经济企业发现和发展的技术为信息通信技术产业新经济的崛起奠定了坚实的基础。在二战结束后的几十年间，自1913年就受到管制的垄断企业AT&T一直在电信业保持着一家独大的地位。美国政府于1949年对AT&T发起了反垄断诉讼，旨在切断它与西部电气公司的排他性联系。该诉讼在1956年形成了最终判决：AT&T被允许继续完全控制其制造企业，但禁止贝尔系统进入电信业以外的行业。此外，AT&T和西部电气必须以合理的费用向其他企业转让其专利(Lewis 1956)。其结果是，贝尔实验室的研发成果，包括其1947年发明的晶体管撑起了整个信息通信技术产业的发展，但在企业组织层面，通信和计算机这两个行业仍处于隔绝状态。

在20世纪50年代和60年代，凭借在穿孔卡片制表机领域的绝对优势，IBM获得了计算机产业的支配地位。IBM在1952年首次引入自己的计算机产品，并在随后的10年间成为该行业无可争议的领导者。1950年，IBM的营业收入仅为1.66亿美元，1960年增加到18亿美元，1970年达到75亿美元，1980年则为262亿美元。1958年，IBM在营业收入上已经是美国第37大工业公司，10年以后更跃升到第7位。1963年，IBM的领先地位已达到如此程度：其来自数据处理的12.44亿美元收入相当于紧随其后的第二位厂商——Sperry Rand的8倍。实际上，排名仅次于IBM的8家公司在美国的营业收入为5.39亿美元，仅为IBM一家的43%(Chandler 2001，第86页)。

20世纪50年代和60年代，计算机的进步，或一般说来，电子技术的进步主要依赖于半导体——一种固态电子元件的通用名——的发展。AT&T/西部电气和IBM已经成为半导体技术的重要开发者，但仅限于自用。一些技术储备丰富的老字号公司，如通用电气(GE)、RCA、Raytheon、Sylvania、

Philco-Ford 和 Westinghouse 也进入了半导体产业。这些公司是电子真空管的主要制造商,如今这种产品已经被体积小得多且能耗低得多的半导体元件所取代(Tilton 1971,第 4 章)。初看起来,GE 在微电子领域的强势地位十分突出;在 50 年代初,其营业收入是 IBM 的 9～10 倍,而且其实验室早在 20 世纪初就已存在。在 1957～1966 年间,GE 占有半导体市场的 8%～9%,但在此后的半导体商业化过程中却销声匿迹了,尽管它仍然是全球最大和最有实力的技术公司。

20 世纪 50 年代后半期和 60 年代最成功的商用半导体公司是那些小型企业,其中最著名的有德州仪器——它在 1966 年以 17%的市场份额成为该市场的领跑者——以及拥有 12%市场份额的摩托罗拉和 13%市场份额的仙童半导体公司。直到 1984 年,德州仪器一直是市场占有率的领先者,在 2007 年则下降到世界第 4 位,全球市场的占有率为 4. 3%,仅次于英特尔(市场占有率为 15%)、韩国的三星(市场占有率为 7. 9%)和日本的松下(市场占有率为 4. 3%)(Gartner 2008)。1979 年,摩托罗拉仍位于仅次于德州仪器的位置;随着微电脑革命的展开,这两家公司在 1984 年依然并驾齐驱领跑市场,其来自半导体业务的收入高达英特尔的近两倍。从 1985 年到 1990 年,摩托罗拉一直是美国最大的芯片公司。1991 年,英特尔取而代之,从 1992 年起成为世界芯片业的领导者。2004 年,摩托罗拉将其芯片业务分拆为 Freescale 半导体公司,该公司在 2007 年占有世界市场 2. 1%的份额。

摩托罗拉距德州仪器的成立仅相差两年——摩托罗拉以 Galvin Manufacturing Company 的名义于 1928 年在伊利诺伊州成立,而德州仪器则是在 1930 年以地球物理服务有限公司(Geophysical Service Inc. , GSI)的名称成立于新泽西。在随后的几十年间,这两家公司成为旧经济企业模式的典范,直到 20 世纪 80 年代,它们在雇用关系方面仍然属于旧经济的体制(参见 Gutchess 1985a,第 280～281 页,1985b,第 62～66 页;Simison 1985)。

摩托罗拉是无线通信领域的创新者;在 1947 年,其前身 GSI 将其汽车收音机的品牌——摩托罗拉——用作自己的企业名称,并于同年开创了电视制造业务,所采用的晶体管是由贝尔实验室发明的。1948 年,摩托罗拉在亚利桑那州的菲尼克斯城创建了自己的半导体实验室,为自己的各种电子产品开发核心器件。1954 年,该实验室演变为一处制造厂,拥有雇员 800 人;到 50 年代末,摩托罗拉不仅产销各种晶体管收音机、双向无线对讲机和寻呼机,而且开发了其特有的锗晶体管。1958年,摩托罗拉请到了前贝尔实验室的研究员、时任哈佛大学应用物理学教授莱斯特·霍根(Lester Hogan),由他来掌管公司的半导体业务(Holbrook等2000,第1024页)。

在20世纪30年代,德州仪器的前身GSI开始生产一种创新性的产品——用于石油勘探的地震信号仪(参见Pirtle 2005,第2～5页)。自从公司总部从新泽西迁到得克萨斯州的达拉斯之后,GSI在二战期间扩展为一家军品承包商,为美军生产用于潜艇探测的设备。1951年,为使其地震仪器数字化,GSI购买了贝尔实验室的晶体管专利。同年,它把自己更名为“德州仪器”。为引领其各种产品所需的半导体开发,德州仪器从贝尔实验室挖来了一位杰出的化学家——戈登·蒂尔(Gordon Teal),许诺在其家乡得克萨斯州为其建立由他自己掌管的实验室(Teal 1991)。

在加入德州仪器的两年之内,蒂尔和他的团队就开发出第一批可商业化的硅晶体管。1957年,德州仪器已经占领了半导体市场20%的份额。1958年,德州仪器的研究员杰克·基尔比(Jack Kilby)比仙童半导体公司的罗伯特·诺伊斯(Robert Noyce)领先一步发明了集成电路(Reid 1985)。德州仪器1953年的营业收入为2 700万美元,员工总数为2 100人;1960年的营业收入为2.33亿美元,员工总数为16 900人;1970年的营业收入为8.28亿美元,员工总数为44 800人。

鉴于有摩托罗拉和德州仪器这样优秀的公司,美国的半导体产业并非仅仅独有一段硅谷的故事。然而,正是硅谷的半导体公司拉开了美国新经济企业模式登上历史舞台的帷幕,而在这一硅谷传奇中扮演关键角色的则是仙童半导体公司。

新经济企业模式的演变

战略特征

1957年9月,8位科学家和工程师离开了位于加利福尼亚州帕罗奥多市的肖克利半导体实验室,在附近的山景城创建了仙童半导体公司,从事扩散型硅晶体管(diffused silicon transistors)的生产。仅仅两年前,晶体管的发明者之一威廉·肖克利(William Shockley)刚从美国各地把这“八大叛将”(他后来这样称呼这八个人)请到了他新创办的企业。才俊之士的跨企业流动,以创业或合伙的形式设立自己的公司得益于加利福尼亚州的一条奇特法律,它禁止雇主要求雇员签定就职后不得从事同业竞争的保证书(Gilson 1999)。在此后的几十年间,肖克利实验室和仙童半导体公司的这一无心插柳之举使这种流动性成为该地区充满活力之经济的一大特色。

如图 2.1 所示,从 1959 年至 1970 年共有 42 家(仅 1968 年和 1969 年就有 21 家)半导体公司创立于仙童公司的邻近之地,即后来于 70 年代闻名于世的硅谷①。1985 年,自仙童公司创立以来硅谷新建的半导体企业已达 125 家。其中 32 家的创始人中至少有一名曾就职于仙童公司,还有其他 35 家的创始人则出身于上述 32 家"仙童之子"(Fairchildren)(特别是国家半导体公司、英特尔、Signetics 和 Synertek)。仙童公司对于硅谷的崛起极具重要性,这不仅是由于它从通用电气、RCA、Westinghouse 和 Sylvania 等公司拥有的老牌电子管研发实验室汲取了知识和人才,而且自身也大力投资于研发,尤其是在大批量生产扩散型硅晶体管的生产工艺方面(Berlin 2005,第 5、6 章;Lécuyer 2006,第 5、6 章;Tilton 1971,第 4 页)。

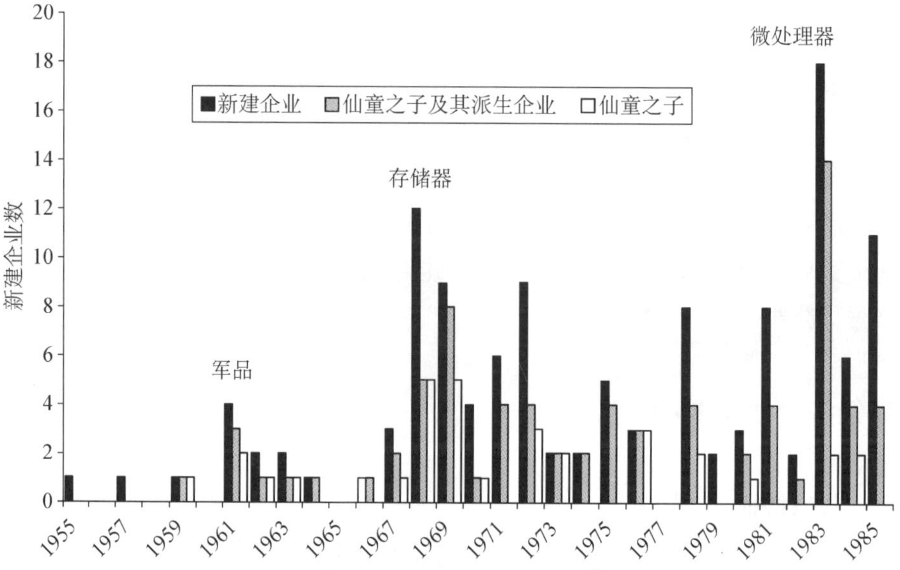

图 2.1　硅谷半导体创业的三次浪潮(1955～1985)

资料来源:Semiconductor Equipment and Materials International (1995).

---

① 一般认为,"硅谷"一词首次在媒体上亮相是出自新闻记者霍夫勒(Don C. Hoefler)于 1971 年为 *Electronic News* 所撰写的系列报道。

继仙童公司创立之后，1959～1964年第一批10家半导体企业在硅谷先后设立，其业务主要面向军品市场。从1955年到1963年，美国半导体的年产值从4 000万美元增长到6.1亿美元，其中军用产品的比例达35%到48%。1968年，美国半导体的年产值已达12亿美元，其中军用产品的比例仍高达25%。同年，集成电路的比例占到27%，而5年前仅为3%。军品需求对集成电路这一类产品的增长至关重要，其所占比例1963年高达94%，1968年仍达37%(Tilton 1971，第90～91页)。

与此同时，每片集成电路的价格从1963年的31.6美元下降到1968年的2.33美元，因此使对成本较为敏感的民品部门采用集成电路的经济可行性大为提高(Tilton 1971，第90～91页)。这种商业机会的出现催生了硅谷的第二次创业企业浪潮。从1968年到1972年，该地区迎来40家半导体创业企业，其中13家属于"仙童之子"，还有8家则是从仙童之子派生出来的。英特尔就属于仙童之子之列，它是由戈登·摩尔(Gordon Moore)和罗伯特·诺伊斯于1968年创立的，而安德鲁·格罗夫(Andrew Grove)则是其第一个雇员。AMD是杰里·桑德斯(Jerry Saunders)于1969年创建的，与之一同创业的则是他从仙童公司拉走的7位经理(参见Berlin 2005，第7章；Lécuyer 2006，第7章)。摩尔和诺伊斯创立的英特尔早期生产存储芯片，以取代当时流行的电磁线圈存储器；他们拒绝建立自己独立的研发实验室，而且拒绝接受政府提供的研究合同(Bassett 2002，第6章)。

硅谷半导体创业企业的第三次浪潮始于1978年，在1983年达到高峰，并一直延续到1985年。在此期间，共有58家新企业创立，其中7家属于仙童之子，另有26家是其派生企业。与第二次创业浪潮中涌现的诸公司，如国家半导体、英特尔和AMD主打动态随机存取存储(DRAM)芯片和可擦除可编程的只读存储(EPROM)芯片不同，第三次浪潮的企业，如VLSI Technology (1979)、LSI Logic (1981)、Cypress Semiconductor (1983)、Cirrus Logic (1984)和Chips and Technologies (1985)则专攻逻辑芯片——各种微处理器和特殊用途的集成电路——其附加价值来自于芯片的设计而非高产出低次品率的大批量生产。

之所以推行这种策略，是因为这些新兴企业的创始人及出资人看到了消费类和企业电子产品市场大发展的商机并企图加以利用。在第三次(创业)浪潮推进的同时，日本的一些一体化公司如NEC、日立、东芝和富士等原先只销售存储芯片部分元件的企业开始进军并占领所谓“普通规格大量芯片”(commodity chip)市场,而这一市场正是第二次浪潮企业如英特尔和国家半导体等的主要地盘(参见 Chase 1983; Patterson 1981,1982)。日本人的强大挑战的底气来源于其高超的制造工艺,使之可以实现更大产出和更低的次品率(参见 Burgelman 1994; Okimoto & Nishi 1994)。

在 1985 年前后,日本人的这种挑战令美国存储芯片的主要厂家无利可图,英特尔也在其列。日本企业在普通规格大量芯片领域的巨大威胁迫使美国的主要半导体厂商组成 SEMATECH(即“半导体制造技术”的英文前两字母的缩写——译者注)联盟,并得到美国政府的部分资助,以确保美国不致再丧失生产半导体制造设备的能力(Browning & Shetler 2000; Grindley, Mowery, and Silverman 1994)。但是,到 20 世纪 90 年代初期,英特尔却再度崛起,成为在全球半导体市场具有支配地位的美国厂商,其营业收入在 1990 年和 1991 年分别超越了德州仪器和摩托罗拉。

英特尔的成功基石在于其 1971 年发明的微处理器——“构筑在一块芯片上的计算机”;随着 20 世纪 80 年代 IBM 主导的个人电脑革命的展开,微处理器亦成为英特尔的主要收入来源。1981 年,IBM 发布了个人电脑,其操作系统来自微软,而微处理器则来自英特尔。无论是微软还是英特尔均保留其向其他厂商销售这些产品的权利。1982 年,IBM 一家的需求就占英特尔营业收入的近 14%(Chase 1983)。

1982 年,IBM 的个人电脑销售额为 5 亿美元,而两年之后,这一数据膨胀了 11 倍之多,是紧随其后的竞争者——苹果公司的 3 倍,大约相当于其最大的 8 个竞争对手的总和。然而,正是 IBM 个人电脑的成功,以及微软操作系统和英特尔微处理器的开放获取,导致一些低价品牌如康柏、Gateway 和戴尔介入竞争生产兼容机,使 IBM 在 80 年代后期及其以后的一段时间逐渐丧失了市场(Chandler 2001,第 118～199,142～143 页)。

不过,IBM 进入微电脑市场的这种策略却塑造并强化了该产业垂直专业化的产业结构,后者被认为是硅谷模式的一大特色(Best 2001,第 124 页; Grove 1996,第 3 章;Langlois 1992)。此后,英特尔对微处理器和微软对操作软件的市场支配地位构成了一道巨大的屏障,使已经和可能进入该市场的竞争者难以与之**正面**硬撼。与此同时,通过为计算机产业确定的这种“开放式系统”标准,英特尔和微软也为旨在开发专业化利基产品(niche products)的新进入者创造了无数的机会，并由此形成该产业的所谓“Wintel”(由微软和英特尔的英文名称拼写而成)架构(Borrus & Zysman 1997; Pollack 1985a)。

但对于20世纪70年代硅谷主要的半导体企业而言，芯片业的垂直专业化与其说是企业自身的战略选择，不如说是为竞争所迫。1979年，《纽约时报》一篇题为“IBM电脑的兼容机”的文章指出：“半导体行业的公司总是对终端用户情有独钟，换言之，总想实行垂直一体化，进入最终产品和系统的市场，这在电子业几乎被认为是天经地义的。”(Schuyten 1979)作为进军消费品战略的一部分，国家半导体和仙童公司开始生产和销售电子计算器(Sporck 2001，第228～230页)。1972年，英特尔收购了硅谷的数字手表制造商、液晶显示手表的先驱——Microma公司。国家半导体和仙童摄影器材公司(Fairchild Camera and Instruments，仙童半导体公司的母公司，当时也地处硅谷)也进入了数字手表业，德州仪器亦然(*Business Week* 1976)。然而，来自这些半导体企业竞争对手的价格战迫使英特尔在1978年退出了手表制造业，并因此产生了1 500万美元的亏空(Manners 1997; Sporck 2001，第185～187页; Wharton 1990)。

半导体企业在进军资本货物(capital goods)方面取得一定的成功，但成果有限。国家半导体公司在20世纪70年代开始生产条码扫描仪，曾一度盈利，但还是不敌IBM和NCR的竞争而败走麦城(Sporck 2001，第230～231页)。继一家硅谷企业Amdahl之后，国家半导体公司还进入了插接相容式大型机(PCM)市场，生产IBM兼容机。然而，到了80年代初，国家半导体公司销售的所有大型机均产自日立(*Business Week* 1983)。1989年，日立和美国电子数据系统公司(Electronic Data Systems, EDS)联合收购了国家半导体公司的大型机业务(Molloy 1989)。

此外，硅谷的主要半导体公司，如国家半导体、英特尔及其派生企业Zilog等公司还在70年代末和80年代初进入了小型机产业，却受到日本以及来自128号公路(Route 128)高科技走廊(位于波士顿的北部和西部)的企业，如数据设备公司(Digital Equipment Corporation, DEC)和Data General公司的狙击，IBM和惠普也在其列。1981年，英特尔进入了微电脑制造业，而国家半导体在此之前就采用英特尔的8086微处理器制造微电脑了。英特尔负责公司规划的经理莱斯·维达斯(Les Vadasz)宣称该公司进入微电脑领域的动作具有战略意义，“我们开发这些产品是因为它们极其适合我们业务的整体架构”

(*Business Week* 1981a)。但 1981 年恰巧是 IBM 发布其个人电脑的年份,而且其采用的微处理器正是来自英特尔。IBM 的成功把英特尔赶出了微电脑市场,并迫使这家在微处理器方面领先的厂商回归其专业领域,英特尔反而因祸得福,从此成长为全球支配性的专业化半导体公司。

因此,硅谷的半导体公司的确曾一再尝试进入终端产品制造业,但来自其美国对手以及一体化的日本公司的竞争迫使其不得不退回芯片的专业化制造。然而,加入垂直专业化行列的并不仅限于这些企业。一些在 20 世纪 80 年代甚至 90 年代才进入该产业专攻设计的芯片企业也是这样做的,而且从未尝试投资于半导体的生产。许多可编程逻辑芯片和图形处理器的生产商,如 Altera、NVIDIA 和 Xilinx 等公司转而借助代工企业来制造其所需的芯片。中国台湾的公司抓住了这样的机会,其代表性的企业台机电(TSMC)和联电(UMC)因此一跃成为全球最大的半导体承包制造商(Brown & Linden 2005,第 288～293 页;Leachman & Leachman 2004; Taiwan Industry Semiconductor Association 2007; Zerega 1999)。

垂直专业化的分层体制不仅出现在芯片制造领域,而且在芯片组、印刷电路板乃至终端产品的组装领域亦层出不穷(Sturgeon 2002)。在 20 世纪 80 年代和 90 年代初,合同制造商(contract manufacturers),也叫作电子制造服务(EMS)提供商只能在上下游一体化的原始设备制造商(OEM)处于需求高峰期时承揽一些后者忙不过来的制造业务。接下来,在 90 年代中期,一些旧经济公司,特别是 IBM、惠普和爱立信(瑞典)率先把自己的部分制造工厂卖给了 EMS 提供商(见第 3 章)。与此同时,一些成立不久的新经济公司,如从事互联网设备生产的思科和 3Com,一开始就将几乎所有的制造业务外包出去。

在互联网大繁荣的 90 年代后期,对 EMS 的需求也出现飙升。那些根本不从事制造的新经济公司不仅不做组装,反而变本加厉地把一系列服务,如测试、设计、建档和货运等工作统统外包给电子制造服务提供商(Curran 1997)。旧经济的电信设备公司,如摩托罗拉、朗讯、北电(Nortel)和阿尔卡特(Alcatel)也开展了大规模的外包计划。到 2000 年之际,这些公司剥离制造工厂的运动达到了高潮。

在这一进程中,5 家电子制造服务巨头应运而生,它们分别是 Celestica、Flextronics、Jabil Circuit、Solectron 和 Sanmina-SCI (Carbone 2000,2002,

2004)。从1993年到2003年,电子制造服务提供商的龙头老大Flextronics的营业收入从9 300万美元增长到134亿美元,员工总数从2 000人增加到95 000人。在此期间,名列第二的电子制造服务提供商Solectron的营业收入从8.36亿美元增长到110亿美元,员工总数则从4 500人增加到66 000人。2007年,Flextronics兼并了Solectron。以2007年美元不变价计算,这五巨头1994年的合计营业收入为57亿美元,1999年为233亿美元,2004年为587亿美元,2007年则为500亿美元(含Flextronics与Solectron合并后的收入)。五巨头雇员总数1999年为90 000人,2004年为268 000人,2007年为356 000人。

组织特征

上述产业组织的变化对劳动者的就业具有深远的影响。创业企业和垂直专业化有赖于、而且随着时间的推移越来越依赖于全产业范围的行业标准,而这种标准与那些旧经济时代流行于一体化的大公司,如AT&T/西部电气和IBM等企业的内部专有标准大异其趣。产业范围标准的存在促进了高技术员工在其职业生涯中的跨企业流动。新经济企业的经理们注重行业范围内的经验,包括技术和产品市场最新进展的知识,而新员工往往可以为其新东家贡献这种知识和经验。信息通信技术产业在硅谷的区域集中也有利于劳动力的跨企业流动——他们可以改换门庭而无需外迁。与此同时,由区域集中和员工流动形成的网络会产生新的知识,而该地区劳动大军的成员吸收这种知识显然要比区域外的高技术员工更有优势(Saxenian 1994)。

高技术员工的跨企业流动导致一种新的薪酬形式——非经理人股票期权(nonexecutive stock option)——的出现,以此来吸引、保留和激励更广大的员工。美国的经理人股票期权(executive stock option)起源于20世纪30年代后期,是公司的高薪管理层为了避税(股票期权的收益适用于资本利得税,最高税率为25%,而薪金收入需缴纳个人所得税,50年代其最高税率高达91%)而发展起来的(Lazonick 2003a)。1950年的《收入法案》(Revenue Act)使这种可能性变成了现实(Pearson 1950)。此后的10年,来自期权的收入已成为美国企业高层经理全部薪酬的重要组成部分(Lewellen 1968)。

然而,在20世纪50年代末和60年代初,由于公众对公司高管这种创富手段的强烈不满,美国国会对把股票期权作为一种薪酬形式的做法施加了限制。1959 年,美国劳联和产联(AFL-CIO)发表文告,提请公众防止"一小撮内部人为自己的利益而进行操纵",从而破坏新政立法(Industrial Union Department, AFL-CIO,1959,第 4 页)。在《哈佛商业评论》一篇不那么尖刻(与劳联和产联的文告相比)的文章中,哈佛法学院的院长欧文·格里斯沃尔德(Erwin Griswold)批评关于股票期权的税法规则有利于一些特定的人群——他们从来没有进行什么投资,以证明自己有权获得资本利得收入(Griswold 1960)。他认为,股票期权的授予会使公司经理更关注上市公司的股票游戏而忽略大型企业的各项管理诉求。

格里斯沃尔德的文章引起了一场热烈的学术论争(例如 Baker 1963; Campbell 1961; Holland & Lewellen 1962; Lent & Menge 1962)。这一论争的非学界参与者包括福特汽车公司的首席执行官亨利·福特二世(Henry Ford Ⅱ)、IBM 的首席执行官小托马斯·沃森(Thomas Watson, Jr.)、纽约市长尼尔森·洛克菲勒(Nelson Rockefeller)和田纳西州的参议员阿尔伯特·戈尔(Albert Gore)。在 1963 年 1 月提交的一封关于减税和税制改革的专门信件中,肯尼迪总统表示支持对股票期权收入征收一般收入所得税的动议,以此来"消除所得税适用上的巨大不平等"(华盛顿邮报 1963)。

戈尔成为国会相关委员会的主席,领导国会于 1964 年对税法进行了修正(Albright 1964; Cohen 1964; Gore 1965; Nossiter 1961)。1950 年税法中"受限制"的股票期权在新法中变成了"资格限制"(qualified)的股票期权。要想取得资本利得税的待遇,所获得股票期权必须在 5 年而不是原来的 10 年内行权,而且行权后所获得的股票必须持有 3 年而不是原来的 6 个月。此外股票期权的行权价必须等同于市场价,而原来规定可以是市价的 85%～95%。新税法对因公司股价下跌而引起的期权重新定价的做法也有所限制(Cohen 1964)。这些修正均有助于削减公司经理实现股票期权收入。

在 1969 年和 1976 年,美国国会提高了资本利得税的税率并降低了个人所得税税率,从而使股票期权的争议得到缓和。此外,根据 1976 年的《税务改革法案》(Tax Reform Act),国会规定尚未取得股票期权的员工此后不再享受资本利得税待遇。1978 年,一位名叫格拉夫·克里斯塔尔(Graef Crystal,第 145 页)的薪酬顾问——后来成为经理过度收入的严厉批判者(Crystal 1991)——宣称:虽然资格限制型股票期权"曾经是经理薪酬最流行的方式……如今已被国会钉进了棺材"。

然而,经理人股票期权并未因此而寿终正寝。国会此后双双降低了个人所得税和资本利得税的税率,并在1981年恢复了(股票期权的)资本利得税待遇,同时放宽了股票期权授予和行权的条件,从而使其死灰复燃(*Business Week* 1981b; Noble 1981; Rankin 1981)。游说国会恢复股票期权资本利得税待遇的主力是全国风险投资协会(National Venture Capital Association, NVCA)和美国电子学协会(American Electronics Association, AeA),这两大组织均是从硅谷发展到全国范围的(Bacon 1981; Reiner 1989,第6章)。在80年代和90年代,经理人和非经理人的股票期权将演变成新经济企业模式的一个突出的特征。

在股票期权的驱动下,20世纪80年代和90年代经理薪酬出现了爆炸式的增长。在1980年到1994年间,授予美国大公司首席执行官的股票期权平均值从155 037美元增加到1 213 180美元,增幅为683%;同期其薪金和奖金收入则从654 953美元增长到1 292 290美元,增幅为95%。因此,股票期权收入在1980年仅占首席执行官总收入的19%,而1994年则激增到48%(Hall & Leibman 1998,第661页)。

关于标准普尔500指数成分股公司首席执行官薪酬的研究表明,以2003年美元不变价计,其平均薪酬1992年为350万美元,2000年达到1 480万美元的高峰,2003年降至870万美元(Jensen, Murphy, and Wruck 2005,第33页)。股票期权收入的占比1992年为28%,2000年为49%,2003年为38%。从1992～2000年的经理收入变动的构成来看,薪金的占比为10.5%,奖金的占比为15.4%,股票期权的占比达56.7%。在2000年至2003年的收入下降额中,14.1%来自薪金,11.2%来自奖金,65.0%来自股票期权。据统计,美国大公司首席执行官的收入与普通雇员的收入之比从1980年的42∶1和1990年的85∶1增加到2000年的531∶1(Dash 2006)。虽然21世纪头10年的前半期股票市场已不那么火爆,这一比率在2005年仍高达411∶1,2006年为364∶1(AFL-CIO 2007)。

基于上述理由,经理人股票期权的滥用一直是那些对经理高收入持批评态度的学界和新闻记者的关注焦点。然而,作为所谓"广泛基础"计划的一部分,还有许多雇员股票期权授予了非经理员工(Hall & Murphy 2003,第51～53页;Mehran & Tracy 2001; Oyer & Schaefer 2005; Sabow & Milligan 2000; Sesil等2002)。在互联网大繁荣时期,广泛的员工持股计划扩散到许多其他企业，高层经理从中得到大头，同时有更多的非经理雇员生平第一次获得股票期权。

非经理雇员股票期权的运用是在20世纪60年代出现的，当时高科技的创业企业开始向科学家、工程师和各个层次的管理人员授予这种期权，以吸引他们脱离老牌的大公司。旧经济公司可以保证其职能、技术和管理职员享受稳定的就业，以及随着职级提升所带来的报酬增加及因此形成的高薪；而创业企业由于其未来的高度不确定性，无法令其员工形成稳定就业的预期。然而，它们却可以提供股票期权，其行权价格仅每股几分钱，来吸引训练有素的资深人才。一旦公司IPO上市或卖给已经上市的公司，这些股票期权将增值百倍。

20世纪80年代创业企业在硅谷的高度集中意味着它们不仅要利用股票期权来吸引高技术人才脱离老牌大企业，而且还须自相竞争，其重点则在于薪酬篮子里的股票期权。除了吸引人才并为这些新雇员提供公司上市后的股权收益，丰厚的股票期权还可以替代一部分现金薪水(例见 Uchitelle 1990)。

与此同时，公司还可以授予雇员非资格限制(uonqualified)的股票期权，行权时须交纳普通所得税；但此时公司可以通过多报成本以要求相应的税收抵免，同时不把这些股票期权的成本列入费用账户，以免减少公司的报表盈利(以及由此引起的股价下跌)。在互联网繁荣达到高潮的2000年，这种来自非资格限制雇员股票期权的税收优惠额在英特尔为8.87亿美元，微软为55.35亿美元，思科为24.95亿美元。

由于20世纪80年代初普通所得税税率的降低，非资格限制的股票期权成为广受欢迎的股权性薪酬形式，特别是在新企业遍地开花的硅谷。股票期权已不再被认为是经理人独有的特权，毋宁说，在新经济体制下，股票期权已被视为吸引"人才"为创新型的新兴企业贡献其专业特长和热情，并因此推动美国经济增长的必要工具。

股票期权在吸引员工加盟方面重要性的与日俱增，也加重了它在保留员工方面的分量。因此，股票期权的年度授予成为新经济企业的流行做法——通常是在授予期权后的连续4年年底，授予总数的四分之一在该年底等待期满。一旦期权等待期结束，通常可在授予日后10年内行权，前提是该员工未脱离授权公司。虽然未能像旧经济公司那样令员工期待与公司一辈子共进退，但等待期未结束尚无法行权的期权同样可以发挥把员工留在企业的长效机制作用。实际上，对大多数员工来说，他可以期待获得的期权数量是与他在企业的层级和职能地位绑在一起的，因此股票期权留住员工的作用是与该员工在公司的升迁紧密相联的。

股票期权的主要作用是通过吸引和保留企业员工以便管理员工的跨企业流动，这种观点已成为信息通信技术企业的广泛共识。如图2.2所示，在回应一家名为iQuantic的咨询公司关于高技术企业采用股票期权“最重要目的”的年度调查时，信息通信技术企业的薪酬经理们大都看重其“吸引”和“保留”(及与此密切相关的“提供有竞争力的薪酬总额”)目的，特别是在20世纪90年代末和21世纪初。请注意，在1996～2003年的诸年份，他们给予各种“目的”之重要性的排序是相对稳定的，尽管每年参加该调查的公司数及其回应关于何为“最重要目的”的平均答案数起伏很大。

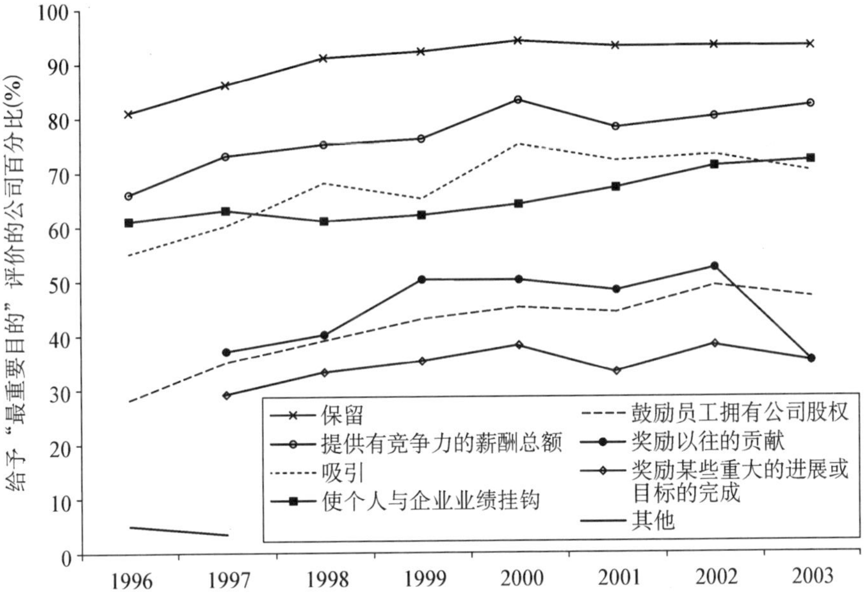

图2.2 在美国运营的信息通信技术企业关于股票期权现行计划目的的回答(1996～2003)

注：根据各公司给出的其股票期权计划“最重要目的”的百分比对诸“目的”逐年排序。给出多重“最重要目的”的公司，其最重要目的介于2.2个(1996年)到3.6个(2000年)。参与调查的信息通信技术企业数每年不一：1996年为68家，1997也是68家，1998年82家，1999年81家，2000年180家，2001年166家，2002年174家，2003年136家。在1996年，“奖励以往的贡献”是“其他”范畴中的常见回答。

资料来源：1996－1997：iQuantic High-Tech Equity Practices Survey；1998－2000：iQuantic Equity Practices Survey for High Technology Industries；2001－2002：iQuantic-Buck Information Services Equity Practices Survey for the High Technology Industries；2003：Mellon Equity Practices Survey for the High Technology Industries (April 2004).

某些硅谷的创业企业，如英特尔、甲骨文、太阳微系统和思科系统等公司在创业初期就对其相当部分的员工授予股票期权。许多设立于硅谷以外地区的新经济企业，如位于华盛顿州的微软和位于得克萨斯州的戴尔也是这样(Lazonick 2007b)。在 20 世纪 80 年代和 90 年代，许多新经济公司保留甚至有时还扩大了其广泛的股票期权授予计划，即使它们已经成长为拥有成千上万名员工的巨无霸企业。

到 21 世纪头 10 年，领先的信息通信技术公司发行的股票期权已占其发行在外的总股份的相当比例(表 2. 1)。薪酬专家把这种比例称之为“悬垂体”(overhang)，其分子取决于过去 10 年已发放的期权数(假定其仍处于行权期)、股票价格的变化(决定员工感觉是否值得行权)，以及因员工离职造成的期权取消；其分母则取决于新股票的发行和已发行股票的注销。21 世纪头 10 年大规模股票回购的盛行(参见第 6 章的论述)显然会加大这一“悬垂体”。

例如，微软在 1982 年就向其 200 名员工发放期权，4 年后其员工数达到 1 000人、营业额达到 2 亿美元时成为上市公司，从而为员工行权认购股票提供了流动性(参见 Lazonick 2003a)。当该公司在 1996 年员工超过 20 000 人，并在 4 年后达到 40 000 人时，实际上所有的微软员工均获得了股票期权。2001 年 5 月，随着其股价剧烈波动，微软将其授予全体员工的股票期权增加了一倍。然而，仅仅两年以后，此时已拥有 55 000 名员工的微软宣布今后将不再授予股票期权。自此以后，如表 2. 1 所示，微软的“悬垂体”有所缩减，尽管其仍在进行大规模的股票回购。

表 2. 1　2000～2007 年美国部分信息通信技术公司已发放股票期权数与已发行普通股票数之比(%)

	2000	2001	2002	2003	2004	2005	2006	2007
AMD	13.87	14.76	16.50	14.53	12.69	11.39	9.04	7.90
思科系统	12.94	13.89	15.53	17.60	19.50	21.56	23.35	22.49
戴尔	13.33	12.77	13.33	14.27	15.00	14.97	13.79	13.29
惠普	7.04	9.79	13.58	15.76	17.63	18.81	17.58	15.36
英特尔	9.33	10.49	12.17	12.98	13.64	14.73	14.93	13.03
IBM	8.70	9.77	11.64	13.65	14.80	15.11	14.44	11.88
朗讯科技[a]	11.53	16.78	14.05	8.81	9.24	9.27	6.47	无
微软	15.38	16.22	15.83	14.67	11.56	8.40	7.45	5.59

(续表)

	2000	2001	2002	2003	2004	2005	2006	2007
摩托罗拉	6.14	8.37	11.02	12.73	13.40	12.20	10.20	9.90
甲骨文	9.45	9.23	8.13	8.52	8.60	8.81	9.07	8.44
太阳微系统	13.87	14.86	16.29	17.67	18.09	17.18	15.61	13.33
德州仪器	8.39	8.92	10.24	12.10	13.61	13.81	14.69	14.61

注：财年截止期：戴尔，1 月；甲骨文，5 月；微软和太阳微系统，6 月；思科系统，7 月；朗讯科技，9 月；惠普，10 月；AMD、IBM、英特尔、摩托罗拉、德州仪器，12 月。

a 2006 年 12 月 1 日，朗讯被并入法国的阿尔卡特，组成阿尔卡特-朗讯。

资料来源：各公司披露的 10-K 报告。

直到 1997 年，英特尔只向其大约一半的员工发放了股票期权。在互联网大潮的高峰期，以及当其首席执行官安德鲁·格罗夫在 1996 年通过行权卷走了 9 800 万美元的事实为公司近 5 万名员工所知晓时，英特尔将股票期权授予的范围扩大到几乎所有员工。与此相对照，英特尔的竞争对手 AMD 1983 年的股票期权授予范围仅为当时其 13 000 名员工的 11%，而且这一比例在最高时也仅为 25%（1998 年该公司员工数为 12 800 人时曾达到该比例）。在 20 世纪 80 年代前半期，AMD 在硅谷一直以其“零解雇”政策而独树一帜(Gutchess 1985b，第 24～27 页；另见 McEnaney 1985)。① 即使是在硅谷，在某些特定的条件下，对于某些特定的公司来说，提供就业保障所产生留住员工的作用会比发放股票期权更有效。

思科系统在 1984 年开办时仅有 10 名员工，1990 年股票公开发行上市时大约有员工 200 人，在整个 90 年代每年均系统化地向其全体员工发放股票期权，即使其员工总数在 2000 年达到了 4 万人。在 2008 财年末，思科的员工数已达 66 129 人，但仍在给几乎每一个员工授予股票期权。其悬垂比例在 2006 年高达近 24%，此后，尽管它仍在进行股票回购，但由于行权和期权的撤消，这一比例在 2007 年有所降低，2008 年进一步降低至 20.16%。与思科相似，戴尔、甲骨文和太阳微系统在历史上也曾向几乎全体员工发放股票期权。

作为一家坐落于硅谷核心地带的旧经济公司，惠普在 20 世纪 80 年代初仅对其高层雇员授予股票期权，但从 80 年代中期到 1988 年，它逐渐将股票期

① 然而，1986 年，在因日本企业的竞争所导致的美国芯片业的危机中，AMD 放弃了其零解雇政策（另见 *Electronic Times* 1986）。

权的授予范围扩展至更多的员工。1985 年，惠普持有股票期权的员工比例仅为 8%，但 1990 年已扩大至 18%，1995 年为 25%，1998 年增至 30%。在互联网繁荣的高潮期，这一比例开始跳跃性的上升，在 1999 年达到 57%，2000 年更提升至 98%。在 2007 财年末，惠普员工持有股票期权的比例降至 58%，即 9.9 万人；但在 2000 年以后，所有的惠普正式员工均曾经有机会获得股票期权。

在 20 世纪 90 年代初，像其他大多数旧经济公司一样，IBM 的股票期权也仅限于少数高管，但在向新经济企业模式的转型过程中(见第 3 章)，该公司的期权授予范围显著扩大。从表 2.1 可以看出，惠普、IBM、英特尔、摩托罗拉和德州仪器的悬垂比例在 21 世纪头 10 年的前半期均有所上升，这在很大程度上是它们花费数十亿美元回购公司股票、因而减少了发行在外的股票所致。

对于新经济企业的雇员来说，股票期权不仅是一种潜在的劳动报酬形式，而且有望成为其退休储蓄的来源。如本书第 4 章将要讲到的，几乎所有的新经济公司均采用约定提存而非约定给付的养老金计划，而且由企业缴纳的部分往往很少。因此，对于其员工而言，由行权获得的财富积累并由此形成的退休后的财务基础，其意义远较公司的养老金计划本身更重要。

在互联网繁荣时期，微软、英特尔和思科等公司的员工来自广泛的股票期权计划的收入随着股票的投机性炒作而大幅飙升。2001 年，一种新的现象出现了——高技术就业开始减少，主要来自于薪金的工资收入亦有所减少。根据 County Business Pattern (CBP)的数据，图 2.3 和图 2.4 显示了 1994～2006 年全职就业的变化情况，图 2.5 和图 2.6 显示了同期信息通信技术产业两个最主要的部门——半导体和软件发行在美国该产业最集中的地区职工实际工资水平的变动。[①]

---

① 半导体业的雇员数在 1994～1997 年是按 SCI 3647 分类(半导体和相关设备)，1998～2006 年是按 NAICS 334413 分类(半导体和相关设备制造)。软件发行业的雇员数 1994～1997 年是按 SCI7372(即标准化软件，包括软件发行和软件复制)，1998～2006 年是按 NAICS 511210(软件发行商)和 NAICS 334611(软件复制)分类。NAICS 334611 雇员数在整个软件发行业的占比甚微：其波动幅度从 2003 年的 0.73%到 1997 年的 1.57%。关于 SCI 与 NAICS 分类的匹配，参见 U.S. Census Bureau (1997)。

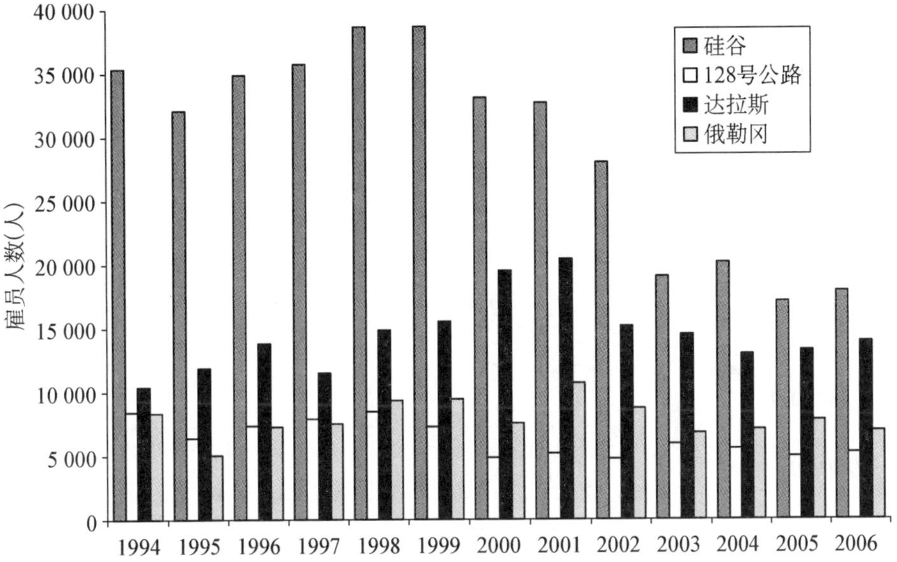

图 2.3 1994～2006 年半导体业最集中的地区：硅谷、128 号公路、达拉斯和俄勒冈的全职雇员数

注：1994～1997 年按 SIC 3674 分类；1998～2006 年按 NAICS 334413 分类。
资料来源：U. S. Census Bureau (2008a).

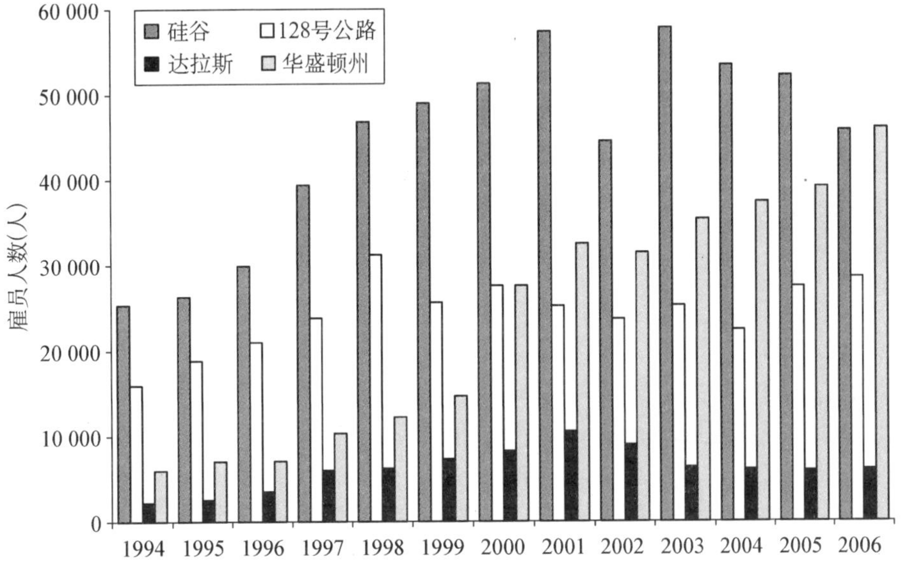

图 2.4 1994～2006 年软件发行业最集中的地区：硅谷、128 号公路、达拉斯和华盛顿州的全职雇员数

注：1994～1997 年按 SIC 7372 分类；1998～2006 年按 NAICS 511210 和 334611 分类。
资料来源：U. S. Census Bureau (2008a).

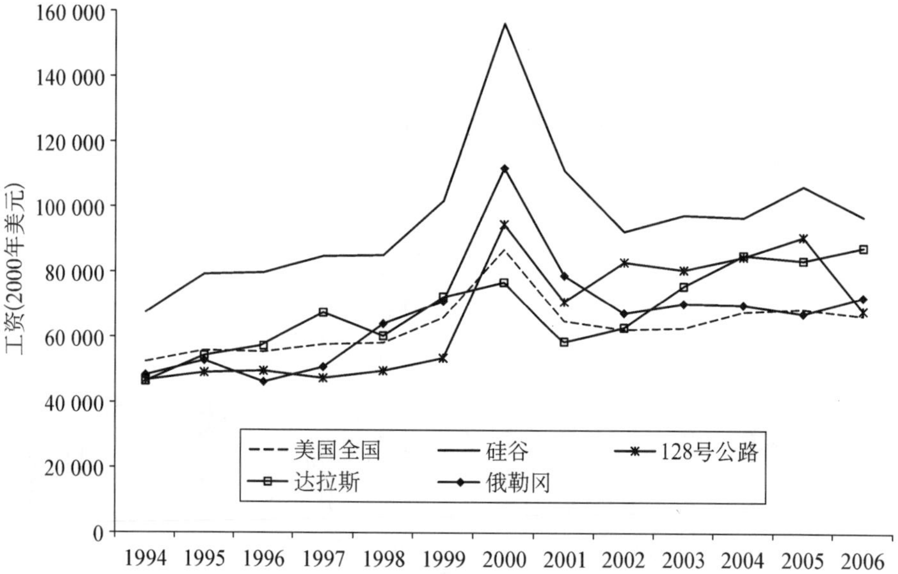

图 2.5　1994～2006 年全美以及硅谷、128 号公路、达拉斯和俄勒冈的半导体业的实际工资水平(按 2000 年美元不变价计)

注：1994～1997 年按 SIC 3674 分类；1998～2006 年按 NAICS 334413 和 334611 分类。
资料来源：U. S. Census Bureau (2008a).

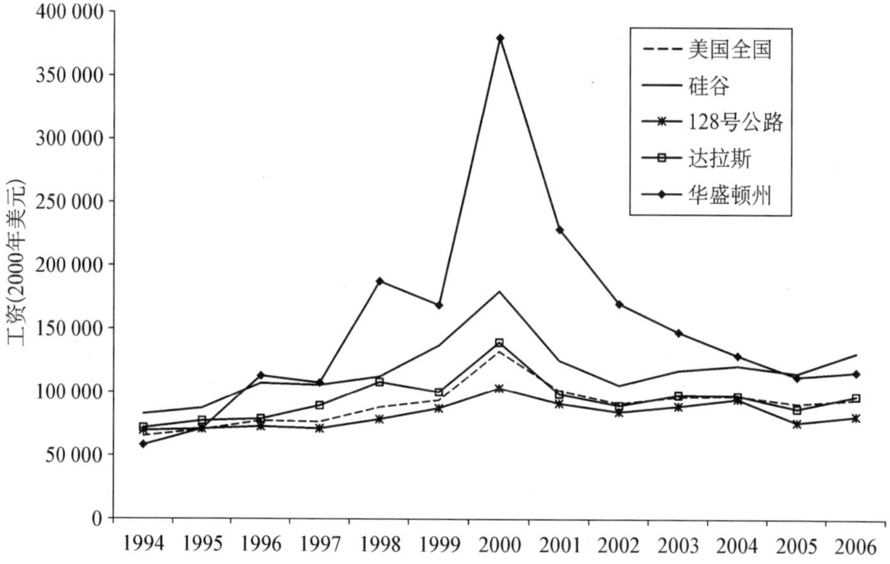

图 2.6　1994～2006 年全美以及硅谷、128 号公路、达拉斯和华盛顿州软件发行业的实际工资水平(按 2000 年美元不变价计)

注：1994～1997 年按 SIC 7372 分类；1998～2006 年按 NAICS 511210 分类。
资料来源：U. S. Census Bureau (2008a).

在关于半导体业的图示中，我收入了硅谷、128 号公路、达拉斯(德州仪器所在地)和俄勒冈的数据。俄勒冈是英特尔制造微处理器的主要基地，2008 年其雇员数达 15 500 人(比 2005 年的 16 000 人有所减少)，是该州最大的企业雇主，波特兰一带则是英特尔全球雇员最集中之地。关于软件发行业，我收入了硅谷、128 号公路、达拉斯和华盛顿州(西雅图是微软总部所在地)的数据。在图 2.5 和图 2.6 中，除以上诸地区和州的数据外，我把这些行业的全国实际工资系列数据也纳入其中。

美国半导体行业雇员数在 2001 年达到 22.5 万人的峰值，但到 2005 年下降了 39%，2006 年则回升了 4%。图 2.3 显示，硅谷在 1994～2006 年间一直是美国半导体就业的主要区域，但在 21 世纪头 10 年中期在就业人员总数中的比重有所下降；达拉斯所占的比重在 2000 年增加至近 10 个百分点，并一直保持到 2006 年；俄勒冈的比重在 21 世纪头 10 年的上半期也较 20 世纪 90 年代后期有所提升，这主要是因为英特尔将最尖端的微处理器设计和制造业务留在了美国，而转移到其他国家的业务在先进程度上比原先在美国俄勒冈以外地区的业务逊色不少。

美国软件发行业的就业数在 20 世纪 90 年代后半期出现了跳跃式的增加；与半导体行业的就业情况类似，也在 2001 年达到峰值。软件发行业的就业数在 2002 年下降了 41%，随后有所恢复，2003～2006 年维持在 2001 年水平的 93%～97%之间。图 2.4 显示，硅谷在 90 年代后半期是美国软件发行业就业的大本营，但由于微软的成长，华盛顿州正在迎头赶上。实际上，在 2006 年，华盛顿州该行业的就业人数在历史上头一次超过了硅谷。128 号公路的就业比重在 21 世纪头 10 年的上半期较 20 世纪 90 年代后半期有所下降，但与 2001～2004 年相比，在 2005 年和 2006 年又有所回升。

如图 1.5 所示，信息通信技术产业雇员数最多的当属计算机编程和计算机系统设计这两个行业。2006 年，在计算机编程业 506 321 名从业人员中，硅谷占 9.1%，128 号公路沿线占 3.6%。同年在计算机系统设计业 486 523 名从业人员中，硅谷占 5.0%，128 号公路占 3.3%。

图 2.5 表明，硅谷半导体行业的实际工资水平比其他地区明显高出一块。这种差距可能来自以下两方面原因的结合：硅谷众多半导体企业之间的人才竞争和硅谷相对高昂的生活费用。请注意图中互联网高潮时期硅谷、俄勒冈和 128 号公路实际工资水平的尖峰。实际上，在 1996～2000 年期间，硅谷的

实际工资水平几乎翻了一番，从 79 600 美元增加到 156 300 美元。

更夸张的是，如图 2.6 所示，华盛顿州软件发行业的实际工资增长了两倍以上，从 1996 年的 112 600 美元增加到 2000 年的 380 038 美元。其原因在于微软和英特尔之类的公司员工正在乘股票价格膨胀之机大量兑现手上的股票期权。在计算机编程和计算机系统设计行业，硅谷的工资也较其他地区为高，而且在互联网高潮期其实际工资水平也有大幅上升。

来自上市公司提交给美国证券交易委员会(SEC)的文件资料进一步印证了 CBP 关于股票期权收益重要性的数据。在股东签署的委托书中，这些公司提供了其首席执行官和其他 4 名薪酬最高的高级经理(所谓“五首席”)来自股票期权行权收入的数据。表 2.2 显示了表 2.1 中的 12 家公司的五首席 1995～2007 年间来自股票期权行权的收入情况。

除英特尔五首席的峰值收入出现在 1998 年以外，其他各家公司的峰值收入均出现在 2000 财年或 2001 财年。甲骨文五首席 2001 年的平均股票期权收入几达 17 000 万美元，而 2002 年的收入为零，因为该年度是股票市场的泡沫破灭之年(戴尔财政年度的截止期为 1 月 31 日，因此其五首席平均 2 860 万美元的收入反映的是 2001 年的情况)。甚至在微软宣布停止发放股票期权之前，其董事长比尔·盖茨和首席执行官史蒂夫·鲍尔默(Steve Ballmer)就不再通过行权获利了，虽然其拥有的微软股权依然使他们在福布斯 2007 年的富豪排行榜上名列第 1 和第 31 位。微软的五首席在 2005 年的平均行权收入仅为微不足道的 5 180 美元，而 2006 年的收入为零；其主要竞争对手甲骨文则与此形成鲜明对照：其五首席 2005 年和 2006 年的平均行权收入分别为 2 200万美元和 1 300 万美元。

除以上关于五首席的资料外，从上市公司的 10－K 财务报表所提供的数据还可得出其全体员工(包括那些未获股票期权者)的平均行权收入。由此可以推算出五首席与普通员工的行权收入之比。[①] 表 2.3 显示了表 2.2 所列的 12 家公司全体员工(包括五首席)的平均行权收入。在互联网的高潮时期，

---

① 自 20 世纪 90 年代中期以来，上市公司不仅要披露给定年份的行权数，而且还要披露加权平均行权价格。在计算员工股票期权收入的数据时，我假定员工该年份各月的行权数是相等的，期间股票的最高价要高于该年度的加权平均行权价；然后，我采用各月市场平均价与加权平均行权价的差额来推算该年的期权收入，如表 2.2 所示。在表 2.3，我采用月度最高股价而不是平均价来计算员工的人均收入，以避免在计算相对行权收入时出现有利于五首席与员工收入之比的偏差。感谢 Yue Zhang 女士为生成这些数据提供的帮助。

表 2.2 1995～2007 年部分美国信息通信技术公司五首席的平均股票期权行权收入(千美元)

	AMD	思科	戴尔	惠普	英特尔	IBM	朗讯	微软	摩托罗拉	甲骨文	太阳微系统	德州仪器
1995	546	4 065	387	534	4 892	152		2 505	3 190	4 301	727	4 066
1996	2 011	15 790	820	1 074	24 585	5 383	—	0	1 038	8 302	2 786	0
1997	4 549	3 124	1 977	2 161	12 516	3 764	248	4 127	180	3 620	4 425	1 265
1998	190	5 972	14 417	1 114	40 137	10 239	15 597	3 271	0	3 752	11 515	1 492
1999	139	60 586	36 937	8 732	4 796	24 457	165	30 178	2 297	6 754	5 619	5 037
2000	20 080	51 302	98 791	4 360	32 063	13 293	6 100	50 653	607	83 504	25 180	15 048
2001	3 517	11 884	75 151	0	4 117	29 296	0	31 531	546	169 674	18 441	992
2002	16	805	28 612	127	3 514	943	1	1 405	114	0	5 406	0
2003	81	1 291	2 103	502	6 298	2 139	0	6 870	0	13 001	1 323	9 178
2004	115	14 207	14 019	182	6 338	2 876	0	8 564	808	8 633	1 432	493
2005	1 649	15 804	9 364	2 319	4 208	3 550	183	5	2 913	21 953	2 397	2 220
2006	4 746	17 614	31 466	4 903	2 929	3 210	—	0	8 178	12 998	564	7 286
2007	1	22 517	6 692	8 837	4 339	2 454		0	554	46 865	666	1 302

资料来源：各公司股权代理委托书。

表 2.3　1995～2007 年部分美国信息通信技术公司雇员(不含五首席)人均股票期权行权收入(美元)

	AMD	思科	戴尔	惠普	英特尔	IBM	朗讯	微软	摩托罗拉	甲骨文	太阳微系统	德州仪器
1995	1 086	60 894	3 833	2 362	18 746	671		51 829	—	—	2 468	2 136
1996	1 490	93 399	7 194	2 213	16 010	1 823	—	79 022	471	7 367	7 992	892
1997	5 075	85 159	11 219	3 156	25 295	3 615	1 019	154 196	1 058	6 588	7 626	2 932
1998	1 435	92 947	40 547	2 676	75 890	4 066	5 449	238 377	361	5 019	10 799	4 473
1999	1 687	193 476	126 639	6 613	56 589	5 790	7 505	369 693	4 055	5 650	27 477	47 880
2000	20 113	290 870	84 818	17 987	112 018	4 200	23 281	449 142	3 218	37 214	60 431	22 881
2001	2 115	105 865	76 122	1 498	18 235	4 011	828	143 772	415	88 723	46 763	6 767
2002	537	13 596	33 167	838	10 413	1 195	955	95 310	334	6 950	4 550	4 650
2003	1 163	8 917	10 739	936	10 406	1 553	11	80 283	42	6 193	1 182	4 803
2004	5 103	32 804	12 216	638	8 405	1 842	486	50 690	1 381	7 908	1 960	6 144
2005	12 786	24 432	11 297	1 739	8 347	1 256	615	14 500	8 688	6 926	1 187	12 512
2006	18 197	25 487	8 724	6 809	3 396	1 857	558	6 208	3 852	9 514	1 249	11 142
2007	1 149	73 004	221	9 982	6 915	3 524		14 991	4 395	14 927	2 740	19 209

资料来源：各公司 10－K 报告。

这些公司的员工获得了相当丰厚的收入，特别是在思科、戴尔、英特尔、微软、甲骨文和太阳这几家公司；在 20 世纪 90 年代后半期，这些公司的几乎全体员工均曾被授予股票期权。

近几年，来自股票期权的收入较之互联网高潮时期已有大幅度缩水；即使是股价在 2007 财年上涨了 60%的思科，其 55 700 名员工的平均期权收入也仅为 73 000 美元。由于 2003 年以后公司不再发放股票期权，2005～2007 年微软员工的平均股票期权收入出现大幅度下降。

在 IBM，其五首席 1996～2005 年的平均期权收入为 9 590 万美元，而普通员工的同类收入为 29 000 美元。在 20 世纪 90 年代中期，IBM 开始从旧经济体制下仅限于高管的股票期权模式转向新经济体制下包含非经理员工的广泛基础模式。与该表其他大多数公司相比，1995～2007 年 IBM 相对较低的人均期权收入反映了如下事实：(1)该公司获得股票期权的员工比例较小；(2)IBM2007 年底的员工数达 386 558 人，是位居这 12 家公司第二名的英特尔的 3 倍多；(3)在互联网高潮时期，IBM 的股价表现比其他大多数公司更为沉闷。在互联网的高峰期，惠普员工获得股票期权的基数也有显著增加。在 2000 年，其员工平均期权收入达到 18 000 美元的峰值，这一方面是由于此时惠普的股价达到了历史高位，另一方面也体现了 20 世纪 90 年代后期该公司有资格获得股票期权的员工人均期权数的增加。

表 2. 4 显示了这 12 家公司五首席的平均股票期权行权收入与公司其他员工人均同类收入的比值，其收入数据估计采用的是每月的最高股价。如该表所示，无论是给定年份的不同公司，或给定公司的不同年份，该比值均有显著的差异。例如，在 2006 年财政年度(截至 2006 年 1 月 31 日)，由于员工的人均期权收入下降到 8 724 美元这一 1996 年以来的最低水平，戴尔的比值为 3 153 倍；此时五首席的人均行权收入为 3 150 万美元。2007 财年，戴尔的这一比值激升至 10 475 倍，该年度五首席的人均行权收入为 670 万美元，而公司其他员工——全球总数超过 85 000 人——的人均期权收入仅为 221 美元。

正如股票市场的牛气冲天会使期权收入随之水涨船高，信息通信技术市场及股票市场的掉头向下，亦会令这种收入大幅缩水。随着互联网繁荣的终结，美国的 GDP 从 2001 年 3 月开始下降，并持续到同年 11 月。然而，尽管经济增长已经恢复，但美国的就业仍然持续萎缩到 2003 年第 4 季度。在这种无就业的复苏过程中，信息通信技术产业的某些部门受到的打击尤为沉重。根

表 2.4　1995～2007 年部分美国信息通信技术公司五首席的平均期权行权收入与公司其他员工人均期权行权收入之比

	AMD	思科	戴尔	惠普	英特尔	IBM	朗讯	微软	摩托罗拉	甲骨文	太阳微系统	德州仪器
1995	231	60	83	202	232	200		45		—	221	14
1996	705	150	93	426	1 388	2 462	—	0	2 202	989	288	0
1997	482	33	149	623	440	909	212	25	170	487	506	4
1998	77	58	307	334	477	2 234	6 587	13	0	643	929	4
1999	48	202	252	1 186	75	3 755	19	74	566	949	175	1
2000	419	156	1 000	214	246	2 758	224	101	189	1 807	364	8
2001	651	94	835	0	194	6 442	0	192	1 316	1 575	324	2
2002	15	48	745	123	290	682	0	13	341	0	951	0
2003	43	119	175	452	531	1 268	0	77	0	1 728	834	22
2004	12	386	1 031	221	566	1 459	0	156	487	1 266	571	1
2005	72	585	745	1 077	454	2 557	298	0	335	2 709	1 527	2
2006	142	621	3 153	616	737	1 581	—	0	2 123	1 227	345	9
2007	1	227	10 475	504	366	439		0	78	2 245	157	1

资料来源：各公司股权代理委托书和 10－K 报告。

据美国劳工统计局(Bureau of Labor Statistics)的第 4 季度调查,美国计算机编程业的就业人数从 2000 年的 530 730 人下降到 2001 年 501 580 人,再下降到 2002 年的 457 320 人,再下降到 2003 年的 403 220 人,年平均工资则从 2001 年的峰值数——65 517 美元下降到 2003 年的 65 170 美元。电气和电子工程技术部门的第 4 季度就业人数从 2000 年的 244 570 人下降到 2001 年的 220 810 人,继而下降到 2002 年的 194 960 人和 2003 年的 181 550 人,尽管其在业者的年平均工资从 2000 年的 33 155 美元上升到 2003 年的 46 190 美元(U. S. Department of Labor 2008)。据电气和电子工程师学会(The Institute of Electrical and Electronics Engineers, IEEE)的统计,美国计算机编程业 2003 年的平均失业率为 6. 4%,而 2004 年上半年则高达 7. 6%(IEEE-Central Texas Section 2008)。很多观察家认为,其原因在于 21 世纪头 10 年相关业务向海外国家,特别是印度的加速转移(参见第 5 章),导致美国许多报酬优渥的工作岗位流失。即使在复苏期,新经济似乎也无力兑现其持续繁荣的承诺,即便是对美国劳动力中那些高学历的人群也是如此。

财务特征

为什么在互联网高潮时期股票期权会对硅谷从业人员的收入产生如此之大的影响?这不仅是由于要从老牌企业挖走高技术人才,而且由于新兴企业的大量繁殖——股票期权变成了员工跨企业流动的主要诱因。从 20 世纪 80 年代初以来,创业企业从风险资本那里获得了充足的资金;在硅谷,这种资助新企业创立的模式比在任何其他地区都更加完备。在 1995~2000 年期间,当创业企业与互联网合为一体时,旧金山-奥克兰-圣何塞综合都市统计区(CMSA)的风险投资笔数占全美国的 28%,而风险投资金额的比例为 24%。与此相对照,波士顿周边地区的相应比例为 11%和 9%,而纽约的相应比例为 10%和 12%(PricewaterhouseCoopers 2008a)。

然而,从源头上来说,作为一种资助新企业创立的独特产业,风险资本起源于东海岸血统的旧经济资金。在二战结束后的几十年间,旧经济的一些家族,包括洛克菲勒、梅隆和惠特尼等是风险资本的重要资金来源(Wilson 1986,第 2 章)。第一家正式的风险资本机构名为美国研究与开发公司(American Research and Development, ARD),1946 年成立于波士顿;它明确宣示其宗旨就是要支持企业家创办新的企业,以实现先进科技的商业化;作为军费支出的成果,这些科技是在二战期间积累起来的,其中相当一部分形成于麻省理工学院(MIT)。在二战后的几十年间，麻省理工学院和美国研究与开发公司一直是波士顿以北及以西的128号公路高科技走廊的重要支柱(Hsu & Kenney 2005; Rosegrant & Lampe 1992，第2～4章)。1958年以后，通过小企业管理局(Small Business Administration)，美国政府对小企业投资机构提供的各种补助也成为风险资本发展的一大臂助(Kenney & Florida 2000; Noone & Rubel 1970; Reiner 1989，第5章；Wilson 1986)。

同样是在二战结束后不久，斯坦福工学院的院长弗雷德里克·特曼(Frederick Terman)提出了以一所著名科研院校为轴心，在加州帕罗奥多市的斯坦福周边地区建立高科技产业区的构想(参见 Berlin 2001; Lécuyer 2000; Leslie & Kargon 1996; Saxenian 1994)。在20世纪40年代末和50年代，以冷战军费支出为依托，众多脱胎于斯坦福的创业企业，再加上一些老牌工业企业的分支机构使帕罗奥多市周边地区成为微波和宇航技术的开发中心(Leslie 2000)。1955年，威廉·肖克利——曾在贝尔实验室发明晶体管的杰出固态物理学家——由于未能与雷神公司(Raytheon，波士顿地区的一家大型军工企业，与麻省理工学院关系密切)达成为其建立半导体实验室的协议而出走西部，在一家洛杉矶的企业——Beckman 仪器公司的支持下，在临近斯坦福的地方建立了自己的实验室；半导体产业随之落户西海岸。

1957年，仅仅被肖克利聘用一年多一点的时间之后，8位科学家和工程师——朱利亚斯·布兰克(Julius Blank)、维克多·格里尼克(Victor Grinich)、金·赫尔尼(Jean Hoerni)、尤金·克莱尔(Eugene Kleiner)、杰·拉斯特(Jay Last)、戈登·摩尔、罗伯特·诺伊斯和谢尔顿·罗伯茨(Sheldon Roberts)离开了肖克利实验室，开始寻求资助建立自己的企业。在一封写给自己父亲的经纪人、纽约一家投资银行的老板海顿·斯通(Hayden Stone)的信中(该信现已颇为著名)，克莱尔声称他们正在寻找一家对在旧金山半岛南部"投资先进的半导体设备有兴趣的公司"(引自 Lécuyer 2000，第163页)。与此同时，某些就职于旧金山金融机构的个人也参与了风险投资，其中最著名的当属 Fireman's 基金的利德·丹尼斯(Reid Dennis)及其密友(Dennis 2000，第182～183页)。①

---

① 1957年，波士顿的ARD公司资助了数据设备公司(DEC)的创建，仅投资70 000美元就获得了后者78%的股份(Wilson 1986，第19页)。而肖克利的八个背叛者在1957年获得资助成立仙童半导体公司时，仙童摄影器材的出资额达138万美元。即使这八个家伙愿意把公司设在128号公路一带，他们也不大可能从ARD获得这样一大笔钱。

但此时的西海岸尚未出现专门提供风险资本的机构。①

克莱尔在信中询问，他们这个“训练有素的技术团体”，即肖克利所谓的八叛将，在哪里可以获得资金，“以使一家公司在 3 个月内开展半导体业务”。收到这封信的那位经纪人将其转给了阿瑟·洛克(Arthur Rocke)——海顿·斯通公司一位拥有哈佛工商管理硕士(MBA)学位的年轻雇员。在此之前，洛克已经有过参与东海岸一家半导体公司——General Transistor 的风险融资、股票发行和推销的经历(Lécuyer 2000，第 163～164 页)。② 洛克很快就回信了；经过一番颇费时日和精力的游说，他最终说服了仙童摄影器材公司(一家位于纽约长岛的颇具创新精神的企业)为之提供资助，由此创建了仙童半导体公司。③ 肖克利的八个背叛者每人获得仙童半导体公司 7.5%的股权，海顿·斯通拥有 17%的股权，剩余 23%的股权则留给拟招聘的新经理。该股权安排还包括，仙童摄影器材公司有权在仙童半导体连续 3 年盈利、且盈利额超过 30 万美元之前以 300 万美元的价格收购该公司；或以 500 万美元的价格收购，如果其收购发生在公司成立后的三至五年之间(Berlin 2001，第 76 页；Lécuyer 2000，第 166 页)。

仙童半导体公司几乎是马到成功。1958 年初，这家新企业与 IBM 一道获得了民兵导弹的分包合同；1958 年赫尔尼借鉴贝尔实验室的技术完善了硅芯片制造的平面法工艺。在这一技术突破的基础上，诺伊斯于次年发明了集成电路(Berlin 2001，第 64 页)。两年之后，该公司的员工已从 13 人增加到 700 人，而且盈利颇丰。④ 在公司

---

① 旧金山半岛专门从事风险投资的第一家企业叫 Draper, Gaither and Anderson (DGA)，开办于 1959 年。参见 *Business Week* (1960)，《纽约时报》(1959)和 Wilson (1986，第 34 页)。作为冷战的产物，DGA 的创始人中有两位是前美国将军——William H. Draper, Jr. 和 Frederick Anderson，另一位则是福特基金会的前主席盖瑟(H. Rowan Gaither, Jr.)，他还是另一个委员会的名誉主席，该委员会曾在 1959 年 10 月苏联发射人造卫星之后撰写了一份绝密报告——盖瑟报告，其标题为“核时代的威慑与生存”，建议艾森豪威尔总统建立回击核攻击的能力(参见 Halperin 1961)。

② 参见洛克(Rock 2000，第 141 页)：“我之所以为仙童半导体感到如此兴奋，是因为我已经在 General Transistor 介入半导体业务了”。

③ 仙童摄影器材公司的老板谢尔曼·费尔柴尔德(Sherman Fairchild)并不是一个单纯的公司资助者。其父曾经是 Computing-Tabulating-Recording Company 的创始人和董事长；该公司于 1924 年更名为 IBM。谢尔曼·费尔柴尔德最终放弃了 IBM 最大股东的地位。他曾经发明了航拍，并在 1920 年创办了仙童摄影器材，于 1925 年创办了仙童航空(参见 http://en.wikipedia.org/wiki/Sherman_Fairchild)。

④ 在宣布公司将用仙童半导体的全部股份交换仙童摄影器材的股份时，约翰·卡特(John Carter)总裁表示仙童半导体销售额和利润的增长足以支撑公司未来的增长，无需再进行股权融资(华尔街日报 1959)。

开业的第二年(截至1959年9月),其营业额达650万美元,其中80%来自军品销售(Berlin 2001,第81页)。1959年10月,在该公司成立刚满两年之际,仙童摄影器材公司以300万美元的价格将其收入囊中。这8位科学家和工程师获得了仙童摄影器材公司的已上市股票,变成了该公司的雇员——他们曾联合拥有的仙童半导体亦变成了这家东海岸公司的一个分支机构(华尔街日报1959)。

至于洛克,他并没有就此结束与西海岸创业企业及仙童八子的姻缘。1960年,当时仍为海顿·斯通公司雇员的洛克为西海岸多角化集团——利顿工业公司的两位前经理安排融资,发起成立Teledyne公司——一家位于洛杉矶的电子公司。此后,洛克仍积极参与Teledyne的事务。1961年,赫尔尼、克莱尔、拉斯特和罗伯茨离开了仙童半导体,为Teledyne创立了一家名为Amelco的半导体分公司。同年,洛克离开了海顿·斯通公司移居旧金山,不久就与一位具有法律背景并与斯坦福的特曼有交往的本地金融家戴维斯(Tommy Davis)合伙,成立了专事风险投资的戴维斯-洛克公司。在其投资人名单中,仙童八子均赫然在列。当他们中的两位——摩尔和诺伊斯在1968年决定创办自己的公司,即英特尔时,他们也求助洛克为其安排融资。在短短几天之内,洛克就为这家新企业筹集了250万美元(Perkins 1994; Wilson 1986,第38页)。

因此,在硅谷半导体企业的第一次和第二次创业浪潮中,洛克均扮演了风险投资家领军人物的角色。如图2.7所示,硅谷地区的风险投资机构与半导体企业的开办是相辅相成的。与半导体企业的创建一样,风险投资机构的设立也有三次浪潮:第一次出现在1958～1962年间,第二次在1968～1972年间,第三次在1978～1983年间。然而,在第二次浪潮之前,旧金山半岛本地的风险资本很少参与半导体企业的创办;洛克是一个例外:他在介入西海岸创业企业时还是东海岸一家投资银行的雇员。

在第二次浪潮期间,这种参与仍进展缓慢;直到这一阶段末期,半导体产业才开始为风险投资业输送了一些著名的经理。1972年,曾担任仙童半导体销售经理、后于1967年转投国家半导体的工程师唐·瓦伦坦(Donald Valentine)创建了Sequoia Capital,后来成为硅谷最成功的风投企业。也是在1972年,尤金·克莱尔与惠普的经理托马斯·帕金斯(Thomas Perkins)一道,创办了名为Kleine Perkins的风险资本企业,1978年更名为Kleiner

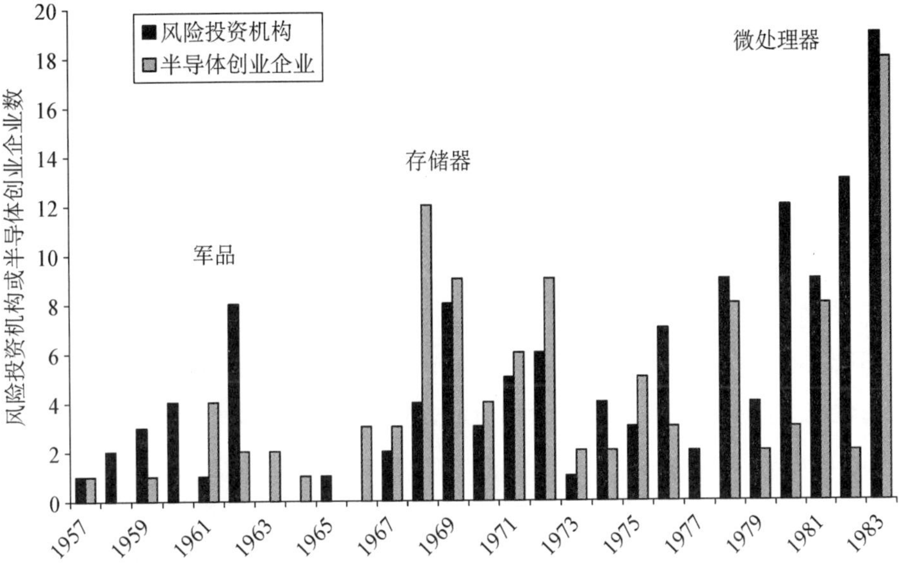

图 2.7 1957～1983 年硅谷风险投资机构与半导体创业企业的共生关系

资料来源：Semiconductor Equipment and Materials International (1995)；West Coast Venture Capital Genealogy Chart，Asset Management Company 提供。

Perkins Caufield and Byers；该公司被公认为硅谷风险投资企业的典范。其办公室设于门罗公园 Sand Hill 路 3000 号，当时仍有大量空置房间的一座新综合建筑内；既与斯坦福大学相毗连，又在前往圣何塞和旧金山机场的路口附近(Lane 1994)。Sequoia 也在此安营扎寨，许多风险投资企业以及西部风险投资人协会——后于 1973 年发展为全国风险投资协会均设立于此。因此，半导体创业企业的第二次浪潮，不仅赋予该地区硅谷之名，而且有组织的风险资本亦由此而奠基。

在 20 世纪 80 年代，技术导向的风险投资公司已经与硅谷及新经济企业模式融为一体了。这些企业的组织模式是由风险资本家担任普通合伙(general partnerships)人，他们具有如下义务：(1)筹集资金，资金大都来自养老金、大学的基金和银行；(2)审查并挑选创业企业，形成一个投资组合；(3)根据被投资企业的进展情况，控制其资源分配，包括分阶段的融资安排；(4)对这些企业内部的资源配置加以控制，包括其经理的聘用和解聘；(5)寻求实现投资回报——或者通过所投资企业的股票公开发行上市，或者通过并购将其售给已经巩固的企业。风投企业普通合伙人的收入为“附带收益”，即其为投资项目募集资本之总回报的至少 20%，外加每年 2%的管理费，其余部分才分给有限合伙人(limited partners)——那些为普通合伙人提供资金的机构和个人。这就是硅谷的通行做法，并在 20 世纪 80 年代成为全美风险资本创业投资行业的标准(参见 Sahlman 1990)。

风险资本所投资企业的创新能力及其创造的价值才是其投资利润的源泉。20 世纪 70 年代的微电子技术革命推出了越来越多的商用和家用产品，而半导体革命则使硅谷的风险资本企业成为该地区制度环境的一个组成部分。现在所需要的是面向新生企业的适当资本供给，以把握微电子技术革命所开辟的无数技术和市场机会。在 70 年代，美国的金融体系发生了一系列变化，促成了资本向风险投资基金的流动，从而为硅谷和新经济企业模式的发展创造了有利条件。

纳斯达克市场 1971 年的开张，及其较纽约主板市场宽松许多的上市条件使新兴企业的首次公开发行上市变得大为容易，而风险资本也可以利用该市场更便捷地实现投资资本的退出。例如，1971 年英特尔在创立不到 3 年之际就在纳斯达克完成首发上市，当时其经常项目的亏损额为 513 000 美元，“制造诀窍的销售”收入为 1 427 000 美元，因此净利润为 914 000 美元(Intel 1973)。表 1.7 所载的 20 家新经济企业中有 14 家在纳斯达克上市，包括英特尔(1971 年)、应用材料(1972 年)、苹果(1980 年)、微软(1986 年)、太阳微系统(1986 年)、甲骨文(1986 年)、戴尔电脑(1988 年)、思科系统(1990 年)、高通(1991 年)、Sanmina(现在的 Sanmina-SCI, 1993 年)、EchoStar(2008 年更名为 DISH Network, 1995 年)、雅虎(1996 年)、亚马逊(1997 年)和谷歌(2004 年)。其余 6 家在纽约证券交易所(NYSE)上市。

1975 年，美国证券交易委员会禁止对证券交易征收固定的佣金，使华尔街这一沿袭自 1796 年的传统做法寿终正寝(华尔街日报 1974a)。因此，股票投资人买卖股票从而实现其资本利得的成本有所减少，持有股票等待分红的机会成本则有所升高。这种变革也有利于新生企业的首发上市，因为它们利润微薄，不足以派发股利；而且有利于其上市后的继续发展，因为以资本利得为目的的股票投资者不那么在乎股利，从而公司的利润可以更多地用于内部投资。

1978 年，在以 AeA 和 NVCA(这两个协会均受硅谷利益集团控制)为首的组织的游说下，美国国会把资本利得税从 49.875%降低到不超过 28%，从而一举扭转了36年来资本利得税不断升高的趋势(Pierson 1978)。1981年，资本利得税进一步降至不超过20%(Auten 1999)。风险资本把资本利得税的降低视为利好,因为它不仅有利于对创业企业进行企业家投资,而且也鼓励个人对已上市的具有高成长潜力的新兴公司进行股票投资。

然而,在20世纪70年代,风险资本在资金筹集方面仍有颇多限制,主要体现在它们难以大量获得养老基金所掌握的庞大的家庭储蓄的挹注。在70年代初,机构资金流入风险资本的数目只能说是涓涓细流,而1974年《雇员退休收入保障法》(Employee Retirement Income Security Act, ERISA)的通过更使其趋于枯竭。该法规定公司对未充实的养老金负有责任,而养老基金的经理在受托进行投资时需秉持"谨慎者"的规则,如有违反则须承担个人责任(Niland 1976)。在这种局势下,掌握着空前庞大的家庭储蓄资金配置大权的养老基金经理们对风险投资自然会退避三舍。然而,在1979年7月23日,美国劳工部认定养老金不仅可以投资于已上市的股票和高等级债券,而且也可投资于某些更具投机性的资产,如新兴企业的创办,同时不算对"谨慎者"规则的违背(Ross 1979)。

结果导致养老基金的资金大量流入风险投资基金。1978年,独立的风险投资合伙企业(硅谷流行的风投企业形式)从养老基金筹集的资金总额为6 900万美元(按1997年美元不变价计算),占其全部募集资金的15%;1979年为1.6亿美元(占全部募集资金的31%);1980年为4亿美元(占比为30%);1981年为4.21亿美元(占比为23%)。1983年,养老基金投资于独立的风险投资合伙企业的资金达到18.08亿美元,其中来自私人养老基金的资金为15.16亿美元(按1997年美元不变价计算)。在整个20世纪80年代和90年代,来自养老基金的投资占独立风险投资合伙企业募集资金总量的31%至59%,因而使后者在整个风险投资基金的占比从1980年的40%提升至1990年的80%(Gompers & Lerner 2002,第8页)。

与资本利得税税率的缩减一样,劳工部对《雇员退休收入保障法》的解释也不是凭空产生的;无论风险资本业还是大型养老基金机构的经理们均对此进行过游说(Avnimelech, Kenney, and Teubal 2005,第200~201页)。例如1998年,NVCA将其首个终身成就奖授予该组织的创始人之一戴维·摩根塔勒(David Morgenthaler),以表彰他为资本利得税税率的缩减以及《雇员退休收入保障法》的新解释所进行的富有创意的游说(Morgenthaler 2008)。

又如，1994 年瑞士信贷(Credit Suisse)下属的风投机构——Sprout 集团的联合经理人珍妮特·海基(Janet Hickey)当选为私募股权投资基金(PE)名人堂的首批候选者，也是为了表彰她在担任通用电气养老基金(美国最大的养老基金之一)管理层成员时游说劳工部同意养老基金投资风险资本所作的贡献(Sprout Group 2009)。

美国家庭储蓄通过养老基金向风险资本的大量注入为硅谷风险投资企业创办的第三次浪潮奠定了基础。这些风投机构在资助半导体企业的创业以及硅芯片开辟的一系列电子新产品方面也变得越来越活跃。半导体企业提供的微处理器和专用芯片使计算机装置的应用领域日益扩大，也为风险资本对软硬件的投资创造了诸多机会，并由此扩展到各种相关产品——从 20 世纪 80 年代的视频游戏和光驱到 90 年代末的电子商务和光纤网络。

1980 年 12 月苹果公司股票公开发行上市取得的巨大成功促成了 80 年代初的创业和上市热潮。在 1978～1983 年间，风险投资取得了高达年均 35％的出色回报，但在此之后，由于投资泛滥，80 年代后期其年投资回报率下降到不足 10％。1990 年以后，投资回报率再度上升，在互联网高潮时期几乎达到 150％，但在 2001 年和 2002 年则转为负数(Lerner 2002)。

硅谷的风险投资模式也扩展到美国的其他领域，特别是在 20 世纪 90 年代，风险投资更是覆盖了众多的地区和相当广泛的产业。以 2000 年美元不变价计算，美国的风险投资总额从 1995 年的 91 亿美元上升到 1998 年的 223 亿美元，然后激增到 1999 年的 559 亿美元和 2000 年的 1 050 亿美元。2001 年则下降至 395 亿美元，2002～2007 年风险资本的年均投资额为 214 亿美元，其中 2007 年为 253 亿美元(按当年美元价计算为 305 亿美元；PricewaterhouseCoopers 2008b)。然而，到目前为止，硅谷仍然是全球风险投资资本的头号集结地(Gompers & Lerner 2002，第 14 页；Green 2004)。

随着时间的推移，风险投资的重心亦有所转变。从 20 世纪 60 年代后半期到 80 年代前半期，办公和计算机设备是风险资本的首选领域；到 80 年代后半期则被通信和电子产品取代；90 年代前期，对生物技术投资的比重开始增大(Gompers & Lerner 2002，第 12～13 页；Green 2004)。如果我们把媒体和娱乐投资视作互联网相关投资，1996～1999 年信息通信技术占同期风险投资的比重为 69％，2000～2003 年升至 71％，2004～2007 年则降至 54％(PricewaterhouseCoopers 2008b)。与 2000～2003 年相比，2004～2007 年信息通信技术的投资占比减少了 17 个百分点,生物技术和医疗设备的份额则相应增加。2004～2007 年,生物技术吸收了 17.6％的风险投资,而医疗设备为 10.9％。

作为风险投资的对象,20 世纪 90 年代及其以后电信和网络设备的重要性上升体现了信息通信技术的融合,而不再是网络缺席情形下的信息技术独角戏了。这种融合的起源可以追溯到 20 世纪 70 年代初,当时在旧经济阵营的施乐公司下属的帕罗奥多研究中心,罗伯特 · 梅特卡夫(Robert Metcalfe)领导的团队开发了以太网,一举实现了计算机之间的相互通讯(Hiltzik 2000,第 13 章)。由于施乐拒绝将这一技术商业化,梅特卡夫在 1979 年与他人一起发起成立了 3Com 公司(源自电脑、通讯和兼容性三个英文单词,每个单词均以 com 开头——译者注)。随着 1982 年以后 IBM 个人电脑的广泛推开,3Com 亦顺势成为局域网(LANs)软硬件的首席供应商。

在 1987 年收购了一家名为 Bridge Communications 的硅谷公司后,3Com 一跃成为局域网设备的最大供应商,位于犹他州 Provo 的 Novell 公司则紧随其后(Mulqueen 1989a)。然而,此时已安装了局域网且分布于不同地理位置的企业、政府和非营利组织希望通过桥接或路由设备实现各个局域网在广阔区域的网络联结(WANs)。20 世纪 90 年代初,成功开发了这种互联网技术的公司就是如今大名鼎鼎的思科系统公司。

1984 年,一对名叫列昂纳多 · 波萨克(Leonard Bosack)和桑德拉 · 勒纳(Sandy Lerner)的夫妇创办了思科,[①]其办公地点起初就设在自家的起居室。由于他们工作用的计算机位于斯坦福大学的不同地点,波萨克和勒纳参与了学校局域网的开发,接着又承担了将其互联的任务。1987 年底,思科获得了 Sequoia Capital 250 万美元的风险投资(Bellinger 1989; Mulqueen 1989b; Watson 1988)。思科在 1988 财年就实现了 1 000 万美元的营业收入,因此,相比于 Sequoia 对思科所做的多方面贡献,它投入的这笔钱也许是重要性最低的。思科的例子很好地证明了硅谷的风险资本把一家有希望的创业企业发展壮大为可持续经营企业的**非财务**(nonfinancial)作用。Sequoia 的合伙人唐 · 瓦伦坦加入了思科的董事会,并积极介入这家新生公司的管理。1988

① 该公司的名称来自 San Francisco(旧金山)的简写,拼法为 cisco,第一个字母为小写,1990 年公司上市时才改为大写。

年，瓦伦坦导演了思科招聘职业经理的活动，约翰·摩格里奇（John Morgridge）就是在此时担任思科的总裁兼首席执行官的。此外，瓦伦坦已在硅谷打拼了四分之一个世纪——先是担任半导体企业的经理，然后是风险投资家——他的业务专长及其对思科意欲介入的竞争市场及其产业环境的深切了解也使思科受益良多。

摩格里奇在1995年卸任了首席执行官的职务，但仍然担任公司的董事长，而瓦伦坦则继续担任公司董事，两人都一直干到2006年。在20世纪80年代末经历了首次专业化之后，摩格里奇和瓦伦坦还引导公司完成了非同寻常的增长——公司销售额从1989年（截至该年7月底）的不足2 800万美元增加到截至2001年7月的超过220亿美元。作为一家上市公司，思科为这种高增长提供融资的方式堪称新经济企业模式的典范。

思科于1990年2月的首次股票公开发行为其注入了4 800万美元的资金，用于补充公司的营运资本和现金储备。公司的营运所得可以轻松地补偿其资本支出——不仅是在1990年，而且在此后多年都是这样。在其上市后的18年间，思科的员工为股票期权行权向公司支付了183亿美元，而这正是思科采用自家股票作为薪酬给付的结果。首次公募后，思科再没有发行过股票；不仅如此，如第6章详细说明的那样，思科还将其股票用作并购通货，从1993年到2003年共进行了81宗价值381亿美元的收购，其中98%是以股票支付的。

作为一家典型的新经济企业，思科从未支付过股利。表1.7中的公司只有5家曾连续支付现金股利：英特尔自1992年起；微软和高通自2003年起；应用材料自2005年起；Jabil Circuit自2006年起。另有4家公司曾间断性地支付股利：苹果从1987年到1995年；Computer Sciences 1998年支付过一次；EMC2001年支付过一次；EchoStar在2004年和2008年分别支付过一次。与思科一样，其他10家新经济的龙头企业从未支付过现金股利。

在成为上市公司的初期，这20家公司均未对股东进行过分配；所有的利润均投资于企业成长。不过，一旦达到一定的成熟度，这些新经济公司大都会通过回购自家股票的方式对股东进行现金分配。在1998～2007年这10年间，其中有5家公司每年均对自家股票进行回购：微软（10年间回购总金额达872亿美元）、英特尔（530亿美元）、戴尔（281亿美元）、甲骨文（255亿美元）和应用材料（89亿美元）。思科在2002～2007年间每年均有股票回购，总金额为431亿美元。在2007年,这20家公司中有13家进行了股票回购,平均每家为41亿美元。如我在第6章所述,其回购股票的唯一目的是拉抬自家公司的股价。

通过本章的论述可知,股票市场对新经济企业模式的发生和发展至关重要。有关股票回购的事实证明,在21世纪头10年,股价表现已成为这些公司高层经理资源配置决策所必需的依据。在20世纪90年代末的繁荣期,作为广泛的股票期权计划的参与者,这些公司员工的薪酬随着公司股价的上涨而增加,有的甚至出现飙升。股票回购确实有利于这些员工,但前提是他们可以保住自己的工作。21世纪初高技术工作者的主要问题是新经济企业模式下的就业保障。如果说,在20世纪80年代和90年代,这些劳动者在以股权为基础的薪酬的利诱下放弃了旧经济公司的就业稳定而转投新经济公司不稳定但报酬可能更丰厚的工作岗位,那么,到21世纪初,他们会发现自己拿到的是一张无法回头的单程票:正如我们将在下一章看到的,此时旧经济的信息通信技术公司已经实行了从旧经济企业模式向新经济企业模式的转变,并在此进程中完成了“组织人”的终结。

3

旧经济企业模式的退位

20 世纪 80 年代的雇用关系

20 世纪 70 年代，尚在新经济企业模式崛起之前，战后时代美国工业公司的就业稳定局面就已开始出现变化(参见 Lazonick 2004a)。由于在 60 年代的多角化集团运动中收购了太多的公司和互不相关的业务，这些公司已无法对之进行战略管理，不得不开始对其加以拆分。同样是在 70 年代，那些提供就业保障的美国公司遭遇了来自日本企业新竞争的挑战，其产业统治地位摇摇欲坠。此外，70 年代还迎来了战后时代，即 50、60 年代繁荣的终结和“滞胀”的发生——其部分原因来自旧经济企业模式的破裂，一种行将取而代之的可行模式已开始躁动。1978 年，美国国会以《充分就业与平衡增长法》(Full Employment and Balanced Growth Act)取代了 1946 年的《就业法》(Employment Act)，其政策重心从单纯的就业转向同时兼顾生产率、通胀、联邦政府预算收支的平衡和贸易收支的平衡。

接着，在 20 世纪 80 年代，美国公司的经理们开始启用“股东价值最大化”的信条，以此来论证裁减员工队伍和加大股东分配力度——不仅包括股利，而且还有股票回购——的合理性。这一“重组”过程的首要获益者之一正是那些高层经理本人：他们的薪酬在 20 世纪 80 年代一路飙升——其主要来源则是公司董事会授予他们的巨额股票期权。在 80 年代声势浩大的公司并购和所谓“铁锈地带”(Rust Belt，指美国北方工业地区)的工厂关闭浪潮之后，哈里森(Harrison)和布鲁斯通(Bluestone)(1988)敏锐地发现美国的收入分配出现了“巨大的 U 型反转”——从战后年代趋向更多的平等转向 70 年代末的更多不平等。如第 1 章所述，在大约 30 年以后，这种不平等的趋势仍在延续。

然而，20 世纪 80 年代信息通信技术产业的形势与“铁锈地带”却不可同日而语。尽管在普通规格大量芯片产业受到了日本企业的挑战，信息通信技术产业仍不失为一个生机勃勃的增长行业，而美国公司则继续执世界之牛耳。因此，在该年代，表 1.6 所列最大的 20 家旧经济信息通信技术公司仍然有能力维持其保障员工终身就业的承诺。IBM 和惠普这两家在 2005 年销售额仍处于行业前两位的信息通信技术公司在 80 年代一直以零解雇政策而著称于世(Gutchess 1985b，第 27～30，38～44 页)。1985 年，IBM 以 501 亿美元的销售收入和 405 000 多名员工的规模成为有史以来最大的信息通信技术公司，并名列当年财富 500 强第 5 位。惠普 1985 年的销售收入为 65 亿美元，名列财富 500 强第 58 位，员工总数超过 90 000 人。惠普的案例具有特殊的意义，这不仅是由于其营业收入在 2007 年超越了 IBM，而且在于它被认为是斯坦福大学周边地区企业的先驱，大约在惠普成立 20 年后，新经济企业模式就是在这里发轫和崛起的。

AT&T 在 1985 年是信息通信技术产业的第二大公司。1984 年，AT&T 作为贝尔系统解体的产物而组成，其主营业务有二：作为长途通信服务提供商，以 MCI 和 Sprint 等为竞争对手；以及作为美国主要的通信设备制造公司，拥有当时举世闻名的贝尔实验室和西部电气公司。在贝尔系统解体前后，AT&T 疑似解雇了一些员工，但在 20 世纪 80 年代和 90 年代，该公司仍然维系着旧经济的雇用关系，这在一定程度上应归功于工会，而 IBM 和惠普则根本没有工会组织。

在 21 世纪头 10 年，所有这些公司的旧经济企业模式的雇用关系均遭到瓦解，只有拥有工会组织的 AT&T 例外(见第 4 章)。然而此时的 AT&T 已不再属于高科技企业了。经过 1996 年的“三分法剥离”，AT&T 将其通信技术部门分拆为朗讯科技，贝尔实验室被划归其中；其新近收购的信息技术部门则被分拆为 NCR。在本章，我将对 IBM、惠普和朗讯这三家公司从 20 世纪 80 年代中期到 21 世纪第一个 10 年中期雇用关系模式的转变进行分析。IBM 和惠普成功地完成了向新经济企业模式的转变，而朗讯则不然。2006 年，朗讯被法国通信设备公司阿尔卡特吸收合并。然而，在所有这三个案例中，旧经济企业模式的解体均极大地加剧了高技术工作者的就业不稳定。

IBM“终身”就业的瓦解

20 世纪 90 年代初，IBM 前瞻性地决定开展从旧经济企业模式向新经济体制的转变;这一决定正是它此前采用的企业模式的结果,在80年代前半期,IBM曾借助这一模式快速而成功地进入了微电脑行业。通过把微处理器和操作系统分别外包给英特尔和微软,IBM强化了微电脑行业的垂直结构。在IBM的主导下,全行业的标准由此得以形成,从而促进了企业间的技术交叉授权和战略联盟,企业内部的专有技术开发则渐趋式微。因此,留用那些资深的、整个职业生涯均效力于一家公司的员工的价值变低,而聘用年轻的、具有其他企业工作经验的新员工则对公司更为有利。

1985年,IBM在全球大型机市场的占有率达70%以上,在小型机、微机和计算机外设的销售方面同样是全球市场无可争议的领导者(Chandler 2001,第118～119页)。在美国人开始把“永久雇用”视为日本竞争优势的独门法宝时,IBM的全球制造业务的负责人杰克·库尔勒(Jack Kuehler)却指出:“我们的人加入这家公司就准备为之工作终生。他们都是IBM团队的成员,其共同目标是变得非常有竞争力。你们读到的关于日本企业管理方式的许多东西,IBM早已实行多年了”(Kotkin 1985)。

直到20世纪90年代初,IBM无论对管理人员还是对生产一线员工均实行“终身雇用”政策,同时提供全套福利待遇。早在1934年,IBM就为其7 600名员工上了团体人寿险,并在1935年增添了遗属受益的内容。两年之后,它成为美国第一家为员工提供带薪休假的大公司,当时的假期为每年6天。1956年接替其父亲老托马斯·沃森担任IBM老板的小托马斯·沃森在回顾这段历史时写道:其父“力图模糊白领和蓝领员工的界限”;虽然小沃森相信“他的初始动机并不是为了阻止工会的建立……但实际上却起到了这种作用”(Watson & Petre 1990,第310页)。

战后几十年IBM的竞争成功和持续增长使其有能力把这种零解雇政策制度化。在1952年,IBM的员工总数已达41 500人,此时该公司宣布,自1921年以来它从未解雇过任何一名员工,在此期间,该公司也从未经历过停滞和衰退(Potter 1953)。此外,跟随其父亲的脚步,小沃森也同样“力图模糊白领和蓝领员工的界限”。在员工总数已达89 000人的1958年,IBM在美国大公司中率先将按小时计酬的工人改为年薪制(华尔街日报1958)。

随着企业产品组合和工艺流程的变化,那些在IBM享受终身就业的员工可以期待他们会获得相关的再培训和重新上岗的机会。在1970～1975年这一计算机行业的技术变革极为迅猛的年代,“作为美国最广泛的公司级教育计划的一部分,IBM 对其 5 000 名员工进行了再培训并重新为之安排工作”(*Business Week* 1975)。这篇文章还引用 IBM 的董事长弗兰克·卡里(Frank Cary)的原话:“如果人们无须担心被解雇,他们就会在进行我们所要求的变革时表现得很有弹性。在开展有利于公司的变革时,公司得到了员工们的高度合作。这对于身处高技术行业的我们来说非常重要。”

IBM 维持零解雇的方法之一是保持其编制的“精简”:其员工是按正常需求的 85%配备的,然后采用加班(周六)和外包相结合的方式来满足正常水平的订单需求(Gutchess 1985b,第 38～44 页)。当需求超出正常水平时,IBM 的编制内员工需要进行更多的周六加班,同时聘请临时工。在需求疲弱时,IBM 会补充一些存货,加大维修和保养力度,同时对销售人员的设备进行调试。

在整个 20 世纪 80 年代,IBM 一直对其零解雇政策颇为自得(参见 *Economist* 1986)。小托马斯·沃森在其自传中写道:

> “每一个 IBM 的员工均可获得工作保障,这可追溯到父亲在大萧条期间拒绝解雇员工的时代。如果一个人不能适应其新的岗位,他也不会被赶到大街上。相反,我们会安排一份以他的水平可以胜任并感到愉快的工作。这种做法可能会使他觉得有失颜面,但我们接下来会尽力帮他重建自尊。我们将继续谨守 IBM 从内部擢升员工的传统。虽然我们的经理对他的新职务不大熟悉,但由于他们都是从基层提拔上来的,他们熟知 IBM 信守的原则,就像他们知道自己的名字一样。”(Watson & Petre 1990,第 288～289 页)

即使在 20 世纪 80 年代后半期 IBM 将其员工总数从最高峰时 1985 年的 405 535 人削减至 1990 年的 373 816 人,其裁减的员工也全部是通过自愿退休计划实现的。

然而,在 20 世纪 90 年代初,IBM 借助计算机行业的低迷结束了终身雇用的惯例。IBM 的年营业额在 1991、1992 和 1993 年连续下降;这三年的年平均营业额为 640 亿美元,比 1990 年的 690 亿美元下降了 7%多一点,但仍高于 1988～1990 年的年平均营业额。尽管这种下滑并不严重,特别是在全美出现经济衰退的背景之下,但 IBM 自 1946 年以来从未经历过连续两年经营下滑的情况。随着1991～1993年期间毛利率的萎缩和总额达159亿美元的亏损,IBM的高层认为公司已陷入了危机,而公众舆论则把这家世界头号计算机公司看作是旧经济的“笨巨人”(Burgess 1993; Kehoe 1991)。

从1990年到1994年,IBM将其员工从373 816人缩减至219 839人,员工总数相当于1990年末的59%。在此期间,为使离职对雇员更有吸引力,对被裁减的员工大多采用自愿离职的补偿方式,包括在55岁提前退休。然而,随着新的首席执行官郭士纳(Louis Gerstner)走马上任,好几千名员工在1993年和1994年被直接解雇了。

IBM在1991～1993年的累计亏损达159亿美元,其中单单是1993年就达81亿美元,为当时美国公司有史以来最大的年亏损额。其中与员工有关的重组费用,包括员工裁减和重新安置的费用——亦即该公司抛弃其引以为荣的终身雇用传统的费用——占以上总亏损的比例达86%。其他的重组费用主要来自制造业务的整合和过剩能力的削减(与大规模裁减员工相辅相成),在此三年期间为106亿美元。刨除这些重组费用,IBM在1991年录得9.39亿美元的税前收益,1992年和1993年则分别为26.19亿美元和1.48亿美元。IBM在1994年仍然在心急火燎地裁减员工,但大都发生在美国以外的地区,而且不发放自愿离职补贴。1994年该公司的报表已不再计入重组费用,其税后收益亦高达30.21亿美元。

1993年3月,IBM开始进行非自愿解雇,当月解雇人数达2 600人(Ramstad 1994a)。郭士纳在1993年4月1日就任IBM的首席执行官,从此该公司就再也不在维护终身雇用的传统方面惺惺作态了。郭士纳此前曾担任RJR Nabisco的首席执行官,其就职IBM本身就背离了公司从内部选拔经理的一贯传统。1993年5月,郭士纳聘请杰罗姆·约克(Jerome York),原克莱斯勒首席财务官,担任其负责成本削减的首席财务官;接着他又聘请杰拉尔德·扎奈基(Gerald Czarnecki),原America-Hawaii银行的首席执行官,担任其人力资源部门的首脑,并在1993年7月授权他于次年裁减35 000名员工(Miller 1993)。

扎奈基喜欢这样告诫IBM的员工:“此时对于那些一只脚在站台、一只脚踏上列车的人来说是痛苦的,因为列车就要出发了。”(Hays 1994a)他还不无恶意地对员工说过:“如果你们不喜欢你正在做的事,你可以到别的地方干。”(Lohr 1994)1994年1月,在把7 000名IBM员工扫地出门后,扎奈基在被(半开玩笑地)问到 IBM 的员工是否还可以对公司的“终身雇用”制度有所指望时说道:“(这种制度)不再是稀有的,它已经灭绝了,结束了。”(Lohr 1994)实际上,1994 年 4 月,在就任不到一年之时,扎奈基也采纳了自己的上述建议离开了 IBM。他宣称自己离职是因为不喜欢这种工作(Hays 1994a),但按公司首席财务官约克的说法,扎奈基被解职是因为他远远未实现预定的裁员目标(Hays 1994b)。

经过 1994 年的进一步重组,IBM 恢复了增长,其营业收入在 2007 年几乎达到 990 亿美元。其雇员总数也从 1994 年的 219 839 人(1966 年以来的最低数)增加到 2007 年的 386 558 人。然而,IBM 的美国员工占全体员工的比例却从 1996 年的 52.2%降至 2007 年的 32.8%。美国以外地区的 IBM 员工的净增加人数 2006 年为 26 387 人,2007 年为 37 961 人。[①] 2007 年 IBM 全球员工总数的四分之一来自巴西、俄罗斯、印度和中国,其中仅印度一地就达 74 000人,相当于员工总数的 19%(IBM 2008)。

1996 年,IBM 的美国雇员数为 125 618 人,2007 年为 126 804 人。实际上,从 2001 年到 2007 年,除 2006 年 IBM 的美国雇员增加了 6 人以外,其余年份均有所减少。此外,由于 IBM 逐步撤出制造和硬件业务,其美国员工从事的工作种类也发生了剧烈变化。在 1996 年至 2007 年间,美国员工中“技术人员”的占比从 10.0%下降到 7.6%,“办公室/职员”从 7.1%下降到3.7%,“营运人员”则从 12.3%下降到 1.3%。与此同时,从事“市场营销”的美国员工的占比却从 12.6%增加到 32.2%。

以 2007 年美元不变价计,IBM 的人均销售额从 1984～1990 年的 257 000 美元增加到 1994～2000 年的 383 000 美元。在 2001～2007 年间,随着 IBM 在印度和世界其他低工资地区雇员的增加,其人均销售额又下降到年均 294 000美元(2006 年为 264 000 美元,2007 年为 256 000 美元)。在 1996～2005 年期间,IBM 的年平均净利润率(每年利润占当年营业收入的比率)为 8.2%,虽然这一比率在 2006 年和 2007 年分别攀升至 10.3%和 10.5%。这种利润水平远低于 1976～1985 年的 13.7%,说明在 20 世纪 90 年代中期以后的新经济时代,IBM 所面临的竞争更加严峻了。

---

① 关于 1996～2007 年 IBM 按就业类型以及按性别、民族和种族分类的就业数据可查阅 http://www-03.ibm.com/employment/us/diverse/employment_data.shtml (accessed July 6,2009)。

在20世纪90年代,IBM大力推行从硬件制造转向服务的战略(Garr 1999; Gerstner 2002; Lazonick 2007b; Lohr 2004)。这一战略转向在20世纪80年代末就已开始;来自硬件的收入在总营收的占比已从1996年的48%下降到2006年的25%,而同期服务业务收入的占比则从29%上升至53%。[①] 2004年12月,IBM将其PC业务出售给一家中国的本土企业——联想集团,引起了舆论的广泛关注。2006年IBM的硬件业务毛利率为37%,而服务业务为27%,与1996年的数据持平。软件业务占总营收的比重从1996年的15%提升到2006年的20%,其毛利率则从本来已经很高的1996年的74%上升至2006年的85%。

在20世纪90年代初,IBM以及惠普是头一批将其制造业务外包给Solectron的旧经济公司;后者在2007年被Flextronics收购之前已经是全球最大的电子制造服务(EMS)提供商之一。在90年代,IBM逐步甩掉了制造业的生产能力。它先是将原有的工厂转让给新兴的EMS提供商,于1992年将其位于法国和北卡罗莱纳的电子组装业务卖给了Solectron,并成为后者的首家客户(Business Wire 1992)。EMS提供商的五巨头之一Celestica的前身就是IBM加拿大公司,在1996年被分拆为一家独立的企业。

这种产品和加工战略上的变化是与IBM研发支出占销售额的比重下降齐头并进的;与此相应,该公司越来越倾向于产品开发而非基础研究了。1981年到1993年,IBM研发支出占销售额的平均比例为7.1%,1994~2007年的平均比例仅为5.6%。2006年IBM的总研发支出为57亿美元,居全球第14位;但平摊到每个员工头上的研发支出为16 000美元,仅列全球研发支出100大公司的第78位,远低于研发支出总额排名第5的微软(人均90 000美元)和排名第12的英特尔(人均62 000美元),以及排名第23的思科(人均81 000美元)(Hira & Ross 2007)。正如《IBM2003年财务报告》所述:"IBM研发组织的着眼点和文化正变得越来越贴近产业和顾客的需求并以此为动力,这是自20世纪90年代出现且目前仍在延续的一个关键转变。"[②](IBM 2004,第49页)

广泛的专利交叉授权和赚取知识产权(IP)收入构成这一战略的必要环节

---

① 关于2007年的数据,由于IBM改变了业务分类方法,其硬件规模已不可考。

② 本书所涉及的所有年度报告、10-K报告和世界各地子公司的报告均可在各公司的网站或大多数商业图书馆找到。

(Chesbrough 2003; DiCarlo 1999; Grindley & Teece 1997)。交叉授权可以使 IBM 获得其他企业开发的技术而不必自行研发。IBM 把知识产权收入(2000～2004 年为年均 13 亿美元)视为研发支出(同期为每年 53 亿美元)的直接回报。在 20 世纪 90 年代,由于缩减了研发支出的比例,IBM 开始加大专利获得的力度。在 1989 年和 1990 年,IBM 的专利获得数位居美国企业的第 9 位,1991 年为第 8 位,1992 年为第 6 位。1993 年,IBM 获得的专利数大增 29%,从而跃居第 1 位并一直保持到现在(IFI Patent Intelligence 2008)。

公司对服务和软件的侧重,以及信息通信技术产业的垂直专业化结构(IBM 是其始作俑者),使得采用流动的、富有弹性的高科技劳动力已变得比 20 世纪 80 年代更为可取且更具可行性了。由于内部专有技术投资的缺失,IBM 那种旧经济式的终身雇用体制已丧失了其组织和技术依据。该公司现在更乐意使用较为年轻的员工,因为他们所受的教育更具前沿性,而且拥有在信息通信技术行业其他企业的工作经验,在这方面比那些在本企业工作了一辈子的老员工更胜一筹。1995 年,IBM 废除了曾协助其裁减员工的提前退休规定——该规定已经完成了它的使命,如今 IBM 已无意鼓励其员工继续留在公司,即便他们未满 55 岁(Schultz 2000)。

“惠普方式”的终结

惠普(HP)起初名为休利特-帕卡德公司(Hewlett-Packard),由威廉·休利特和大卫·帕卡德于 1939 年在加利福尼亚州的帕罗奥多市创立,业务为电子监测仪器的生产制造。在第二次世界大战期间,在军品生产的刺激下,该公司的员工达到 200 人;此后,它裁减了作为战时生产工人的女性员工,使其雇员数下降到 1947 年的 111 人。从那年以后,惠普的年底员工数取得了连续 38 年的增长,在 1985 年达到 84 000 人。1986 年,其员工数下降了 2%,1990～1991 年更下降了 6%;这些裁减都是通过提前退休和重新安置相结合的方式实现的(Clark 1991;纽约时报 1986;Ryan 1990)。此后,惠普的雇员数在 1998 年达到 124 600 人;由于剥离了安捷伦公司(从事非计算机相关业务),其雇员数在 1999 年下降到 84 400 人。

惠普之所以能够在长达半个多世纪的岁月维持其零解雇政策,是因为它通过产品创新(参见 Packard 1995,附录 2)在 1949～2000 年期间年年保持营业收入的增长(1999 年安捷伦公司的剥离已考虑在内)。此外,在休利特和帕卡德的领导下,该公司一直回避长期举债,以免在危机期间令公司不得不改变自己的就业决策。公司的人事、行政和运营经理弗兰克·威廉斯(Frank Williams)说过:“我们力图按照确保每个人都能有工作的方式来经营公司。”(Gutchess 1985b,第 28 页)

惠普通过分包和所谓“两周九日”工作制来解决出乎意料的增长放缓和(偶然的)月度性销售疲软带来的就业问题。“两周九日”工作制首次出现于 1970 年,在该年度运行了几个月;然后在 1985 年和 1992 年也短期使用过。该工作制规定每个员工在每两周的第二个周五放假一天,同时扣除该日工资的 10%(Gutchess 1985b,第 28 页;Mandel, Forest, and McWilliams 1992; McNerney 1996,第 6 页;Moskowitz 1985; Packard 1995,第 133～134 页)。惠普还通过把员工调往需要更多人力的部门和地点的方式来维持其不解雇的政策。如果谁不愿调动,惠普将为他提供自愿离职的选择:根据其本企业工龄每一年工龄发放半个月的工资,但最低不少于 4 个月(McNerney 1996)。惠普在 20 世纪 90 年代一直维持零解雇政策,这并不是说员工可以始终从事其原来的工作,而是在企业不需要他继续做原来的工作或留在原来的地点时,他可以在企业内部获得其他的工作机会。

在 1995 年出版的自传《惠普方式》(*The HP Way*)中,帕卡德(1995,第 134 页)谨慎地宣称公司的就业政策并不意味着“给我们的人提供绝对的就业保证”。但在 1995 年公司总员工数已达 105 200 人时,惠普仍坚持零解雇的政策,尽管此时美国的高科技公司大都已采纳所谓“就业能力”(employability)概念,即通过能力的积累,高技术劳动者可以在变动不居的劳动力市场上从一个公司转到另一个公司,甚至可以从一个工种转到另一个工种。在美国管理协会(American Management Association)1996 年出版的人力资源刊物 *HR Focus* 所刊载的一篇文章中,该刊的特约撰稿人唐纳德·麦克纳尼(Donald McNerney 1996,第 6 页)对惠普现行的旧经济式雇用政策与高科技企业的新标准进行了比较:“并不是每家企业都接受那种侧重岗位裁减、雇员流动和频繁进出的社会契约;例如,惠普就坚决拒斥这种做法。”接着,麦克纳尼引用了惠普帕罗奥多总部的规划、人事和再安置经理汤姆·皮尔森(Tom Pierson)的一段话:

> “我认为(就业能力说)不能构成无法提供就业保障的理由……我们对就业保障是认真的;我们仍然珍视本企业的工龄……在员工的整个就业期间,我们会为之提供许多福利和雇员计划……我们的薪酬结构是这样安排的:你在这里呆的时间越长,你的收入就越高。”(McNerney 1996,第 6 页)

皮尔森接下来还论证说,惠普从其就业保障政策获得了“可观的投资回报”;公司可以借此获得最优秀的员工,雇员流动率也很低。最后,他指出:“(惠普方式)是威廉和大卫创办这家企业的哲学。他们不想办一家不停地招募再解雇(员工)的企业。”以休利特和帕卡德的理念为依据,皮尔森总结道:“我对这样的观点感到难以接受:在关系结束时,双方均认为你不欠我、我不欠你。这并不是我们管理这家公司的方式。”

IBM 早在 20 世纪 90 年代前期就有意识地大力开展向新经济就业形式的转变,而惠普则与此不同:它在整个 90 年代一直信守其就业保障的承诺。公司的管理哲学,即所谓“惠普方式”的就业保障承诺一直延续到大卫·帕卡德同名的畅销自传出版之日——1995 年。[①] 但在 21 世纪头 10 年中期员工达 15 万人时,惠普也变成了帕卡德所说的那种“招募再解雇”的公司(Wong 2006)。

与 IBM 相似,惠普向新经济企业模式,包括更为流动和更具弹性的就业模式的转变,也是在其技术开发模式从企业专有技术向行业标准的转变(开始于 20 世纪 80 年代初)的推动下完成的。在 20 世纪 80 年代和 90 年代,惠普成为微电子技术革命的核心企业,这不仅是因为它地处帕罗奥多市,由此成为硅谷具有象征意义的先驱企业,而且因为其企业战略注重发展面向消费者的计算机及其外围设备。计算机类产品(包括电脑、计算器、打印机、配件、服务和维护)在 1983 年已占惠普当年营业收入总额的 51%,而其赖以起家的产品——电子监测设备仅占当年营业收入的 37%。

1984 年,当个人电脑革命方兴未艾之时,惠普适时作出了制造与信息产业新兴的开放式系统相兼容的电脑产品的战略决策(Beckman 1996; Deutschman 1994)。正如惠普《1984 年财务报告》(Hewlett-Packard 1985,第

---

① 1993 年以惠普董事长身份退休的帕卡德逝于 1996 年 3 月;1978 年和 1987 年分别辞去首席执行官和副董事长职务的休利特逝于 2001 年 1 月。

11 页)所指出的那样,“由于认识到网络架构对提高生产率的关键重要性,惠普支持‘开放式系统’的概念,由此电脑制造商可以将其产品设计成可与其他制造商的产品相‘对话’的系统。惠普也支持主流的网络行业标准。”

作为其加入开放式系统的关键步骤,惠普在 1984 年引进了第一代与个人电脑兼容的激光打印机,为此与佳能达成打印机机芯全部向后者购买的协定,并一直延续到 21 世纪头 10 年。在 2005 年前后,佳能占领了全球激光打印机市场的 50%,包括其自有品牌产品以及以 OEM 方式向惠普提供的产品(*Nikkei Weekly* 2005)。

在很大程度上,凭借这种开放式系统战略,惠普的营业收入从 1983 年的 47 亿美元增长到 1998 年的 471 亿美元,按美元不变价计算增长了 6. 1 倍。在取得这种 6 倍的实际增长的同时,惠普的雇员数计仅增长了 1. 7 倍,从 72 000人增加到 124 600 人;因此其员工的人均销售额同期增长了 3. 5 倍,从 107 000 美元增加到 378 000 美元。

围绕开放式系统构筑其竞争战略,使惠普受益良多的是那些公司聘用的具有行业经验的外来员工、而不是专有技术时代仅拥有本企业经验的员工。惠普在 128 号公路的小型机行业竞争对手——数据设备公司(DEC)、王安电脑和 Data General 均死守其专有系统,并且均在 20 世纪 90 年代被淘汰出局。1984 年,DEC 的小型机收入达 15. 27 亿美元,而惠普仅为 9. 50 亿美元(Chandler 2001,第 118～119 页);但到了 90 年代,DEC 成为空前强大且实用的开放式系统电脑的牺牲品,并在 1998 年被康柏公司兼并,而后者正是一家通过生产 IBM 兼容机而成为个人电脑全球领导者的企业。随着康柏与惠普 2002 年的合并,DEC 这家在巅峰时拥有 126 000 名员工的大公司最终沦落为惠普的一个部门。

1999 年,惠普将其与电脑无关的业务——测试和测量仪器、医用电子设备和分析仪器等分拆为安捷伦技术公司。1998 年,这些业务合计营业收入为 65 亿美元(当年惠普的总营业收入为 471 亿美元),雇员 43 000 人(当年惠普的员工总数为 125 000 人)。在采用了新的业务分类系统后,惠普报告说其“成像及打印系统”业务 1999 年的营业收入占总营收的 43%,营业利润占总营业利润的 63%;而“计算系统”在总营收的占比为 40%,其营业利润的占比为 27%。剩下的一个重要业务类别(也是惠普最想大力扩展的)是所谓“信息服务”,在总营收的占比为 15%,在营业利润的占比为 13%。

虽然各种类型的电脑(从手持设备到工作站)对20世纪80年代和90年代惠普的成长意义重大,但该公司引人瞩目的增长的最大动力还是来自其打印机及与之配套的墨盒业务。1995年,惠普在美国高速黑白激光打印机市场的占有率达61%,在廉价的彩色喷墨打印机市场的占有率为48%(Business Wire 1996)。2005年,惠普在多功能喷墨一体打印机市场的占有率约为50%;其重要性不仅在于该业务的高速成长,而且还因为销售这种打印机无须与佳能分享利润(K. S. Brown 2005; Morrison 2005)。

如果不是因为在2002年与康柏完成了合并,惠普在21世纪头10年的后半期对打印机及其墨盒加注业务的依赖度会更大。2007年,成像及打印系统业务占惠普总营收的比重为27%,占营业利润的比重则高达43%;而个人电脑业务占总营收的比重达34%,占营业利润的比重仅为19%。惠普一直在与戴尔争夺个人电脑销售老大的位置;2008年一季度,惠普的市场占有率为18.9%,而戴尔为15.4%(Gonsalves 2008)。与此同时,惠普大力扩展其信息服务业务,使其占营业收入和营业利润的比例从2000年的12%和14%提升到2007年的16%和18%。由于完成了对EDS(Electronic Data Systems)的收购,惠普的信息服务业务在2008年取得了长足的进展。EDS在2007年的营业收入为221亿美元,员工数达139 500人,其信息服务业务的规模仅次于IBM,位列全球第二。

由于其销售的消费类产品价格竞争激烈,惠普已不再是休利特和帕卡德所创建的那个“工程师的公司”了。像IBM一样,惠普的研发支出占销售额的比重也比以往下降了很多。在2000～2007年期间,惠普的研发支出占销售额的比例仅为4.9%,在2008年更滑落至2.8%这一史无前例的低位;与此相对照,该比例在20世纪80年代为10.3%,90年代也达到8.2%。在此期间,惠普挤入了专利申领的第一阵营。在其发布与个人电脑兼容的打印机的1984年,惠普仅在美国获得了63项专利,甚至未能进入当年专利获得者的前100名,远远落后于位居第二的IBM(608项)和位居第6位的佳能(430项)。但到了2004年,惠普已攀升至第4位,2007年仍位居第10位(IFI Patent Intelligence 2008)。惠普的许多专利是关于打印机油墨的;它申领这些专利并不只是为了改进产品的质量,而且是为了阻止那些对空墨盒进行加注和翻新的公司侵蚀其营业收入和利润。

惠普过去20年间产品和市场战略的这些变化对该公司的就业关系产生

了深远的影响。如旧经济企业模式那样对广大员工提供本企业的就业保障已不再是惠普的兴趣之所在。从20世纪80年代中期开始,惠普成为信息通信技术产业中第一批将就业机会外包给电子制造服务(EMS)提供商的企业之一,这是惠普转向开放式系统的另一个直接后果。与IBM一样,惠普在20世纪90年代与EMS提供商打交道也是从向后者转让制造工厂开始的。向开放式系统的转变促进了EMS提供商的发展,因为(信息产品的)各种部件已变得更为模块化,与系统集成的接口更为标准化了(Sturgeon 2002; Tully 1993)。惠普把制造设施转让给EMS提供商是与其自身转变为一家垂直专业化的公司的过程相辅相成的,由此可使其人均销售额达到非常高的水平——在2005～2007年达到608 000美元。

1999年安捷伦技术公司的分拆标志着"惠普方式"终结之路的开始。在剥离安捷伦公司数月之后,惠普从朗讯公司挖来菲奥莉娜(Cara Carleton S. Fiorina)——一个新经济的传道者——担任公司新一任首席执行官(Burrows & Elstrom 1999)。在其上任后的第一份分析简报中,菲奥莉娜指责其前任未能足够迅速地扩展公司的销售,并声称她将通过辞退那些业绩不佳的销售代表并修订公司的薪酬制度来改变这种局面(Fisher 1999)。2000年11月,菲奥莉娜改变了公司的绩效排名制度,把最差等级的员工比例从原来的1%增加到5%,因此使难以在公司内部再就业的员工大为增加——倘若他们原有的岗位被取消的话(Poletti 2001a)。

2001年初,随着经济衰退的降临,惠普宣布将削减1 700名销售人员,并把公司的14 000个管理职位缩减到11 000个(Bergstein 2001a)。惠普继续坚持其传统的政策,给予员工在公司内部获得另一个工作岗位的机会(Poletti 2001b)。然而,在7月末——此前本年度已有1 000名下岗职工离开了公司——惠普宣布将再砍掉6 000个工作岗位,相当于其全球员工总数的6.5%(Kirby 2001; Riley 2001)。由于在短短7个月内就砍掉了10 700个工作职位,已下岗的员工很难在公司内部再找到位置。在宣布将再解雇6 000人时,公司的发言人评论说:"当企业处境不妙时,人们显然会对此感到郁闷。但我认为大多数人会理解我们是一个企业,必须为确保我们的利润而有所动作。"(Riley 2001)虽然惠普的管理层从未正式宣布"惠普方式"已寿终正寝,但自此以后再也不曾将其作为公司的管理哲学而提及。

接着,在2001年9月,惠普宣布将与康柏电脑实行合并。后者是全球第二大个人电脑生产商和最大的企业服务器生产商，年销售额达 336 亿美元，员工总数达 63 700 人。在这两种产品的市场上，惠普均位居第 4，年营业额合计为 182 亿美元。鉴于信息通信技术市场在 2001 年已步入衰退，这两家公司的合并必然会导致各项业务的整合，因而意味着工作岗位的大量流失。实际上，正是合并后的业务整合可能导致的成本节约才是此次合并的动因。惠普预计合并后将会裁减 15 000 个工作岗位(Bergstein 2001b)。惠普的员工随后被告知，任何未能在合并后的公司被安排工作岗位的美国员工将获得 9 周的工资，以供其在本企业找到一份工作；如果未找到，他们将拿解雇费走人，其计算公式为每一年的本企业工龄可得到相当于半个月工资的解雇费，但最低不少于 4 个月，最高不超过 12 个月的工资(Pimentel 2002a; *San Francisco Chronicle* 2002)。

惠普两位创始人的子女试图阻止这次合并。作为公司董事会的成员，瓦尔特·休利特(Walter Hewlett)对合并表示反对，理由是："合并将大幅扩展缺乏吸引力的个人电脑业务，并稀释利润丰厚的打印机业务的股东权益。"(PR Newswire 2001)D. W. 帕卡德(David Woodley Packard)也对此表示声援；他在 1999 年辞去了公司董事的职务，以便能够投入更多的时间来运作其慈善基金——帕卡德人文协会(Packard Humanities Institute)(Anders 1999)。D. W. 帕卡德的反对是因为合并必然会导致大量的解雇。他表示：

> "我知道得很清楚，惠普从未向其员工保证将终身雇用他们；但我也知道，威廉和大卫从未蓄意把员工当作某种消耗品。这一新举措看来会影响留下来的员工的信心和忠诚。在过去 50 多年，为员工提供长期的就业一直是惠普的基本公司目标之一。"(Seipel 2001)

作为反对这次合并的唯一董事，休利特在 2002 年 3 月向法院提起诉讼，以阻止该项交易。他反驳说，这次合并将使惠普解雇 24 000 名员工，而非公司宣布的 15 000 人(Seipel & Poletti 2002)。最后，惠普的股东以微弱的多数——51.4%——通过了这项合并案。

在合并一年后，惠普的员工总数从 153 500 人缩减到 141 400 人，共解雇了 18 900 人，同时新招募了 6 800 人(Takahashi 2003, 2004; 另见 Pimentel 2003)。菲奥莉娜声称其中 16 600 人属于"整合"性的解雇，其他在 2003 年 2

月至4月辞退的2 300人应被理解为“商业性解雇”。惠普合并后的最低就业人数为2003年夏的139 800人，而2003年财年底惠普年报公布的雇员数为142 000人。

2005年初，菲奥莉娜本人也丢掉了她的工作，同时获得价值2 110万美元的解雇费，因为据说她“未能如董事会期望的那样大幅削减成本同时增加营业收入”(Konrad 2005)。从与康柏合并之日到2006年底，惠普共解雇了45 000人，同时招募了几乎同样多的雇员(Wong 2006)。这种“大换血”的目的在于降低成本。

在这一进程中，惠普全球雇员中的美国雇员所占的比例从2002年的48%下降到2007年的31%(HP 2008，第16，134页)。向中国转移生产能力构成了惠普就业战略的重要一环。惠普在1985年进入中国，与中方共同组建了第一家中美高技术合资企业(Ke 1998)。至2006年底，惠普在中国的雇员数已从2003年3 000人增加到5 000人，其中仅新开业的一家企业雇员数就达1 000多人，内有四分之一的员工为研发人员(新华社2006)。

早在1989年惠普就在印度建立了一家分公司，但在2002年才开办了第一家实验室(法新社2002)。在与康柏合并的前夜，惠普在印度已雇用了2 200人(Dataquest 2002，2003)。2003年底，在印度成立了一家名为Digital Globalsoft的全资子公司后，惠普在印度的雇员数已超过10 000人，一跃成为印度最大的外国雇主，并一度超过了IBM(ZDNet UK 2003)。到2006年底，惠普在印度的雇员数又翻了一番，达到20 000人，相当于其全球员工总数的13%(CMP TechWeb 2005)。2008年5月，惠普宣布收购EDS，包括后者在班加罗尔的子公司MphasiS，及其28 000名员工，因而使惠普在印度的雇员数达到59 000人(Kulkarni 2008)。

然而，对EDS进行收购，整合性的解雇亦将不可避免地随之而至。2008年9月，惠普宣布将在全球裁减24 600名员工，即惠普加EDS员工总数的7.7%，其中半数的削减将发生在美国(Bailey 2008; Robertson 2008)。到2008年，如此大规模的解雇已成为新的“惠普方式”了。

朗讯向新经济企业模式转型的失败

在1999年互联网大潮的高峰期，朗讯科技是全球最大的通信设备公司。① 在截至 1999 年 9 月财年的报表上，朗讯公布营业额达 383 亿美元，利润达 35 亿美元，员工总数为 153 000 人。此时的朗讯，无论在规模还是盈利水平方面均远强于它的三个主要竞争对手——北电、阿尔卡特和爱立信。然而，到了 2006 年，朗讯的营业额仅为 88 亿美元，雇员数更下降到29 800人。这两项数据均低于它的三个主要竞争对手，尽管在 21 世纪初随着互联网的由盛转衰，这四家公司的经营状况均急转直下，出现了萎缩。

实际上，在 2006 年 12 月阿尔卡特与朗讯合并时，前者的营业收入和雇员数均几达后者的两倍，因此朗讯成为阿尔卡特的全资子公司。朗讯的首席执行官陆思博(Patricia Russo)被任命为合并后的阿尔卡特-朗讯的首席执行官，但她必须在巴黎的阿尔卡特总部履行其新职务。

朗讯的起源可以追溯到 1869 年，其时埃利萨・格雷(Elisha Gray)和以挪士・巴顿(Enos Barton)在俄亥俄州的克里夫兰创办了一家为西联(Western Union)生产电报设备的公司。1872 年，该公司被重组为西部电气制造公司(Western Electric Manufacturing Company)，总部设在芝加哥。1881 年，美国电话和电报公司(AT&T)收购了西部电气的控股权。其后，作为 AT&T 的全资子公司，西部电气成为专为前者生产通信设备的制造商。1913 年，AT&T 成为美国受管制的提供电话服务的垄断企业，西部电气也因此变成提供电话设备和设施的垄断企业。1970 年，西部电气的雇员数达到了 215 000 人的高峰，使之成为当年财富 500 强中名列第 7 的雇主。②

20 世纪 70 年代，一些企业(特别是 MCI)开始进入长途电话业务，因而要求 AT&T 准许它们接入其传输网络。1974 年，美国司法部对 AT&T 发起反托拉斯诉讼，结果导致贝尔系统在 1984 年 1 月 1 日的解体。如前所述，AT&T 由此被分解为 7 家地区性的运营公司，或称 RBOCs(小贝尔)。而西部电气和贝尔实验室则以 AT&T Technologies 公司的名义成为 AT&T 的内部组织。AT&T 因此成为长途电信业务的竞争者之一，但不得进入本地电话业务，而 RBOCs 则继续作为受管制的垄断企业营业。然而，导致贝尔系统

① 本节的材料来自我与马奇(Edward J. March)博士进行的合作研究。马奇博士曾担任朗讯科技公司光网络集成电路封装工程和制造部的经理，现为达特茅斯学院(Dartmouth College)工程学访问教授。马奇教授允许我使用我们合作的研究成果，对此我深表感谢。

② 1970 年，AT&T 的雇员数达 773 000 人，但由于它是服务类企业，未能名列财富 500 家最大的美国工业公司的榜单。

解体的1956年和解协议在1982年得到修正，AT&T被允许自由进入计算机产业。为此，通过1991年74亿美元的敌意收购，AT&T兼并了NCR(National Cash Register)——一家早在1884年创立的老牌公司。

1995年9月，AT&T宣布进行“三分法剥离”。其直接动因是1996年即将实施的《电信法》，该法将强制开放电信行业的所有业务。此时AT&T肯定须采购非自家制造部门供应的设备，但其竞争对手——其他的电信公司却对购买AT&T Technologies公司的产品心存疑虑，因为它仍然是竞争对手的下属企业。与此同时，AT&T一直未能完成对NCR的整合。由于AT&T决定以后将专注于电信服务业务，分拆NCR和朗讯科技已势在必行。

朗讯在1996年4月开展的股票首次公募是当时美国历史上规模最大的IPO。朗讯的经理们总喜欢说他们是一家拥有127年历史、年营业额达200亿美元的创业企业。当时公司的掌舵人是亨利·沙赫特(Henry Schacht)，自1981年以来他一直担任AT&T的董事，并且在1995年60岁时已经以Cummins Engine公司董事长的身份退休了(Endlich 2004，第3章)。担任朗讯总裁兼首席运营官的里奇·麦克基恩(Rich McGinn)，时年46岁，是一位曾在贝尔系统服务20余年的老人，虽然只拥有历史专业的大学本科学历，却仍能升至AT&T网络系统集群的首脑。人们普遍认为，麦克基恩将成为沙赫特的继任者(第32页)，实际上，麦克基恩确实在1997年10月接任了沙赫特的公司首席执行官职务。

在麦克基恩就任首席执行官时，一家杂志援引他的话说，他把朗讯看作是“一组富有活力的业务，紧紧盯住自己的顾客、市场和竞争对手”(Business Wire 1997)。这些“富有活力的业务”共计四种：(1)核心性的网络产品，包括交换和接入设备、光纤网络和无线网络设备；(2)支持性业务，包括微电子、企业通信系统和网络产品；(3)新机会业务，包括知识产权群组、风险投资群组和数据网络系统；(4)软件服务，包括通信软件和全球服务提供商业务。

朗讯借助互联网的繁荣扩大销售，在成立后的头4年，其年复合增长率达17%。促成朗讯这几年增长的核心部门是其网络操作系统部，其营业收入在1995年(当时还隶属于AT&T)为106亿美元，仅仅4年后就增加到236亿美元，占整个公司营业收入的62%。朗讯的增长大都来自所谓“近水楼台优势”，即其传统客户——AT&T和RBOCs的设备采购。在20世纪90年代后半期，这些前贝尔系统的电信服务商采购了很多设备，以通过传统的电话线实现拨号上网，为家庭和企业提供互联网接入服务，同时扩展本地和地区网络的容量，以适应日益增加的互联网流量。但这种“近水楼台优势”最终还是消耗殆尽，这在很大程度上是由于宽带互联网接入较同轴电缆和ADSL技术更为优越。此时，朗讯开始面临客户群多样化的挑战，它必须为诸多无线或有线网络的新进服务商提供设备，而这些企业无须受制于传统网络系统的沉淀成本。

朗讯的两个稳定的客户——号称“下一代”网络服务商的Winstar和Global Crossing在20世纪90年代步入破产；进入21世纪后，朗讯的销售仍然严重依赖于原贝尔系统的客户。在2000年，朗讯营业收入的10%来自AT&T，13%来自Verizon。在2004～2006年，即朗讯存在的最后3年，来自Verizon的销售额更占到朗讯当年收入的28%。老牌的长途电信提供商Sprint是朗讯除贝尔系统以外的最大客户，自1996年起，其无线网络设备很多来自朗讯。2003年，Sprint占朗讯当年销售额的15%，2004年占11%，2005年占12%。

在20世纪90年代后半期，朗讯大举进军海外市场，其美国以外的市场销售额从1997的67亿美元增加到1999年的122亿美元，占总销售额的比重则从26%提升至32%。自1997年至1999/2000年的国外销售增长大都来自其服务提供者网络(SPW)事业部，以及企业网络集群(在2000年被分拆到Avaya)；微电子和通信技术部(MCT，其后在2001年被分拆到Agere)的海外销售在互联网繁荣期也取得了可观的增长。

作为一家独立的公司，朗讯科技从一开始就特别强调贝尔实验室对构筑其竞争优势的作用。实际上，“贝尔实验室的创新”的字样已被刻在了公司的标志(logo)上。继承了AT&T时代的遗产，朗讯的竞争强项是其产品质量，而成本控制和市场反应的及时性则是其弱点所在。鉴于20世纪90年代技术变革的快速推进，朗讯需要将其自诩的“贝尔实验室的创新”转变为比以往更为迅捷地推出商业产品。

20世纪90年代后半期光纤网、无线通信技术的快速变革，以及语音、数据和视频融合而成的“三重奏”迫使各大通信设备公司期望通过并购的方式来填补其产品线的空白，并与那些大举投资新一代网络技术的客户实现快速对接。如本书第6章详细介绍的那样，思科在90年代后半期就是通过并购推进其增长的，并以自家的股票作为并购资本。朗讯(包括北电，以及较小程度上的阿尔卡特)也亦步亦趋(Carpenter, Lazonick, and O' Sullivan 2003)。在1998～2000年,朗讯完成了32宗并购,总价值达444亿美元。其中只有12宗收购是以朗讯的股票支付的,但其价值却占朗讯所有并购总值的95%,并且用掉了朗讯发行在外的股票总数的22.8%(Lazonick & March 2008)。实际上,仅其中一项,即1999年1月对Ascend Communications公司的收购就用掉了朗讯13.5%的股票。Ascend 1998财年(截止于9月30日)的营业收入为14.78亿美元,相当于朗讯销售额的4.9%,但其当年的亏损额达2 000万美元。

尽管进行了这些并购,但朗讯却未能获得光通信网络的相关资产,未能从1998～2000年该领域的火爆中分得一杯羹。它所进行的这些收购都是在投机狂热的高潮期完成的,而这种狂热将不会,也不可能持续。美国电信行业的资本支出在1998年为499亿美元,1999年为607亿美元,2000年更达到了854亿美元;但2001年滑落到775亿美元,2002年进一步萎缩至364亿美元(U.S. Census Bureau 2008c)。在2000年,这种开支主要集中于光纤网络的设施和设备方面。在利用这种投资热潮方面,北电所处的地位远比朗讯为优。在20世纪90年代后半期,北电在开发高速光通信网络方面要比朗讯积极得多;朗讯仍然过于依赖AT&T的订单,而后者所投资的次级光纤网络却无法支持2000年出现的下一代网络所要求的密集波分复用和OC-192交换技术。

按照当时的股价,并摊到每个被收购企业员工头上,费用最高的五宗并购分别为:人均2 970万美元的Chromatis Networks(总值48亿美元)、人均1 010万美元的Spring Tide(总值13亿美元)、人均740万美元的Nexabit(总值8.96亿美元)、人均710万美元的Ascend(总值214亿美元)和人均550万美元的Ortel(总值30亿美元)。Chromatis被收购后未能推出商业化的产品,在2001年8月,即被收购15个月后关闭,为此注销了37亿美元的资产。Spring Tide倒是推出了商业化的产品,但还是在2002年11月关张,造成了8.37亿美元的资产减值损失。在Nexabit被收购一年后的2000年7月,Nexabit的创始人离开了朗讯,并在街对面开办了一家与之竞争的公司。2002年10月,朗讯停止生产Nexabit的产品。因212亿美元的收购价而赚得盆满钵盈的Ascend的经理们成群结队地离开了朗讯,其中很多人开办了与之竞争的公司。Ortel变成了朗讯于2001年初分拆出去的微电子集团Agere

的一部分。几个月之后，Agere 的报表显示，Ortel 为其造成了 27 亿美元的减值损失，最终于 2003 年初将其以 2 500 万美元的价格出售了事。

所有这些并购都是以朗讯的股票为支付手段的，因此，按照美国“财务会计准则委员会”(Financial Accounting Standards Board, FASB)当时的准则，朗讯可以选择“权益结合”(pooling of interests)的会计处理方法，将其视为合并而非收购。朗讯对 Ascend、Nexabit 以及 Kenan Systems(1999 年 1 月以 15 亿美元的股票收购，2001 年 12 月以 3 亿美元的现金售出)和 International Network Services 公司(1999 年 8 月以 33 亿美元的股票收购，在 2002 年 7 月售出，其售价未透露，估计为 7 500 万美元)等几项并购采用了权益结合法。因此，朗讯无须将这些高额的收购价值计作资产负债表中的资产，因而无须在以后的年份将其陆续摊销，这样就不会造成报表利润的缩减。此外，当这些收购的价值缩水时，权益结合法使朗讯无须注销这些投资，因而避免出现账面亏损。[①] 由于设在加拿大，北电就无法利用权益结合法来瞒天过海，因而不得不将其 2000 年 1 月至 2001 年 2 月的 4 起并购造成的损失记为 124 亿美元的亏损。2001 年 7 月，财务会计准则委员会规定美国企业此后不得再采用权益结合法来处理其收购事务(FASB 2001)。

因此，朗讯 2001 年 141 亿美元和 2002 年 118 亿美元的亏损并未包含多少这些收购所造成的损失。然而，这些会计伎俩却不能改变朗讯近水楼台优势已消耗殆尽的事实，而正是这种优势促成了朗讯 1996 年至 1999 年的快速增长。作为 RBOCs 的主要供应商，朗讯在 1996 年至 2000 年间美国铜质电话接入导线的年均 8%的增长中获益良多，但从 2001 年开始，作为互联网接入方式的同轴电缆和 ADSL 的快速采用使电话接入线的需求出现萎缩，其 2005 年的需求量比 1996 年，即朗讯成立那年还要少 6%(FCC 2007，第 2、7 章)。

在互联网陷入低潮的 2001～2002 年，所有的主要电信设备公司在销售、利润和就业数方面均出现了相当程度的下滑。2000 年，北电虽然在光通信领域较朗讯更具优势，但如今却因电信行业资本支出的剧减而蒙受了更多的损失(Carpenter, Lazonick, and O'Sullivan 2003)。现在的问题是究竟哪家公司有足够的能力和财务资源率先走出衰退，并在竞争激烈的通信技术行业获

① 关于思科在 20 世纪 90 年代利用权益结合法来处理其并购会计业务的情况，参见 Donlan (2000)。

得更大的市场份额。

因并购等方面的经营失败，北电的首席执行官约翰·罗思(John Roth)在2001年11月被解雇，但在此之前他已卷走了1亿美元的薪酬(其中91%来自股票期权)。由于朗讯管理层2000年的不当行为，朗讯在此次衰退中跌得更惨。除考虑欠周且代价高昂的收购行动外，朗讯的管理层为满足华尔街的期待在2000年强行实现增长的举措也使其此后的业绩更加惨淡。该年通信行业仍处于高涨期，但朗讯因缺乏生产光纤网络设备的资产而无法分享这一增长。

朗讯的管理层大力推行“供应商融资”(vendor financing)的方式，贷款给购买其设备的客户。为保障销售，卖方对部分设备价款提供融资，这是通信设备行业的通行做法。问题是这种做法可能会导致坏账。在互联网繁荣期，由于买方企业设立不久，且技术不够成熟，供应商融资的风险亦随之水涨船高。在2000财政年度末，朗讯已与其客户达成81亿美元的信贷或贷款保证协议。在2001年和2002年，朗讯又分别为其客户提供了22亿和13亿美元的贷款，结果都变成了坏账。

2001年初，朗讯涉嫌采用“渠道充塞”(channel stuffing)的方式虚增销售，即通过与经销商的私下协议，把产品预先发给后者，但后者并未真正将其卖出，也不必为之付款，为此受到美国证券交易委员会的调查。此外，朗讯的管理层还涉嫌在销售未完成之际将其记入财报，以实现其季度营收和利润指标(Endlich 2004，第8章)。2000年11月，在首席执行官麦克基恩被解职后，朗讯透露它曾经在2000年财政年度虚报了6.79亿美元的营业收入(Jander 2000，2001)。虽然当时证券交易委员会未对此采取什么行动，但在2002年10月却通知朗讯，称其1999年和2000年夸大销售收入的会计记录可能会招致民事诉讼(Loomis 2003)。2000年11月，朗讯被股东以集体诉讼的方式告上法庭，称其虚报2000年的营业收入和利润(Johnson 2000)。随着朗讯的股价直线下跌——2002年10月仅为1999年12月最高点时的1.5%——起诉案件也一路增加；2003年3月，公司最终与54起案件的原告达成协议，向其支付总数为4.2亿美元的赔偿(PR Newswire 2003)。

朗讯的营业收入从2000年的338亿美元跌落到2003年的85亿美元，这三年的累计亏损则高达268亿美元。在2000年到2002年期间，朗讯的有线设备的销售额下降了66%，从187亿美元跌到64亿美元，而无线设备的销售额下降了21%,从68亿美元跌到54亿美元。在这一下滑过程中,公司不断甩掉资产和员工,以使自己“浮出水面”。

朗讯在2000财政年度末将拥有30 000名员工、营业额达76亿美元的企业网络事业部分拆为Avaya,从此开始了一系列资产处置行动。2000年12月,朗讯将其动力系统业务以25亿美元现金出售给Tyco International。2001年4月,它又将其在全球拥有16 500名员工、营业额达31亿美元的MCT的大部分业务分拆为Agere。后者通过IPO圈得33亿美元,而朗讯的此次资产处置却为其带来30亿美元的亏损。2002年头一个季度,朗讯又将其光纤业务以23亿美元卖给了古河电工(Furukawa Electric,其中21亿美元为现金)。

2001年,由于销售额从1999年的高峰大幅滑落,朗讯又开始了一项重大的瘦身行动。到2002年9月,朗讯已经裁减了79 000名员工,相当于其2000年员工总数的63%。动力系统、光纤和微电子业务的剥离转走了28 000名员工。其余的51 000名员工则是通过自愿和非自愿的合同终止裁掉的,其中包括被要求提前退休的8 500名管理人员(Lucent Technologies 2002,第3～4,56页;Prencipe 2001)。

此外,朗讯还将其下属的制造厂出售或出租给Solectron和Celestica之类的分包制造商;这种外包战略肇始于互联网的繁荣期,但后来却演变为其裁减计划的无奈之举。其中最突出的例子是朗讯位于马塞诸塞州波士顿以北30英里北Andover地区的Merrimack河谷工厂(MVW)(参见Lazonick, Fiddy, and Quimby 2002; Lazonick & Quimby 2007)。作为西部电气公司的下属工厂,MVW开业于1952年,为AT&T的贝尔系统生产电信传输设备;1956年迁到北Andover的现址。该厂拥有180万平方英尺的生产场地,20世纪70年代最多时曾拥有10 000名员工。1999～2000年,MVW的员工数为5 600人,被视为波士顿128号公路高技术地带最好的工厂。

这些雇员中有250名工程师,以及3 000名美国电信工人工会(Communications Workers of America, CWA)的会员。在互联网繁荣期间,为了适应该厂光通信网络产品的快速开发,MVW对许多员工进行了技术培训,使之能够胜任生产一线最高级别的岗位——测试员的工作。由于MVW无法从工厂内部培养出足够的合格测试员,其人力资源部门还在新英格兰地区的社区大学进行招聘,并要求应聘者具有技术资格。因为拥有这种工程和生产能力,朗讯在 2000 年 6 月将 MVW 定位为光通信网络产品的“高品质全球系统集成制造中心”(Lucent Technologies 2000)。

在这一宣言发布之时,谁也没有想到在此后不到三年的时间将有 80% MVW 的员工被解雇,其中大都发生在 2001 年和 2002 年初。2002 年 6 月,在通信产业仍处于严重衰退的形势下,朗讯将 MVW 的大部分业务出售给了承诺接收 550 名员工的 A－Plus (Solectron 的下属公司),仅在 MVW 保留了大约 2 000 名技术研发人员。2003 年 4 月,A－Plus 宣布停业,而朗讯的 MVW 也只剩下 1 000 名多一点的员工。2003 年 9 月,MVW 的厂区以 1 390 万美元卖给了当地的开发商,而朗讯则成为其租户(Murray 2003a)。2007 年 6 月,阿尔卡特-朗讯宣布将关闭北 Andover 的业务,将其迁往意大利;当时那里还有 475 名员工(McCabe 2007a)。[①] 从 2007 年 12 月开始,阿尔卡特-朗讯着手解雇剩下的 290 名 CWA 会员,并计划将该厂 190 名管理人员转移到公司位于马塞诸塞州 Westford 的研发中心(McCabe 2007b)。

截至 2001 年 4 月,CWA 在 MVW 拥有 3 000 名会员,到了 2003 年 4 月仅剩下 260 名了(Murray 2003b, c)。1999 年 9 月,朗讯在美国的各家工厂共雇用了 46 818 名工会会员,相当于其员工总数的 40%。2002 年 9 月,朗讯雇用的工会会员数下降到 6 800 人,在 2006 年 9 月更跌落至 2 800 人。到 2006 年 9 月末,加上 Avaya 的 2 800 名和 Agere 的 26 名工会会员,朗讯的全部工会会员仅占这三家公司全部 38 199 名员工的 15%。[②]

然而,以上资产处置和裁员措施并不足以保证朗讯的偿债能力。在 2001～2002 年的衰退期,随着朗讯资金短缺问题的激化和股价的下跌,朗讯不得不设法从股票市场募集资金;这主要是因为其债券等级的降低已使它无法以长期债务的形式获得融资。2001 年 8 月,朗讯通过优先股的发行募集 18.3 亿美元(Lucent Technologies 2002,第 69～70 页);2002 年 3 月,其债券评级在 16 个月以内已连续 5 次下调,为此它又通过某种更为复杂的方式,即建立一只信托基金发行优先股,然后由该基金购买朗讯 7.75%的可转换次级债,募得 17.5 亿美元的现金(Lucent Technologies 2003,第 37 页)。

---

① 关于被替代的 MVW 雇员情况的分析,资料来自美国劳工部国家紧急拨款项目的培训和再就业数据,见 Lazonick 和 Quimby (2007)。

② 此外,由于 Avaya 在 2004 年 11 月收购了 Tenovis Germany GmbH,因而在国外增加了 2 970 名工会会员。

具有讽刺意味的是，对朗讯这样的公司，以及许多在互联网低潮期出现财务困难的美国公司来说，它们可以利用新经济繁荣期的股票投机热出售股票，以此来偿付债务或增加公司的现金储备(参见 Carpenter, Lazonick, and O'Sullivan 2003)。实际上，早在 20 世纪 20 年代末，美国公司就利用当时的投机热进行再融资(O'Sullivan 2004)；较为晚近的例子则有日本的各大公司在 20 世纪 80 年代后期的“泡沫经济”期间大举出售股票(Lazonick 1999)。如果不是采取了这种财务举措，随后发生的经济衰退(美国在 20 世纪 30 年代，日本在 90 年代初)，会给这些公司带来更为严重的负面影响。

然而，朗讯在互联网高潮期却用其高估值的股票进行了一系列新经济式的收购，虽然令当时的股票市场为之激动，但在随后的一两年不得不将其关闭或以赔本的价格甩卖；有的被收购企业甚至根本没有推出商业化的产品。更有甚者，在互联网低潮期甩掉的工厂和员工中，不乏一些经久不衰、且为朗讯在 21 世纪的竞争所急需的能力。把公司的微电子部门分拆为 Agere，意味着朗讯失去了它本可从其微电子企业的收购和贝尔实验室的器件研发投资中所获得的战略优势。把企业网络部门分拆为 Avaya，则使其本可用来竞争 21 世纪高端企业通信服务市场的关键能力丧失殆尽。

在 2006 年(朗讯作为独立企业存在的最后一年)财报中，朗讯称已将其集成网络解决方案部(INS)拆散并分别并入多媒体网络解决方案部(MNS)和网络融合核心解决方案部(CCS)；这种重组是朗讯对核心传输系统语音、数据和视频的融合以及光通信网络发展的回应。MNS 的营业收入从 2005 年的 14.98 亿美元增加到 2006 年的 16.77 亿美元，而曾经是朗讯业务主干的 CCS 则继续处于萎缩中，其营业收入从 2004 年的 12.15 亿美元下降到 2006 年的 6 亿美元。

由于 CCS 是朗讯“近水楼台优势”的代表，它的萎缩并不一定意味着朗讯向新经济企业模式转变的失败。相反，正如我们在 IBM 和惠普的案例中看到的，它们的成功转变包含着传统业务的放弃——至少是缩减，以及新业务的成长。朗讯在 21 世纪第一个 10 年的问题在于，它无法抓住新经济提供的商机，并在与此相关的通信技术领域，特别是无线通信业务方面实现持续的增长。

在 1998～2000 年的繁荣期，无线通信产品占朗讯营业收入的 18%。在 21 世纪最初的 5 年，虽然朗讯的整体销售状况落后于其主要竞争对手，但它在基站这一无线通信的核心设备的销售上却取得了成功。从 2002 年到 2005 年，朗讯的基站安装数一直在稳步增长，从 70 000 座增长到 140 000 座，其中

3G基站的安装数2002年为35 000座,2005年为90 000座。2005年安装的20 000座基站均为3G类型。①

问题是朗讯安装的所有基站均采用CDMA2000技术。朗讯未能如该公司2002年期望的那样,利用其CDMA2000的技术专长在采用通用移动通信系统(UMTS)标准的网络领域"建立强势地位"(Lucent Technologies 2003,第10页)。② 朗讯称其在2003年与西班牙的Telefonica、德国的T-Mobile和AT&T的无线部门,2004年与Cingular、中国网通和中国信息产业部合作进行了UMTS的客户测试。此后,朗讯再没有关于该项目的报道了,因为它在UMTS的商业化方面实际上已彻底失败,并因此丢掉了日益增长的亚洲和欧洲市场。以对朗讯无线产品颇为重要的中国市场为例,其占朗讯总营收的比重从2003年的11%下降到2004年的10%、2005年的9%,2006年仅剩下4%。在中国市场减少的销售额相当于朗讯2005~2006年总营收减少数——6.45亿美元的四分之三。

在21世纪头10年,朗讯通过将"养老金基金收益"(pension credits)计入收益来粉饰其利润数据。作为一家"127岁的创业企业",朗讯养老金年复一年的长期积累使其成为美国养老金结余最多的公司之一。朗讯的管理层把这笔养老金基金收益计入各项业务,以此来膨胀利润。从1996年到2006年,朗讯采用此种手法调用了91亿美元的养老金基金收益;如果没有这种操作,朗讯在其存续的11年间的总利润将不是负127亿美元,而是负219亿美元。

从2002年到2005年,朗讯一直未能变身为一个足以自立的竞争者,但其董事长兼首席执行官陆思博仍获得总共3 960万美元的薪酬,尽管其中没有股票期权的行权收入。③ 在朗讯2006年2月召开的最后一次年度股东大会上,通过了两项针对管理层的股东决议:其中一项把管理层的股票相关收入

---

① 从2001年起,数字无线电话开始从数据传输能力有限且缓慢的2G(第二代)技术向3G(第三代)技术转变,后者使移动电话的客户可以使用高速互联网提供的服务。

② 在3G技术领域,CDMA2000是一种流行于北美地区的网络标准,而UMTS(其广泛采用的空中接口叫W-CDMA)则是流行于西欧的网络标准。在快速增长的中国市场,CDMA2000和UMTS均有采用,但中国政府支持名为TD-SCDMA的本土3G标准。

③ 这并不是说陆思博未被授予最终可以行权的股票期权。在2001年短期担任伊斯曼柯达(Eastman Kodak)总裁职务(共7个月)之前,陆思博一直在AT&T和朗讯担任经理。2002年,为了吸引陆思博重归朗讯就任首席执行官一职,同时放弃伊斯曼柯达的股票期权,她有权购买470万股朗讯的股票期权和155万股受限制的股票(Klayman 2002)。此后,她在2003年接受了1.54%的朗讯授予的股票期权额度,在2004年接受了4.86%,在2005年又接受了4.53%。

与公司的业绩挂钩；另一项则禁止公司将含有养老金基金收益的利润算作公司管理层的业绩(Coughlin 2006; McKay 2006)。

然而，这一股东积极主义(shareholder activism)的胜利规模太小，而且来得太晚。2006年12月1日，朗讯终止了作为一个独立企业的存在。2008年，在阿尔卡特-朗讯成立大约两年之后，合并的结果看起来相当糟糕：它在2007年和2008年上半年均出现了亏损(参见 Carpenter & Lazonick 2008; Hollinger等 2007; Keller 2008)。2008年7月，陆思博辞去了首席执行官的职务，阿尔卡特-朗讯的董事长瑟奇·谢瑞克(Serge Tchuruk)亦挂冠而去。虽然这家法国公司现已成为世界最大的通信设备企业，但整合朗讯这个因试图采纳新经济企业模式而遍体鳞伤的美国公司却令其付出了巨大的代价。

向新经济企业模式转型的成功与失败

为什么IBM和惠普能够成功地完成向新经济企业模式的转变，而朗讯却无法做到？要想在全球竞争中获得成功，高技术企业必须能够将其技术转化为比竞争对手品质更高、成本更低的产品，同时打开市场。在20世纪90年代，随着开放式技术标准的兴起和市场管制的解除，全球竞争变得愈加激烈了。作为旧经济企业体制下的IT公司，IBM和惠普虽然仍处于专有技术的时代，但早已置身于非管制的市场。在20世纪80年代前半期，这两家公司均作出了引领开放式系统发展的战略性决策，其中IBM专注于开发微机，而惠普专注于计算机外设。到80年代末，IBM主导了PC市场，而惠普则统治了激光打印机市场。在20世纪90年代，这两家公司均摆脱了旧经济企业模式下的专有技术，集中力量专注于开放式系统业务。实际上，IBM在高利润的软件业务和定制服务业务的扩展方面成就斐然，因而在2004年甩掉了低利润的个人电脑业务。

与此相对照，朗讯的前身西部电气作为AT&T内部的一个部门，一直面对的是一个受到高度管制的市场。实际上，促成朗讯从AT&T剥离出来的直接动因是1996年的《电信法》；该法通过技术标准的制定开放了电信业的竞争，其中两条是关于光纤传输的数据复用标准的(北美的SONET和欧洲的SDH标准)，另外两条是关于第二代无线传输的(北美的CDMA和欧洲的GSM标准)。然而，即使是在1996～1999年的繁荣时代，朗讯的主要客户仍然是AT&T和诸小贝尔公司(RBOCs)；后者仍然在孜孜不倦地铺设和升级自家的传统网络。因此,为老式的网络,包括其网络交换和铜导线接入提供设备和服务仍然是朗讯当时高速增长的主要源泉。此时,在这个以快速的技术变革为主要特征的通信世界,贝尔实验室仍然是全球首屈一指的研究中心,但由于长期生活在受管制的垄断行业,朗讯却没有能力把贝尔实验室的发明快速转化为可以产生收益的创新。

在互联网繁荣的高潮期,朗讯拿出自己很大一部分股票来进行新经济式的并购,同时对下一代网络运营商提供供应商信贷,企图以此来弥补上述缺陷。实际上,朗讯的高管们试图通过这些并购和销售合同来取悦股票市场,同时粉饰会计账簿,使朗讯的增长看上去比实际情况更美。有些被收购的企业根本未能推出商业化的产品;Ascend 就是一个突出的例子:对其未来营业收入的过高预期及定价使该公司的主要经理人和几十位技术和管理人员一夜暴富,然后心满意足地扬长而去。当电信市场在 2001～2002 年步入崩溃时,朗讯亦陷入财务困境;而在快速增长的无线通信市场上,朗讯因对相关的 2G 和 3G 标准缺乏技术和资源储备而无法从中获益。

从持续繁荣前景的角度来看,朗讯的失败对美国经济也是一个不小的损失。贝尔实验室是全球最好的企业实验室,在归属于阿尔卡特-朗讯以后已不再从事基础研究了(Berman 2003; Brumfiel 2008)。在一个从全球来说仍处于快速增长的行业,美国(因朗讯的失败)失去了数以万计的高质量工作岗位,而且很可能就此永远失去,更不用说有所增长了。朗讯曾经是一家拥有极好劳资关系的公司,并且定有企业内部规划,旨在提升作为工会会员的车间生产工人的技能,甚至使之成为接受大学教育的工程师,如今却已成为阿尔卡特-朗讯的一部分,其工会规模也成为美国最小的企业之一。

即使 IBM 和惠普取得成功,也对美国经济造成了一定的损害。这两家公司是全球最大的信息通信技术企业,在工程能力方面长期居于领先地位,但均不再从事基础研究了。在 21 世纪头 10 年,IBM 和惠普的就业量均相当饱满,但大都来自美国以外的地区。这两家公司的发展态势表明,美国本土的就业水平仍将继续走低,无论是其绝对量还是相对于全球雇员总数的比例都是如此。对于 IBM 和惠普的美国雇员来说,终身就业的希望已彻底破灭,取而代之的则是不稳定的就业乃至解雇。在 21 世纪头 10 年,IBM 和惠普均从其全球化战略获利甚丰,但正如本书第 6 章将要说明的那样,这些利润被用来数以百亿美元地购买自家公司的股票。

4

新经济体系中的养老金和工会

高资历,高保障

新经济企业模式的崛起和旧经济企业模式的退位,意味着从一而终式的就业关系的终止。在二战结束后的几十年间,这种就业关系曾经是美国经济能够实现稳定而平等增长的根基所在。本企业工龄越长,收益越大的“后端增值”约定给付(defined-benefit, DB)养老金计划为“组织人”提供了经济保障,使其在退休后老无所忧。鉴于大规模生产行业职工流动带来的成本,以及强势工会对老职工年资权利的保护,即使那些所谓“计时”工人也可以期待自己在一家企业实现终身就业,并且最终获得约定给付养老金的待遇。

自20世纪80年代以来,由雇主出资的约定给付养老金计划所覆盖的企业职工比例一直在稳步下降。在1980年,由美国政府所属的养老金收益保证公司(Pension Benefit Guaranty Corporation)提供保险的约定给付计划的有效参加者占美国企业部门工资和薪金领取者的35%,而这一比例在2004年(有数据可考的最近一年)已下降至18%。即使在此期间美国企业部门的劳动力增加了48%,但2004年雇主出资的约定给付养老金计划所覆盖的职工却比1980年减少了660万人(Pension Benefit Guaranty Corporation 2007,表S-33)。

然而,从1985年到2007年,约定提存(defined-contribution, DC)的养老金资产与约定给付养老金资产之比却从54%升至149%。与此同时,个人退休账户(Individual Retirement Accounts, IRAs),即非雇主的养老金已变成一种越来越重要的退休储蓄形式,其占约定提存和约定给付两种养老金资产的比例从1985年的20%上升至2007年的82%。截至2008年3月,参加一种或多种雇员出资的养老金计划的雇员已占美国企业部门雇员总数的61%,其中参加约定给付计划的占21%,参加约定提存计划的占56%(U. S. Bureau of Labor Statistics 2008a,表2)。

那些仍可享受约定给付计划的员工大都就职于一些规模很大的公司。自20世纪80年代以来,大约80%的约定给付养老金计划的有效参加者参与的是同一个雇主的计划,而拥有10 000名以上参加者的公司的参加人数占总参加人数的比例已从1985年的43%上升至2006年的65%,拥有5 000～9 999名参加者的公司的参加人数所占比例则一直稳定在11% (Pension Benefit Guaranty Corporation 2007,表S-30)。拥有10 000名以上参加者的公司,其参加者总人数从1985年的1 270万人增加到2006年的2 230万人,而拥有5 000～9 999名参加者的公司的参加人数则从1985年的310万人增加到2006年的370万人。

能否加入约定给付养老金计划与雇员所在工会的状况关系甚大。2008年3月,参加约定给付计划的工会会员比例达67%,而非工会会员仅为16%;与此相对照,有50%的工会会员参加了约定提存计划,而非工会会员的参加比例为57% (U. S. Bureau of Labor Statistics 2008a,表2)。然而长期以来,加入工会的美国劳动者的比重一直在下降。1983年,在美国领取工资和薪金的劳动者中,工会会员的比例为20.1%,而2007年仅为12.1%(U. S. Bureau of Labor Statistics 2008b)。2007年,工会会员的年龄也在变大,16～24岁年龄段的会员占同龄劳动者的比例为4.8%,而55～64岁的会员占比为16.1%。政府部门的情况与企业部门颇有不同,其工会会员的比例达35.9%,而后者仅为7.5%。

各产业工会是在大萧条时代兴起并在二战结束后的几十年得到广泛发展的,其基本目标是保护会员的年资权利。即便是在"无工会"的20世纪10年代和20年代,诸如汽车、家电、钢铁等行业的企业雇主就已经认识到"半熟练"工人流动带来的成本,而正是这些工人构成了20世纪30年代新兴的产业工会运动的骨干。在40年代,虽然公司雇主成功地阻止了工会对企业管理的参与,但低流动性带来的好处使它们接受了工会的要求,并通过劳资集体谈判同意把年资作为较高工资和预防解雇的基础;这就是所谓"最后雇用,最先辞退"的原则(Lazonick 1990,第7、8章)。

因此,在二战结束后的几十年间,把约定给付养老金扩展到工会会员的做法既有利于产业公司的雇主,也有利于其雇员。进入21世纪后,在那些产业工会仍然盛行的信息通信技术产业公司(如AT&T, Verizon和Qwest),其职工仍保留着约定给付养老金待遇。然而,如今大多数旧经济阵营的信息通信技术公司已没有工会了,而在那些新经济公司,除一些辅助工种外,劳资双方集体谈判实际上从来不曾存在。

信息通信技术产业养老金体制的转变

即使那些提供养老金计划的新经济公司,这种养老金也是可转移的,体现了当今劳动市场跨企业流动的现实。如表 4.1 所示,2005 年最大的 20 家新经济公司(见表 1.7)中有 15 家一向只提供约定提存的养老金。另有两家公司——EMC 和 Sanmina 只是在收购了别的公司后才发现自己拥有了约定给付养老金计划,但收购之后就马上冻结了。在那些新经济公司——它们在 20 世纪 90 年代与旧经济公司的竞争正愈演愈烈——约定提存的养老金已成为主导性的模式。

表 4.1　2005 年美国最大的 20 家新经济公司(以销售额计)的养老金计划

公司	创建年份	为美国员工提供的养老金计划	公司 401(k)计划的配缴比例或金额	
			公司对员工缴纳额的配比(%)	公司配缴员工薪酬的最大比例(%)
戴尔	1984	401(k)	100	4
微软	1975	401(k)	50	3
英特尔[a]	1968	约定给付		
思科	1984	401(k)	50	3
计算机科学[b]	1959	约定给付		
苹果[c]	1977	401(k)	50～100	6
甲骨文[d]	1977	401(k)	50	6
Sanmina-SCI[e]	1980	401(k)	—	相机决定
太阳微系统	1982	401(k)	—	4
Solectron	1977	401(k)	50	相机决定
EMC[f]	1979	401(k)	每季度最多不超过 750 美元	6
亚马逊	1994	401(k)	自 2003 年后采用股票	相机决定
SAIC[g]	1969	员工持股计划/401(k)	50	6
EchoStar	1993	401(k)	50,最多不超过 1 000美元	可增加一个相机决定的数额
Jabil Circuit	1966	401(k)	—	相机决定

(续表)

公司	创建年份	为美国员工提供的养老金计划	公司 401(k)计划的配缴比例或金额	
			公司对员工缴纳额的配比(%)	公司配缴员工薪酬的最大比例(%)
应用材料[h]	1967	401(k)	"某一比例"	相机决定
谷歌	1998	401(k)	最多不超过 2 200 美元	
AMD[i]	1969	401(k)	50	6
高通	1985	401(k)	"某一部分"	—
雅虎[j]	1995	401(k)	25	—

注：这些公司大都不为员工提供退休后的医疗福利。1998 年，英特尔开始以美元贷款的形式，根据工龄长短提供退休后的医疗福利。1999 年，应用材料公司开始向年满 55 岁且退休时年龄与工龄之和满 65 年的退休者提供医疗和眼科保健福利，其配偶或家庭伴侣在达到一定条件后也可享受这种待遇。计算机科学公司在 1992 年以前为员工提供医疗福利和人寿保险。空格 = 不适用。— = 无数据。

a 包括 1979 年开始的利润分享型的退休计划。

b 1988 年，计算机科学将其子公司——Associated Credit Services 的约定给付计划改为约定提存计划。

c 缴纳比例取决于工龄。

d 公司的配比数据来自甲骨文 2007 10 - K 报告。

e 在 Sanmina 于 2000 年收购了 SCI 后，后者的非缴纳型约定给付计划被冻结了。未归属应计福利的 SCI 雇员根据服务年限被给予贷款；但未增加新的福利。

f 包括自 1983 年开始的利润分享计划，1991 年以来辅之以 401(k)计划。1999 年，EMC 在收购了 Data General 后冻结了其约定给付计划。

g 公司 2007 财年(截至 1 月 31 日)的 401(k)配缴数据刊登在其 10 - K 报告上。

h 公司的配缴比例在 20%(适用于工龄 2 年以上者)到 100%(适用于工龄 6 年以上者)。

i 在 1992 年到 1999 年间，公司的配缴比例为员工缴纳额的 50%，最高不超过员工薪酬的 3%。

j 每在职一年雇主缴款的 33%归属雇员。

资料来源：各公司的 10 - K 报告。

在 2005 年这 20 家新经济公司中，只有两家，即 1968 年创立的英特尔和 1959 年创立(该表中历史最久的)的计算机科学公司(Computer Sciences)拥有传统的不用雇员缴款的约定给付养老金计划。英特尔所创立的约定给付养老金计划(类似于其旧经济企业模式的硅谷邻居惠普)只是其递延利润分享计划(deferred profit-sharing scheme)的一种补充。属于新经济公司之列的 SAIC 创立于 1969 年，是美国最大的雇员所有的企业之一。2006 年 10 月，SAIC 通过首次公募筹资 11 亿美元，其部分原因也是为了使其员工兑现手上的股票，以其售股——通过股票市场而不是出售给公司——所得作为养老金。①

① 尽管 SAIC 发行在外的普通股股票占公司股份总数的 19%，但该公司的员工仍拥有 98%的表决权(Cowan 2006)。

如表4.2所示，在20世纪80年代中期，除一家外，2005年最大的20家旧经济信息通信技术公司（或其前身）均拥有传统的约定给付养老金计划。唯一的例外是Comcast公司，但在其分别于1994年收购了Barden Cablevision和2002年收购了AT&T Broadband后，也接收了后两者的工会工人享有的约定给付计划。IAC公司在1985年尚不存在，但其前身——派拉蒙（Paramount）和MCA拥有约定给付计划。然而，在20世纪90年代和21世纪头10年，这些旧经济公司遭遇了新经济公司的竞争，而后者大都从未打算采纳约定给付养老金模式。

表4.2 2005年20家最大的旧经济信息通信技术公司（按销售额计）1985年和2005～2006年的退休计划

公司	1985年实行的退休计划[a]	2005～2006年实行的退休计划
IBM	约定给付计划（*92%*）；401（k）（*8%*），30%和5%[b]	1999年以来实行个人养老金（现金余额）计划；2005年1月1日：对新雇员不提供个人养老金计划，只提供401(k)计划，配缴比例为10%（工龄最长者）到6%（新招募者）。
惠普	利润分享型的约定给付计划（*69%*）；补充性的约定给付计划（*19%*）；401(k)（*12%*），33%和12%	2006年1月1日：新招募的美国员工不得享受约定给付计划和医疗福利待遇；工龄不足一定年限的雇员的养老金计划和医疗福利被冻结；把401(k)的配缴比例上限提升到6%。
Verizon Communications[c]	Bell Atlantic，NYNEX：贝尔系统的约定给付计划	2006年1月1日：新聘用的经理人员不得享受养老金福利；2006年6月30日：支薪雇员不再享受养老金福利或针对退休者的医疗补贴；工龄低于13.5年的支薪雇员不得享受公司补贴的退休者健康或人寿保险；2006年7月1日：加大了支薪雇员401(k)计划的公司配缴比例。
AT&T Inc.[c]	SBC，Ameritech，Pacific Telesis，AT&T Corp.：贝尔系统的约定给付计划；约定提存计划，100%和6%，适用于支薪雇员	2005年：SBC收购了AT&T Corp.，并将自己改名为AT&T Inc.；SBC把支薪雇员的现金余额计划改为约定给付计划；AT&T Inc.将55 000名支薪雇员的养老金计划重新改为约定给付计划；AT&T Corp.保留了支薪雇员和工会会员的现金余额计划（1988年CWA同意采用有利于所有年龄段会员的现金余额计划）。
摩托罗拉	约定给付计划（*30%*）；缴纳型的401（k）-分享计划（*70%*）	2005年1月1日：对新雇员不再实行约定给付计划；终止了含有利润分享因素的401(k)计划；对新雇员401（k）计划的配缴比例为67%和6%，老员工为50%和6%。

（续表）

公司	1985 年实行的退休计划[a]	2005～2006 年实行的退休计划
Sprint Nextel	GTE-Sprint：针对支薪雇员，401（k）计划，50%和 6%，另根据公司股价的表现可追加 25%的配缴额，以公司股票支付；GTE，Southern Pacific，United Telecommunications：约定给付计划	2005 年 12 月 31 日：在兼并了 Nextel 后，Sprint 冻结了现有员工的应计福利，但调往 Embarq（一家分拆自 Sprint 的本地电话公司）的员工以及 2005 年 8 月以前未归属应计权益的 Sprint 雇员除外，后者可积累 5 年兑现权益所必需的服务信用，但之后应计养老金将冻结；2006 年 1 月 1 日：401(k)计划成为 Sprint Nextel 唯一的养老金计划，100%和 5%，不再用股票支付。
Comcast	无[d]	工会会员享有 AT&T 宽带公司的约定给付计划（2005 年 12 月 31 日，Comcast 有 4 000 名工会会员）；401(k)，配缴比例由公司相机决定。
南方贝尔[c]	贝尔系统的约定给付计划	现金余额计划（1998 年 CWA 同意采用有利于所有年龄段会员的现金余额计划）；401(k)，配缴比例一年一定。
Electronic Data Systems	1984～1996 年，通用汽车的分部：约定给付计划	现金余额计划；401(k)。
施乐	约定给付计划加递延利润分享计划	约定给付计划和现金余额计划（1990 年首次出现）二选一；401(k)，6%；2005 年 3 月 14 日：对新雇员只提供 401(k)。
Qwest Communications[e]	Southern Pacific Railroad[e]：约定给付计划	对截至 2000 年 12 月 31 日所有工龄满 20 年的工会会员和支薪雇员提供约定给付计划或工龄养老金计划（2003 年 12 月 31 日）；对其他所有员工提供现金余额计划，就职期间工资的 3%，外加投资收益。
德州仪器	约定给付计划(59%)；利润分享计划(37%)；401(k)(4%)，投资于公司股票	对 1997 年 11 月前就职且愿意接受增强型约定提存计划的员工：约定提存计划加约定给付计划，50%和 4%。对 1997 年 11 月 30 日前就职且愿意接受增强型约定提存计划的员工以及 1997 年 12 月 1 日到 2003 年 12 月 31 日就职的员工：约定提存计划，薪酬的 2%外加 100%和 4%。2003 年 12 月 31 日以后就职的员工：约定提存计划，100%和 4%。
DirecTV Group	1985 年 12 月 31 日成为通用汽车-休斯电子公司：约定给付计划[f]	对“我们的许多员工”以及在 1991 年以前选择参加约定给付计划的员工：约定给付计划；401(k)。

（续表）

公司	1985 年实行的退休计划[a]	2005～2006 年实行的退休计划
First Data	约定给付计划	约定提存计划，配缴比例由公司相机决定。
Alltel	约定给付计划	对支薪雇员实行非缴纳型利润分享约定提存计划和 401(k)计划，公司每年缴纳；约定给付计划被冻结，对 2005 年 12 月 31 日年龄不足 40 岁或 2010 年 12 月 31 日年龄在 40 岁以上、就职至少两年的支薪雇员，不再应计其养老金。
朗讯科技[c]	AT&T Technologies：贝尔系统的约定给付计划；适用于支薪雇员的约定提存计划，100%和 6%	新雇员实行现金余额计划；1999 年 1 月 1 日前加入约定给付计划的员工继续实行约定给付计划；401(k)，配缴额由公司相机决定。
Cox Communications	约定给付计划；TRASOP[g]；PAYSOP[h]；401(k)，25%和 5%	约定给付计划，401(k)，50%和 6%；2005 年：公司退市。
IAC/InterActiveCorp	Paramount，MCA：约定给付计划	401(k)，50%和 3%。
NCR	约定给付计划(*86*%)；利润分享计划(*4*%)；401(k)(*11*%)，25% 和 6%；PAYSOP[h]	2005 年：对所有的新员工和 40 岁以下的员工以及/或 2004 年 8 月 31 日后雇用的员工提供约定提存计划。
Freescale Semiconductor	摩托罗拉：约定给付计划；缴纳型利润分享计划	401(k)。

注："支薪雇员"一词是指管理人员、非协商单位(nonbargaining unit)的雇员、非工会成员的雇员和未被他人代表的雇员。

a 对 IBM、惠普和摩托罗拉，括号中的斜体字是指某种退休计划下资产占 1986 年同类退休计划总资产的比例(*Pensions and Investment Age* 1987)；对德州仪器，该比例是 1987 年的数据(*Pensions and Investment Age* 1988)；对 NCR，该比例是 1988 年的数据(*Pensions and Investment Age* 1989)。

b 如"30%和 5%"的表述，是指公司配缴比例为员工缴纳额的 30%，最高不超过员工年薪或工资的 5%。

c 在 1984 年 1 月 1 日贝尔系统解体后，AT&T Inc. 和 7 家小贝尔的退休计划均为非缴纳型约定给付计划，其经理人员的退休金是与工龄和任职期间的平均薪酬挂钩的，工会会员的退休金每年是固定的。1986 年底，这种约定给付计划的资产占这些公司退休金总资产的 85%～90%。

d Comcast 在 2002 年收购了 AT&T 宽带公司(拥有贝尔系统的约定给付计划)后变成了一家旧经济公司。

e 1995 年，一家名为 Southern Pacific Telecommunications 的非上市公司(1989 年由 Southern Pacific Railroad 分拆而来)收购了位于达拉斯的 Qwest Communications，并把自己更名为这家被收购公司的名称，也就是位于丹佛的 Qwest Communications。1985 年，位于圣达菲的 Southern Pacific Railroad 的全体员工均加入了约定给付计划。

f 对支薪雇员，与工龄和任职期间的平均薪酬挂钩；对实行计时工资的雇员，每一年工龄给予固定数额的养老金，对退休前已满 30 年工龄者有一定补贴。

g 税款缩减法员工持股计划。
h 基于工资总额的雇员股票所有计划。
资料来源：各公司 10－K 报告以及相关新闻报道。

旧经济公司会怎样应对？如表 4.2 所示，在 2005 年，其中 12 家公司仍为其部分或全部原有员工保留约定给付养老金，而新招募的员工则不然。其中 5 家公司——惠普、Qwest、德州仪器、朗讯和 NCR 只对拥有一定工龄或在某一规定日期前就职的员工给予约定给付养老金待遇。而在 Qwest，规定日期前的约定给付待遇只适用于支薪雇员，同时所有工会会员均享有约定给付待遇。与此类似，在 Verizon 和 Comcast 两家公司，只有工会会员可享受约定给付待遇。在 AT &T Inc.，前 SBC 的雇员，无论是领取薪水的雇员还是工会会员均享受约定给付待遇，而前 AT&T Corp. 的员工，其领取薪水的雇员和工会会员则享有现金余额(cash-balance, CB)养老金计划。其中 10 家公司对新员工只提供 401(k)计划。在这 20 家旧经济公司中，有 13 家是在 2005～2006 年才向其支薪的雇员提供 401(k)计划。

在 20 世纪 90 年代，各种类型的现金余额计划成为一种从约定给付向约定提存模式转变的过渡形式。现金余额计划对较为年轻的员工具有以下好处：(1)它可以被设计成一种令年轻员工的养老金积蓄有所增值的形式，如果公司养老金的费用总额不变，这种增值就来自于年事较高员工的收入减少；(2)它是可转移的，因此在员工改换雇主时不会造成既得权益的损失；(3)它是约定给付型的，公司保证雇员应计现金余额可获得一定比例的收益。在 20 世纪 90 年代，不少拥有约定给付计划的旧经济信息通信技术公司转而采纳现金余额计划，因为在技术标准已扩展至行业范围以及高技术人才跨企业流动的新形势下，它们需要吸引那些在新技术领域受过训练并有所经验的年轻员工。出于同样的理由，它们发现继续保留较老的员工则不那么有利；这些员工期望能在公司终身就业，而且会要求较高的工资。在 2004 年底，IBM、南方贝尔、EDS 和施乐等四家公司向其全体在职员工推出现金余额计划，同时提供 401(k)计划；但施乐的员工也可以选择约定给付计划。

IBM

在 20 世纪 90 年代和 21 世纪头 10 年，这些旧经济公司从约定给付向现金余额再向约定提存养老金体制的转变是与其就业体系部分或全部采纳新经济企业模式诸要素的相应转变密不可分的。在这方面,IBM 是一个最重要的案例。如第 3 章所述,在摆脱了终身雇用制的同时,IBM 也废弃了约定给付养老金计划。实际上,正如我们将要说明的那样,IBM 的养老金体制在 20 世纪 90 年代和 21 世纪头 10 年的转变是与该公司从旧经济企业模式向新经济企业模式的转变一脉相承的。

1989 年,IBM 把养老金授予的工龄资格从 10 年改为 5 年,接着,在 1991 年推出了一个混合型的"个人退休计划"(Personal Retirement Plan),使离职的员工可以带走更多的养老金(Vosti 1992)。1995 年,在大规模裁员已经完成之际,IBM 又推出了所谓"养老金权益计划"(Pension Equity Plan, PEP),使现金余额方式成为公司主推的养老金模式。

该计划被设计成有利于职业生涯中期的员工的形式;IBM 负责退休计划的经理唐纳德·索维涅(Donald Sauvigne)在解释为何采用 PEP 时说道:"这是我们对新的员工成分的回应。现实情况是愿意整个职业生涯都服务于 IBM 的员工变少了。"(Geisel 1995)与此同时,IBM 加大了对 401(k)计划的投入,把公司的配缴比例从占员工缴纳额的 30%、最高不超过员工薪酬的 5%分别提升到 50%和 6%。1995 年初,IBM 的约定给付养老金资产(包括现金余额账户)为 280 亿美元,而约定提存养老金资产为 70 亿美元,为此,索维涅宣称公司的目标是"调整我们的支付(资产)比例,促使员工认识到自已承担责任的重要性"(Rohrer 1995)。

这种更为倚重劳动市场的思路在 1999 年得到了进一步的落实:当年 IBM 宣布实施所谓"个人养老金计划"(Personal Pension Plan),以此来吸引那些较为年轻,而非已届中年的雇员。1999 年,在 IBM 总共 141 000 名员工中,1993 年以后加入公司者达 60 000 人。该计划每年付给每个员工相当于其当年工资 5%的退休金,外加其退休金账户现金余额的年利息(利率根据市场行情确定)。在退休人员医疗福利方面,IBM 也采用了与此类似的现金余额计划(Geisel 1999)。

IBM 的经理在宣布这项养老金计划的变革并向员工加以解释时写道:"整个职业生涯均呆在一家公司的员工已显著减少,这一事实说明人们希望在其职业生涯中尽早做出贡献并获得回报。"(Lewis 1999)IBM 的员工还被告知:"在我们这一行,争取熟练且有才能员工的竞争如今已变得空前激烈。"

(Frey 1999a) IBM 首席执行官郭士纳辩称："我们原来的养老金计划是在员工期望终身服务于公司的年代制定的……(如今)我们估计只有 10%的新雇员会在 IBM 干上 30 年。"郭士纳还补充说，IBM 的许多竞争者"根本不提供任何养老金计划"(Schultz 2000)。

IBM 确实允许大约 30 000 名距规定的退休年工龄(30 年)相差不满 5 年的员工继续保留原有的退休待遇。对其他年龄在 45 岁以上的员工，IBM 也增加了对其现金余额账户的配缴额。尽管如此，估计那些中年员工的养老金收入仍将比原来预计的收入减少 30%～50% (Lewis 1999; Lynn 1999)。

突然遭受如此之多损失的这些 IBM 员工当然会倾向于工会；三年后，5 000 名员工加入了美国电信工人工会(CWA)的分支机构——Alliance@IBM (Pimentel 2002b)。此外，联邦议员也介入了此事。IBM 是佛蒙特州最大的雇主，该州的众议院议员伯纳德·桑德斯(Bernard Sanders)指责 IBM 的现金余额计划违反了美国关于年龄歧视的法律(Anand 1999; Maury & Shoaf 2001)。佛蒙特州的参议员詹姆斯·杰福兹(James Jeffords)则督促 IBM 的首席执行官郭士纳允许那些年龄不低于 40 岁、工龄不少于 10 年的员工——共计约 65 000 人——继续享有原来的约定给付养老金计划(Affleck 2000; Kornblut 1999)。

IBM 的管理层曾试图阻止年度股东大会对公司的现金余额计划进行表决，但遭到美国证券交易委员会的禁止，IBM 关于养老金计划是企业的日常事务、无需股东批准的说法遭到了拒绝(Burns 2000)。在 2000 年至 2007 年的历届股东年会上，股东均有提案要求："允许所有员工，无论年龄大小，根据 IBM 在 1995 年和 1999 年实行变革之前的有效条款选择自己期望的养老金和医疗保险计划，以此杜绝退休政策上的年龄歧视。"(引自 2004 年至 2007 年股东提案)这种提案当然会遭到 IBM 管理层强烈而持续的反对，因而连续八次遭到否决。在 2000 年，该提案获得 29 970 万张赞成票和 75 540 万张反对票，赞成比例为 28. 4%；但此后该提案再也未能获得 15%以上的赞成票(Affleck 2000; Alterio 2007; Arditi 2004; Bergstein 2006a; Drury 2005; Freund 2002; Fuscaldo 2001; Krishnan 2003)。2007 年，赞成和反对票数分别为10 360 万和79 800 万张，赞成比例仅为 11. 5%(IBM 2007)。2008 年，该提案未能现身于该年度的股东大会表决文件。

为解决此事，IBM 的员工也曾提起诉讼。2003 年 7 月，针对一宗涵盖

1994年12月31日后加入IBM的员工的集体诉讼案,联邦地区法院给出了有利于员工的裁决。该案的原告指控IBM的养老金变革涉嫌年龄歧视,因而违反了《雇员退休收入保障法》(Tumulty 2003)。2004年9月,IBM提出和解,愿支付3.2亿美元解决此案;达成和解后双方均不能再就此案提出上诉,这样公司就可以避免因输掉上诉官司可能带来的高达14亿美元的损失(Dale 2004a, b; Wells 2004)。然而,在2006年8月,弗兰克·伊斯特布鲁克(Frank Easterbrook)法官对该上诉案给出了有利于公司的裁决,声称该现金余额计划是与年龄无关的,因为它每年给予所有年龄的员工相当于5%工资额的养老金(Boehner 2006; Schultz & Francis 2006)。这样,伊斯特布鲁克驳回了IBM雇员关于该计划具有年龄歧视性质的指控,根本无视年长员工从约定给付转向现金余额计划因而其累积养老金将比原来的后端增值的约定给付计划有所减少的事实。2007年1月,美国最高法院驳回了IBM雇员就该上诉案伊斯特布鲁克裁决提出的申诉(Rugaber 2007)。

IBM认为其养老金计划的变革是对劳动和产品市场变化的回应(IBM 2006,第28页)。实际上,采纳现金余额计划只是IBM最终取消一切形式的约定给付计划的第一步。2004年12月,IBM宣布新雇员没有资格加入现金余额计划,公司将只提供401(k)计划(Crenshaw 2004)。接着,在2006年1月,IBM宣布将于2008年起冻结现有的现金余额计划(Bergstein 2006b; Crenshaw & Joyce 2006);从此以后,401(k)就成为IBM硕果仅存的养老金计划了。

工会

贝尔系统的遗产

20世纪30年代末和40年代在美国得到广泛发展的产业工会运动,其宗旨和成果主要体现在通过退休金,即工会所谓的“递延工资”(deferred wages)来实现整个就业生涯的收入保障(Brody 1980; Ghilarducci 1992,第3章 Lazonick 1990,第8～10章)。然而,在工会兴起后的几十年间,像IBM和惠普这样的公司,通过其持续增长以及带有父爱成分的家长式管理,可以向公司数以千计乃至数以十万计的各阶层雇员提供整个就业和退休期的实际长期收入保障,而无需工会的代理。实际上,如表4.3所示,在2005年最大的

20家旧经济信息通信技术公司中,工会规模较大的企业均出自原贝尔系统:Verizon 拥有14万名工会会员(相当于其员工总数的62%);AT&T Inc. 拥有12.1万名工会会员(53%);南方贝尔拥有53 000名工会会员(60%),Qwest Communications 拥有23 600名工会会员(60%)。在1999年,Qwest 本来是一家拥有8 700名员工的无工会公司,但在通过敌意收购兼并了一家小贝尔公司——US West 后被动地变成了一家工会化的公司,因为后者的70 800名员工中有36 000人是美国电信工人工会的会员(PR Newswire 1999a; Reuters News 1999a)。[①] 朗讯在1996年从AT&T分拆出来时,工会会员占其98 000名美国职工的46%。然而,如第3章所述,到2006年,在朗讯及其两家主要拆分出的公司 Avaya 和 Agere 的总共38 000名美国员工中,工会会员的比例仅为15%。

4.3 2005年20家最大的旧经济信息通信技术公司的工会会员

	雇员数	美国工会的会员数[a]
IBM	329 373	无
惠普	150 000	无
Verizon Communications	217 000	CWA 74 251; IBEW 65 600; (99 800)
AT&T Inc.	228 350	CWA 108 547; IBEW 12 250
摩托罗拉	69 000	无
Sprint Nextel	79 900	CWA 3 500; IBEW 3 500; (7 000)
Comcast	80 000	CWA (4 000)
南方贝尔	88 666	CWA 53 151
Electronic Data Systems	117 000	无
施乐	55 200	UNITE HERE 2 325; IAM 和 IUOE 225
Qwest Communications	39 348	CWA 23 642; (23 000)
德州仪器	35 207	无
DirecTV Group	9 200	无
First Data	33 000	CWA (1 100)
Alltel	21 373	CWA (1 387)
朗讯科技	30 500	CWA 2 708 (3 000)
Cox Communications	22 530	无
IAC/InterActiveCorp	28 000	无

① Qwest是在1994年通过 Southern Pacific Rail 的一家从事电信业的子公司与 Qwest Communications 合并而成的,后者已在美国西南部建成了一个数字微波系统(Business Wire 1994)。

（续表）

	雇员数	美国工会的会员数[a]
NCR	28 200	无
Freescale Semiconductor	22 700	无

注：CWA，美国电信工人工会；IAM，国际机械师及航空工人协会；IBEW，国际电气工人兄弟会；IUOE，国际作业工程师联盟；UAW，联合汽车工人工会；UNITE HERE，由纺织品贸易及产业雇工联盟（UNITE）与酒店及餐饮雇员国际工会（HERE）合并而成。

a　括号内的数据是 2005 年各公司年报给出的工会会员数。2005 年 CWA 的数据来自该工会 2005 年 12 月的会员发展报告；由于 2005 年 Cingular 股权的 60%为 AT&T Inc. 所有，40%为南方贝尔所有，这两家母公司的 CWA 数据已包含按比例分摊的 Cingular 2005 年的 21 469 名 CWA 会员数。AT&T Inc. 和南方贝尔的雇员数已包含 Cingular 的雇员数。另注意 AT&T Corp. 2005 年的工会会员数包括了前独立的南方新英格兰电话公司（SNET）的 4 897 名员工，该公司于 1998 年被 SBC 收购。

资料来源：U. S. Bureau of Labor Statistics (2007); S & P Compustat database; Xerox (2006，第 63 页)；CWA 提供的资料。

自 1984 年到 21 世纪头 10 年，Verizon (及其前身 Bell Atlantic)、AT&T Inc. (及其前身 SBC)和南方贝尔(现为 AT&T Inc. 的一部分)一直是盈利的，Qwest (以及被其收购的 US West)也是如此。传统的本地有线业务仍然是所有这四家公司营收和利润的重要源泉，21 世纪头 5 年，其中 AT&T Inc. 和 Qwest 对这些业务的依赖程度远比另两家公司为甚。Verizon 和 AT&T Inc. 现在是美国快速增长的无线通信业的领头羊，而且在 2005 年，Verizon 无线业务的利润(22 亿美元)甚至超过了有线业务(19 亿美元)。至于电话簿(黄页)业务，虽然对 AT&T Inc. 、Verizon (2006 年分拆出 Idearc Media，专事该项业务)和南方贝尔来说规模相对较小，但利润一向丰厚，其毛利率通常在 30%以上。

这些公司的有线和电话簿业务均源于原贝尔系统受管制的垄断地位。虽然这些小贝尔公司控制着地方电话的基础设施，但联邦通讯委员会(FCC)和州公用事业委员会却对其回报加以管制。在 1984 年到 1989 年，诸小贝尔公司，作为本地电话交换运营商(local exchange carriers, LECs)，其最高资产回报率被限制在 12%，在 1990 年又被降至 11. 25%。翌年，FCC 又改变了价格上限管制的计算方法，在经过通胀率的调整后，根据生产率的预期增长逐年降低本地电话交换运营商的最高收费价格(Arnold 1990; Kelly 1997)。在保证服务质量的前提下，超出这种预期增长速率的公司将获得超额利润。1996 年的《电信法》并没有取消对本地电话业的管制，它只是规定，作为 RBOCs 进入长途电信市场的条件，各本地电话交换运营商必须以合理的租金向所有有意提供此种服务的同业竞争者(竞争性本地电话交换运营商，CLEC)开放其本地网络。

1989 年，AT&T Corp. 的长途电信业务的资产回报率被限定在12.2%，同时对其最高收费亦有限制(Barry 1988; Starobin 1989)。但与本地电话交换运营商主导的地方电话交换业务不同的是，长途通信在 20 世纪 90 年代已成为电信业竞争相当激烈的一个子行业，因此费率的管制在此已无足轻重。到 21 世纪头 10 年，由于长途通信的能力过剩，转售商之间的市场价格战达到极其残酷的地步；这是互联网高潮期 Qwest 和 Global Crossing 之类的公司对光纤网的过度投资造成的，那些提供全国范围内接入服务的无线通信商的竞争对此局面的形成亦有推波助澜之功。

由于对长途通信业务依赖甚深，AT&T Corp. 的单一长途通信收入在互联网高潮期末已开始下降，2001～2004 年更从 140 亿美元下降到 52 亿美元，而且整合服务(来自本地电话订户)的收入仅从 2001 年非常低的水平——8.7 亿美元增加到 2004 年的 27 亿美元。从 21 世纪头 10 年后半期的形势来看，两家源自前贝尔系统的公司——Verizon 和 AT&T Inc. 已有登顶之势。它们巩固了自己在本地有线电信业务的受管制垄断地位，同时打入了日益增长的无线通信市场，而且不像 Qwest、AT&T Corp. 和朗讯那样因过多地卷入 90 年代末互联网高潮期的投机操作而深受其害。

在贝尔系统解体前，产业工会已在该公司经营了几十年之久，再加上政府对本地有线线路业务几十年以来的持续管制，这是目前该行业的高度工会化仍然盛行的主要原因。2005 年底，Verizon、AT&T Inc.、南方贝尔、Qwest 和 Cingular(现为 AT&T Mobility)总共拥有 57.3 万名员工，其中 260 000 人(45%)是 CWA 的会员，另有 77 850 人(14%)是国际电气工人兄弟会(International Brotherhood of Electrical Workers, IBEW)的成员。够资格加入 CWA 的员工在 Verizon 达 94%，在 AT&T Inc. 达 92%，在南方贝尔为 84%，在 Qwest 为 89%，在 Cingular 为 65%。[①] 原贝尔系统的电信服务商(包

① 截至 2008 年 7 月底，CWA 在各公司的会员数如下：Verizon，59 825 人(2005 年为 74 251 人)；AT&T Inc.，161 342 人(2005 年为 161 698 人，包括南方贝尔和 Cingular 的会员在内)；Qwest，18 415人(2005 年为 23 642 人)。此外，2006 年从 Verizon 分拆出来的黄页业务公司 Idearc 还有 1 747 人；2002 年从 Qwest 分拆出来的黄页业务公司 Dex Media 有 869 人。感谢 CWA 的黛比·戈德曼(Debbie Goldman)和比阿特丽斯·伍兹(Beatriz Woods)为我提供的会员数据。

括当时仍为独立公司的 AT&T Corp. 和 AT&T Wireless)的雇员总数在 2001 年为 77.6 万人,现已有显著的减少。然而,在 2005 年前后,这些公司仍然是美国经济中产业工会的大本营。

CWA 和 IBEW 有时能够通过劳资集体谈判与前贝尔系统所属的公司达成“零解雇”的条款,比如 1986 年与 Pacific Telesis 达成的协议,1994 年与 NYNEX、1998 年与贝尔大西洋(Bell Atlantic, 2000 年和 2003 年在其被收购后与 Verizon),以及 2004 年与 SBC 达成的协议等。但是,这种情况只是例外而非常态;无论是在贝尔系统解体之前还是之后,这些公司工会会员的大规模解雇均时有发生。不过,工会谈成的协议中均有年资条款,这意味着那些本企业工龄最长的工人可以指望一直干到退休年龄,从而拿到集体谈判为之争得的退休收入。尽管 20 世纪 90 年代中期以来电信行业的技术和组织已多有改变,但是在 21 世纪头 10 年的后半期,旧经济企业模式仍然是 Verizon 和 AT&T Inc. 的主导模式。

总之,诸小贝尔公司通过对受管制的本地电话交换业务的持续垄断获得了庞大且稳定的收入,使其有能力维持较高的就业水平(尽管有所下降),因而使为数众多的资深工会会员获得就业保障。此外,诸小贝尔公司以下两个与时下信息通信技术业主流就业潮流相悖的特点也有利于其工会会员的就业保障:(1)它们没有进行业务外包和海外转移;(2)它们不是高科技公司,因而其雇员大多未受过高等教育。

作为管制架构的组成部分,州公用事业委员会有权要求本地电话交换运营商保证其对消费者的服务质量(Batt 1995,第 68～70 页)。这些公司必须及时有效地处理新线路安装、既有线路的维修、顾客关于服务修改的申请和投诉等业务;关于这些服务的内部控制有助于确保服务的高质量,而稳定且经验丰富的职工队伍亦有同样的作用。

然而,保证适当的服务质量需要多大范围的区域控制则是另一回事。例如 2002 年,南方贝尔决定将其所经营的东南 9 州 18 个城市的 75 个呼叫中心合并为 28 个,以期在 5 年内节省 2 亿美元的费用。为此估计会裁减 650～700 个工作岗位(Bachman 2002)。该决定公布后,北路易斯安那的公共服务专员(Public Service Commissioner)对此表示反对,因为此举将使其辖区的呼叫中心的 103 个工作岗位转移到南路易斯安那。但这位北路易斯安那的官员并没有什么手段阻止呼叫中心的关张及其引起的工作流失(*Baton Rouge*

Advocate 2002)。与美国许多公司在 21 世纪头 10 年争相开展外包并把呼叫中心转移到低工资国家的做法相比，南方贝尔所进行的这种大规模合并仍然把呼叫中心留在自己的公司内部和美国本土之内的做法还算厚道。

诸小贝尔公司的收入并非来自高技术业务，这一事实也有利于其工会会员的就业保障。它们所提供的电信服务，包括销售、安装、维修和客户支持，需要一支训练有素且能够熟练操作的员工队伍，而无需科学家和工程师来进行科研和新产品开发。实际上，按照贝尔系统解体后的管制架构的规定，这些公司不得进行电信产品和设备的设计、制造和组装(Hearn 1991)；现有设施和设备的升级换代也必须由设备供应商进行。

在原贝尔系统公司，基础研究和产品开发分别由贝尔实验室和西部电气公司负责，这两个单位在 1984 年公司解体后成为 AT&T Technologies 公司的主体，尔后在 1996 年一分为三后被纳入朗讯科技公司旗下。由于在解体后无法继续获得 AT&T 的研发支持，这七家小贝尔公司联合建立了一个新的研究机构——Bellcore，就设在新泽西距贝尔实验室约 11 英里处。Bellcore 的经费开支为每年 10 亿美元，雇员达 7 500 人，其中 4 500 人来自原贝尔实验室的科学家和工程师的重新安置(Berg 1985)。1998 年以后，NYNEX、SBC 和 US West 为了更好地吸收 Bellcore 的创新成果成立了自己的研发机构(Amparano 1988; Stroud 1988)。然而，1996 年的《电信法》放开了长途和无线通信的竞争，使诸小贝尔可能陷入自相残杀的境地，因而它们决定将 Bellcore 卖给 SAIC(Cauley 1996; Horwitt 1996)。Bellcore 此后改名为 Telcordia，并于 2005 年卖给了一家私募股权投资集团。同时，AT&T Inc.(SBC)、Verizon (Bell Atlantic)、南方贝尔和 Qwest 从此不再试图保有高技术能力，1996 年以后就没有研发开支了。

虽然诸小贝尔公司不再聘用科学家和工程师，却聘用了不少管理人员。资料(Batt 1996，第 60 页)显示，整个贝尔系统公司，除贝尔实验室外，管理人员占员工总数的比例已从 1950 年的 13.7%上升到 1980 年的 29.4%。在原贝尔系统公司，AT&T 及其运营公司的官味儿最为浓厚，其管理人员甚至把自己视为公务员。在贝尔系统解体后，诸小贝尔公司开始根据它们各自从贝尔系统继承的资源对其组织机构进行了重组，以更好地适应其所面临的管制和竞争形势。例如，AT&T 和 PacTel 在 20 世纪 80 年代末裁减了不少员工，而南方贝尔在其独立后的头两年裁掉了将近 4%的员工，此后从 1986 年到

1990 年又新增了 10%的员工。

然而，在 20 世纪 90 年代前半期，这 8 家前贝尔公司均进行了颇具规模的裁员，每家公司均解雇了为数众多的支薪管理人员和工会会员。1990～1992 年衰退被许多媒体称之为“白领衰退”，美国公司对支薪管理人员的裁减量达到了二战以来的空前规模。然而，由于固定的管制价格以及地方电话服务需求较为稳定，衰退对诸小贝尔公司影响甚微。实际上，对这些公司的裁员决定具有较大影响的是 1991 年的最高限价规定，这意味着各小贝尔公司可以借助员工的裁减获得额外的利润。正如 Batt (1995, 1996, 1999, 2001)关于这些公司的微观研究指出的那样，在 20 世纪 90 年代前期，各小贝尔公司的中低层管理人员在其上司和失业恐惧的压力下，不得不延长工作时间并付出更多的努力。

除了固定的薪水以外，AT&T 和小贝尔公司的高管们的收入很大一部分来自其年度奖金和股票期权的行权收入，这种薪资结构也促使他们积极响应新的管制架构。就年度奖金而言，公司的年利润显然是其主要考核依据；此外，在 20 世纪 80 年代后半期，股票期权也首次进入各小贝尔公司的高管们的薪资结构(AT&T Corp. 1984; Maremont 1984)。

集中精力抓利润和股价，AT&T 和诸小贝尔公司的高管们果然获得了丰厚的报酬。例如，在 1992～1995 年间，南方贝尔的董事长兼首席执行官克伦德宁(John L. Clendenin)的平均年薪达 1 656 000 美元，其中 659 000 美元是薪水，810 000 美元来自奖金，另有 175 000 美元是股票期权的行权收入。这些只是他的年度收入；此外，克伦德宁还可获得四年一结算的长期激励奖(根据公司的长期利润和股价表现发放)，每年平均可得 843 000 美元，另外还有一笔根据递延薪酬计划发放的总额为 482 000 美元的报酬。以上合计，克伦德宁的年平均收入达 2 981 000 美元。当然，以后退休时他还会获得极为慷慨的养老金收入。

克伦德宁以及南方贝尔其他的高管们(他们的报酬少于前者，但也相当可观)在 20 世纪 90 年代前半期赚取大笔收入的主要手段就是裁减公司的员工。利用公司的养老金计划推动雇员提前退休成为南方贝尔进行裁员的主要方式。在贝尔系统解体后，南方贝尔无论就销售额还是员工数而言都是诸小贝尔公司当之无愧的老大，NYNEX 则紧随其后。借助提前退休计划在 1985 年对员工进行了一轮裁撤后，该公司的营业收入和雇员数出现了稳步增长，并一直持续到 1990 年。然而，从 1990 年底到 1996 年底，南方贝尔又将其员工总数从 101 945 人削减到 81 241 人，而其销售额则从 1990 年的 143 亿美元(按 1996 年美元不变价计算为 172 亿美元)增长为 1996 年的 190 亿美元。由于其 101 000 名员工中管理人员占到 29 000 人，南方贝尔分别在 1990 年 11 月和 1991 年 5 月宣布将通过提前退休计划裁掉 3 000 个管理职位(Chester 1990; Husted 1991; Main 1991)。经过此前 3 轮提前退休计划(包括 1985 年那次)，已经有大约 4 000 名管理人员离开了公司(Elmore 1987a, b)。1990 年提前退休安排的对象是那些拥有 30 年工龄或以上的管理人员，其中有 1 146 人接受了此项安排；1991 年的提前退休提议是在南方贝尔宣布把其最大的两个营运单位——拥有 46 000 人的南部贝尔(Southern Bell)和拥有 31 000 人的南方中心贝尔(South Central Bell)——的总部合为一体后的两个月提出的(Poole 1991)；这一次，公司降低了年龄和工龄门槛，共有 3 100名管理人员接受了此项提前退休安排(PR Newswire 1991)。

然而，这只是南方贝尔瘦身运动的开始。1992 年 11 月，该公司宣布将在 1996 年底前通过自然减员、解雇和针对个人的提前退休建议(与此前公司范围的提前退休计划有别)将员工总数减少 8 000 人(Ramirez 1992)。1993 年，南方贝尔将其 1996 年底的减员目标提升至超过 1993 年的 10 000 人，1995 年又进一步增加到 16 000 人，相当于 1992 年末员工总数的 17%(Guarisco 1995; McCash 1993)。实际上，1996 年底南方贝尔的雇员总数为 81 241 人，比 4 年前减少了 15 871 人。

在此期间，南方贝尔还改变了面向管理人员的养老金计划。1993 年，在宣布了裁减 8 000 名管理人员的目标后，南方贝尔成为诸小贝尔公司中率先采用现金余额计划的公司(BellSouth 1994，第 50 页；Williams 1995; Wyatt 1996)。该计划的适用对象为未被他人代表的(nonrepresented)雇员，因此此举有助于公司招募较为年轻的管理人员，但鉴于其推出的裁员背景，这并非其主要目的。经过 1990 年和 1991 年两轮提前退休计划的洗礼，该公司符合提前退休条件的老龄员工已所剩无几，因此，南方贝尔企图建立一种面向未达到提前退休工龄要求的中年管理人员的激励计划，以督促他们退出公司。在其现金余额计划 1993 年 7 月生效时，南方贝尔的管理雇员为 25 000 人，平均年龄为 44 岁，平均本企业工龄为 24 年(Wyatt 1996)。

南方贝尔在导入现金余额计划时规定，凡 1996 年 6 月 30 日前离开公司的雇员可选择现金余额账户或折合成现值的养老金的金额较大者(Anand 1994)。那些仍然留在南方贝尔的年龄较大的经理们对此并无怨言,因为随着工龄的增加,其养老金账户的收入将增加3%~8%,而在2005年底以前退休的员工则可以在现金余额计划或原来的约定给付计划中选择福利较大者(Wyatt 1996)。

南方贝尔是6家采用现金余额计划的小贝尔公司中的先行者,Ameritech在1995年步其后尘,然后Bell Atlantic和Pacific Telesis在1996年、SBC和US West在1997年亦纷纷效法。这些现金余额计划都是面向管理人员的;各小贝尔公司仍旧在与工会进行约定给付计划的谈判。在最初7家小贝尔公司中,惟独NYNEX没有对管理人员推出任何形式的现金余额计划,仍继续实行约定给付计划(Williams 1997)。但在1997年NYNEX并入Bell Atlantic后,其管理人员也有了现金余额计划(Bell Atlantic 1997,第38页)。

根据南方贝尔现金余额计划,公司的年度配缴比例不仅与员工的年龄、而且与其现在的薪酬挂钩,因而是"混合型"的。而IBM在1999年推出的现金余额计划则是"单一型"的,公司的配缴比例与年龄无关,因而对仍实行约定给付计划的年龄较大的员工来说,其养老金收入会有所减少。在20世纪90年代早期,像IBM的情况一样,许多企图转向现金余额计划的公司都采用了养老金权益计划(PEP)方式,以便把退休金的增值部分更为平均地分配到职业生涯各个年龄段的员工当中。

Ameritech于2005年5月推出的现金余额计划就是这样做的。与南方贝尔不同,Ameritech管理层引入PEP的目的不是为了裁员,因为该公司的员工数在1994年底已经降到了低点;其PEP的实际目的有二:一是为了吸引较为年轻的管理人员加盟,二是为了减少对较为年长者的激励。按照传统的约定给付计划,其后端增值方式会鼓励员工留在公司,一直到其退休福利待遇大幅增加到"断层"或触发点,即年龄和工龄达到规定的标准之日。正如Ameritech的退休计划经理蒂姆·麦金尼斯(Tim Meginnes)所说的那样,"在PEP方式下,退休福利的价值将随着年龄平稳增加,通过消除'断层',员工决定是否留在公司就不必参照某种人为的标志物了"(Geisel 1995)。Bell Atlantic的福利计划和人力资源委员会主任格雷·西姆科(Gary Simko)则这样解释该公司在1996年初从约定给付转向混合型现金余额计划的原因:"电信行业正在经历巨大的变革,但我们的退休待遇是在多年以前制定的,那时的商业形势较为确定,许多员工的大部分职业生涯都是在一家公司度过的。如今我们需要适应员工流动的要求;他们正频频从一家公司转到另一家公司。"(M2 Presswire 1995)

如前所述,诸小贝尔公司实行的现金余额计划只适用于管理人员。他们显然属于所谓"流动的员工","要求""频频从一家公司转到另一家公司",而 Bell Atlantic 这样的公司乐于助其一臂之力。实际上,这些公司的管理层引进并推行现金余额计划有其自身的战略目的,即引入一些员工同时甩掉另一些员工。作为一个群体,"管理人员",即支薪的员工,是无法通过集体谈判的方式就退休计划变革引起的种种得失与高级管理层平等交涉的。

然而,在某种经济形势下,这些管理人员会发现现金余额计划对其相当有利。AT&T Corp. 的情况就是这样,该公司在 1998 年初为其管理人员制定了现金余额计划。同年 1 月下旬,AT&T 的董事长兼首席执行官迈克尔·阿姆斯特朗(C. Michael Armstrong,于上年 11 月为削减成本而上任)宣布,该公司将在未来 1 年削减 1.5 万到 1.8 万个工作岗位,其中削减 1 万到1.1 万人的目标将通过所谓"自愿退休激励计划"(Voluntary Retirement Incentive Program, VRIP)为管理人员设定的养老金激励而达成。该计划期望能够将管理人员的总数减少 25%(Burlingame & Gulotta 1998; Ribbing 1998)。实际上,正如 VRIP 的设计者所坦言的那样,在很大程度上,AT&T 推行现金余额计划是为了"扩大提前退休激励计划的涵盖范围"(Burlingame & Gulotta 1998)。

AT&T 的此次自愿退休激励计划涵盖 4.3 万名管理员工。年长员工的退休金福利可因此增加 20%。获得终身医疗福利的资格为年龄加工龄合计 65 年,而原来的条件为 75 年(May 1998a)。在某些限制条件下,养老金也可一次全额支取。

大约 17 000 名管理员工接受了该计划,大大超过了 AT&T 高管层的期望值。如此之高的接受率一方面应归功于公司给出的条件,另一方面也因为 1998 年经济正处于繁荣期,离职的员工很容易在其他企业找到报酬不菲的工作。为了避免关键部门关键人员的流失,高管层对一些重要部门的合格人员数有所限制。因此,AT&T 否决了 1 700 份申请。由于未被授予离职的机会,这些员工随后提起针对 AT&T 的诉讼,但遭到法院驳回(May 1998b, 1999)。

到 1998 年底,在 15 300 名接受自愿退休激励计划的管理人员中已有 14 700人离开了 AT&T,剩下的 600 人也于 1999 年初离去。公司一次性支付了 46 亿美元的安置费,平均每个自愿退休激励计划接受者拿到的现金达 30 多万美元(AT&T Corp. 1999,第 64 页)。AT&T 的管理人员养老基金足以支付这笔现金;截至 1997 年底,其养老基金结余达 125 亿美元。

由于养老基金如此充裕,连工会也乐意搭上现金余额计划这班车。1998 年中,CWA 和 IBEW 与公司达成包括现金余额计划的集体谈判协议。鉴于 AT&T 的工会会员多达 50 000 人,该计划被认为是有史以来涵盖工会会员数最多的现金余额计划(*Business Insurance* 1998)。

1999 年,由于 IBM 的员工对公司新的现金余额计划反应负面,美国参议院健康、教育和养老金委员会就混合型养老金计划举行了听证会。CWA 的总裁莫顿·巴尔(Morton Bahr)为听证会提供了证言。据巴尔(1999)所言,他最初接触约定给付计划向现金余额计划的转换是在 1992 年,在那年集体谈判的后期,AT&T 提出了现金余额计划的建议(Brown 1992)。由于缺乏对这种计划的深入了解,工会拒绝了该建议。接着,1995 年公司又在集体谈判中提出了采纳现金余额计划的建议,但因其会伤害到老龄职工而遭到 CWA 的拒绝。

然而,到了 1998 年,AT&T 终于如愿以偿了。根据巴尔(1999)的说法,"我们的协议使各年龄段员工的养老金福利的价值均有所增加"。现在工会会员的养老金待遇变成了"可转移的,即在遭到裁员或变换雇主时可转到另一家企业"。与此同时,1998 年 6 月 30 日以后退休且工龄在 15 年或以上的工会会员可进行如下两种选择:继续原来的约定给付计划,同时养老金待遇立即增加 7%,并在 2000 年另增加 8%;或选择接受一项现金余额计划(*Business Insurance* 1998; Fulman 1998)。我们不知道究竟有多少工会会员接受了现金余额计划的好处而离开了 AT&T,但在 1998 年底,公司的 CWA 会员人数已从上年的 48 787 人下降到了 42 036 人。在随后几年,AT&T 雇用的 CWA 会员数继续稳步减少,2004 年已降至 14 920 人。在这一年,曾经是原贝尔系统母公司的 AT&T Corp. 被其原来的地方性的子公司 SBC 兼并,变身为 AT&T Inc. 。

其他工会势力较大的旧经济公司

除了从原贝尔系统继承下来的 CWA 和 IBEW 外,2005 年最大的 20 家旧经济公司(表 1.6)中只有 2 家——NCR 和施乐拥有较强的工会势力。这两家公司的情况表明,在如今这个技术变革和全球竞争的年代,工会的作用是相当有限的;它们还表明,在公司企业模式的构建过程中,这些公司会采取怎样的策略来对抗(NCR)和约束(施乐)工会组织的集体谈判。

尽管在 2005 年时 NCR 已没有工会,但它并非一向如此。该公司 1884 年成立于俄亥俄州的代顿市(Dayton),全称为国民现金出纳机公司(National Cash Register),曾经是福利资本主义的先锋企业;而且与 IBM、惠普、摩托罗拉和德州仪器等信息通信技术业的旧经济公司不同,工会势力在 NCR 由来已久。1901 年的一场罢工曾导致 NCR 在代顿的一家工厂关闭,2 000 名工人失去了工作(*Chicago Daily Tribune* 1901)。这次罢工是 NCR67 年间的最后一次罢工。

NCR 继续与工会进行劳资集体谈判;根据《国家劳工关系法》(National Labor Relation Act),自 20 世纪 30 年代末以来,NCR 雇员独立工会(Employees Independent Union)一直担任该公司代顿厂的职工代表(Stark 1940)。到了 50 年代初,NCR 的员工人数已达 3.3 万人,其大本营仍设在代顿市,工会化的比例达 60% (*Monthly Labor Review* 1965)。1968 年,NCR 的员工总数已达 9.1 万人,并且在次年底全职员工达到 10.2 万人的历史最高点。1968 年,仅代顿工厂一地的工会会员即达 14 863 人。同年,该厂的计件工人从工会得知最近一次谈判所获利益仅涵盖计时工人后举行了罢工(纽约时报 1968);在工会的支持下,罢工持续了一个星期,并导致关于退休福利和职工假期等问题的一系列谈判。

然而,1968 年的罢工却成为代顿工厂工人以及工会在 NCR 走向终结的丧钟。1971 年,NCR 的 1.7 万名工会会员(占公司 9.5 万名雇员总数的 18%)选择联合汽车工人工会(United Auto Workers, UAW)来代表自己,取代了原来的 NCR 雇员独立工会。然而,在 20 世纪 70 年代,NCR 开始从机电式商用机器制造转向数字电子式商用机器制造(Anderson 1991; Rosenbloom 2000)。在这一进程中,NCR 率先进行了制造基地的转移(runaway shop,在 80 年代及以后,这种为逃税或逃避工会管制而他迁的做法普及到美国的各家公司),在代顿以外的地区建立了新的电子设备制造厂,雇员均为非工会成员的工人,并且遏制了雇员建立工会的企图。

1969 年,代顿工厂的厂区职工数为 15 700 人,但到了 1977 年仅剩下 850

人,其中大都为低工资的装配工(Anderson 1991,第192～194页;*Business Week* 1977; Rosenbloom 2000,第1098页)。与此相对照,NCR在70年代中期雇用了18 000名一线工程师,占员工总数的25%,从事电子式商用机器的营销工作(Rosenbloom 2000,第1099页)。2000年,NCR的联合汽车工人工会的会员只剩下70人,其工资大多为每小时10美元,平均本企业工龄为17.4年,分别从事货运、收货、维修和伙食服务等工作;同年,NCR将这些工作外包,这些人也随之失去了工作(*Dayton Daily News* 2000)。

与NCR不同,施乐的工会一直存活到现在,尽管其会员数和影响力已大不如前。施乐1906年成立于纽约的罗彻斯特(Rochester),当时名为Haloid Company;根据其开发的静电复印工艺,公司先后于1958年和1961年更名为Haloid Xerox和Xerox(施乐)。公司1960年的营业收入为3 700万美元,十年后增长到17亿美元。此时施乐的复印机市场占有率达96%。联合制衣工会(Amalgamated Clothing Workers)在1937年进驻Haloid,到20世纪60年代初,其在Haloid Xerox的会员已达586人,占整个公司1 894人的30%以上。伴随着施乐20世纪60年代的高成长,罗彻斯特附近纽约韦伯斯特工厂的ACW Local 14A(分会)的会员也翻了几番。到20世纪70年代末,ACW(在1976年变身为联合制衣与纺织工人工会,Amalgamated Clothing and Textile Workers Union, ACTWU)在韦伯斯特已拥有超过4 500名会员,在施乐各工厂的会员数则达5 500～6 000人。

20世纪80年代初,施乐经历了一次重大的重组:它开始效法日本企业的某些做法,如快速的产品开发、供应商体系的合理化和借助统计方法的质量管理等(*Business Week* 1984;Jacobson & Hillkirk 1986; Prokesch 1985)。在此期间,ACTWU与施乐达成了协议,共同致力于开展创新、提高生产率并保住韦伯斯特工厂的工作岗位。这些努力起源于1980年,在当年达成的集体谈判劳资协议中,施乐的管理层与ACTWU同意建立一个合作组织——联合雇员参与委员会,以"调查和寻找雇员增进工作满意度和生产率的机会"(Pace & Argona 1989)。[①] 该协议涵盖三个地方的5 000名工会会员,其中大都属

① 拉里·佩斯(Larry Pace)和多米尼克·阿戈纳(Dominick Argona)是员工参与计划的内部顾问,阿戈纳还曾经担任过人力资源部下属的员工参与计划项目经理。安东尼·科斯坦萨(Anthony Costanza)在1981至1986年间曾担任ACTWU Local 14A的员工代表,后成为ACTWU的全球副总裁。

于韦伯斯特工厂。员工参与(EI)计划的实施包括组建和培训问题解决小组(PSTs),每个小组由6～7名工会会员和一名监督员组成。20世纪80年代中期,韦伯斯特工厂共有150个问题解决小组。

1981年8月,施乐宣布拟把韦伯斯特工厂的束线组装业务(相当于200个蓝领工作岗位)外包到墨西哥,从而每年节省300万美元的成本(Costanza 1989; Pace & Argona 1989;华盛顿邮报 1982)。为此,工会要求建立一个研究小组,以确定是否能在保留束线组装工作的前提下实现成本节约的目标。该小组想出了一个把这些工作保留在美国,同时节约420万美元成本的办法。此后,施乐工会与管理层合作,利用车间层面的员工参与(EI)从而在高工资的经济体中保住蓝领工作的竞争优势的做法成为教科书的经典案例(Cutcher-Gershenfeld 1991, 1992; Jacobson 1988; Lazes 等 1991; Pace & Kelly 1998; Swoboda 1992)。例如,在1989年,员工参与和ACTWU获得了评选加分,帮助施乐赢得马尔科姆·鲍德里奇国家质量奖(Malcolm Baldrige National Quality Award) (Holusha 1989; PR Newswire 1989)。

然而,在与工会合作推行员工参与计划的同时,施乐也在对其职工队伍进行缩编;无论是蓝领工人、支薪员工还是工会会员均一直面临失去工作的威胁。作为继续开展员工参与计划的条件,工会要求把就业保障纳入劳资集体谈判协议。1984年的协议规定,在协议的三年有效期内不得以经济原因解雇Local 14A的3 300名会员。作为回报,工会同意抑制工资的增长、削减某些福利、对旷工进行更严厉的处罚,并且在韦伯斯特工厂出现管理层认为缺乏竞争力的工作岗位时重开类似束线组装问题的研究(Pace & Argona 1989)。接下来,1986年、1989年和1992年的劳资协议均重申了三年不解雇的保证,而1994年的协议则把6 200名工人的不解雇保证延长至7年。

然而,在此期间,工会的影响力却在直线下降。1994年,ACTWU在韦伯斯特工厂的会员数为3 850人,至2002年仅余1 955人。此时,ACTWU已在1995年与国际女衣工人工会(International Ladies Garment Wokers Union)合并为纺织品贸易及产业雇工联盟(Union of Needletrades, Industrial and Textile Employees, UNITE),并由它来签订与施乐公司的劳资协议。而在UNITE HERE——UNITE于2004年与酒店及餐饮雇员国际工会(Hotel Employees and Restaurant Employees International Union, HERE)合并而成的工会——与施乐于2005年3月签订另一份为期4年的协议时,其覆盖的工人只有 1 517 人,不足 11 年前的四分之一。

21 世纪头 10 年,随着外包的吸引力愈益增加,施乐的管理层决定废弃旧经济时代的研究小组计划。在 2002 年签订的劳资协议中,工会获得了与 1994 年相同的就业收入保证,以及工资增加、医疗和牙科保健福利覆盖面的扩大和公司加大 401(k)账户配缴比例等一系列好处;但工会却失去了在面临外包威胁时组建研究小组以寻求保住工作岗位办法的权利。

在 2005 年 3 月上述协议面临更新时,研究小组问题甚至未列入集体谈判的议题范围。然而,这份新协议确实规定韦伯斯特工厂的工人将继续对施乐某些型号的打印机、复印机和数字印刷机进行组装和测试。工会做出的让步则是新招募的雇员无权加入现有员工自 1990 年以来享有的约定给付和现金余额计划;公司将向这些新雇员提供 401(k)计划,公司的配缴比例为 6%(Tyler 2005)。鉴于 1990 年以来工会就业谈判的演变态势,新雇员已不大可能获得其他养老金安排了。

工会在新经济企业中的缺位

在美国,受过大学教育的专业、技术和行政管理(统称为 PTA)雇员构成了信息通信技术公司雇员的大多数,并且随着自动化和日常运营及行政工作的海外转移的日益增多,在这些人群中,工会从未得到较大的发展。美国最著名的 PTA 工会当属航天航空专业雇员协会(Society of Professional Engineering Employees in Aerospace, SPEEA),它拥有近 24 000 名会员,并代表波音公司(1916 年创建于西雅图)的工程技术人员进行劳资集体谈判达 60 多年之久。2000 年,SPEEA 因工资和医疗福利问题未能与波音公司达成协议而举行了有史以来最大的白领员工罢工(Morrow 2000a, b)。然而,在新经济的地盘内,工会在 PTA 人群中的发展尤为困难,按阿尔伯特・赫希曼(Albert Hirschman 1970)的说法,这些人更乐意通过劳动市场的“出口”而不是工会的“喉舌”来施加自己对工作条件和收入的影响。①

作为新经济企业模式的发源地,硅谷的氛围一直是反工会的。1985 年,在硅谷的半导体产业备受日本企业竞争的困扰时,英特尔的戈登・摩尔曾说

① 关于“无疆界工作场所”的工会主义问题,参见 Stone (2004)。

过："我们的行业变化迅猛，各种工作的性质也在不断变化。我认为(工会的缺位)对我们的行业十分有利"(Malone 1985)。与此类似，国家半导体公司的首席执行官、半导体行业的头面人物查尔斯·斯波克(Charles Sporck 2001，第271页)在其所著的*Spinoff*一书中也写道："工会的演进方式使之成为创新的顽固障碍。为了最好地利用人才及其技能，我们不断地变换员工的工作。在半导体技术日新月异的时代，如果有工会组织的掣肘，我们定然会寸步难行。"

不管人们是否接受硅谷这些顶尖经理关于工会与新经济企业不兼容的说法，事实上，正如斯波克(2001，第271页)所指出的那样："硅谷没有一家工厂存在工会。"20世纪70年代中期，UAW曾经进展到在一家英特尔的工厂举行代表权投票的地步，但80%的雇员拒绝由工会担任自己的代表(Jackson 1997，第16章)。20世纪80年代中期，美国各工会试图在硅谷建立组织的努力最后也无疾而终(Miller 1984; Sawyer 1984)。[①]

20世纪90年代工会在高技术雇员中建立组织的最著名的尝试来自微软雇用临时工的举措(Van Jaarsveld 2004)。1990年，美国国内收入署(Internal Revenue Service)裁定微软错把正式雇员(regular employees)认作独立合约员工(independent contractors)，因而将其排除在员工股票购买计划(employee stock purchase plan)和储蓄计划等福利之外。1992年，这些员工发起了集体诉讼(*Vizcaino v. Microsoft*)，最后在2000年12月由微软支付9 700万美元达成和解。

该诉讼案推动微软的临时工在1998年组建了华盛顿州技术工人联合会(Washington Alliance of Technology Workers, WashTech)，成为CWA的一个分会。[②] 虽然该组织未能获得微软或任何一家企业的认可，但在华盛顿州还是发挥了一定的政治影响，并参加了CWA发起的培训计划(Van Jaarsveld 2004，第373～379页)。在2000年，WashTech发起对遭亚马逊(Amazon.com)解雇的客服代表的支持，据说取得了成功，迫使该公司给予他们更好的离职待遇(Wilson & Blain 2001)。CWA还有一家叫Alliance@IBM的分会，是1999年针对IBM采纳现金余额养老金计划而建立的；该计划显著地减少

① 关于试图在硅谷的高技术行业组织工会的历史，参见Bacon (2006)。

② 参见WashTech (2008)。关于硅谷的临时就业和弹性劳动市场的著作，参见Benner (2002)和Hyde (2003)。

了 IBM 年长员工的养老金收入(Frey 1999b; PR Newswire 1999b)。

在硅谷,唯一能拿到集体谈判合同的工种是清洁工。1992 年,惠普同意聘用一家清洁服务商,后者的雇员隶属于服务雇员国际工会(Service Employees International Union, SEIU)(U. S. Newswire 1992)。1996 年,该工会的一位官员宣称:"除英特尔外,所有的高科技大公司都是由工会会员组成的公司清扫的"(Holmes 1996)。在 20 世纪 90 年代末的高科技繁荣期,硅谷的高技术公司均同意那些为其场地进行清洁的工人(大多为西班牙裔的移民)有必要通过劳资集体谈判来提升其微薄的工资。即使是坚持无工会存在的英特尔,也按照工会所定的工资标准向清洁工支付工资(Kirby 2000)。

至于那些受过高等教育的信息通信技术产业职工,他们与雇主的谈判能力主要来自其劳动市场的流动性,而不是其工作场所的集体谈判。在 20 世纪互联网大繁荣的 90 年代末,对他们许多人来说,这种流动性足以为其带来良好的待遇,特别是在他们加入一家拥有慷慨的股票期权计划的公司时。回想一下第 2 章,微软和思科等公司的员工在互联网高潮期获得了巨大的股票期权收入。据报道,仅微软一家公司在互联网高潮期就通过股票期权制造了 1 万名百万富翁;这种说法似乎并无夸大(Harden 2003)。[①]

然而,进入 21 世纪后,美国信息通信技术产业的劳动市场出现了变化,个人流动性的(谈判)力量受到了极大的削弱,对那些年届 40 或 50 岁的员工来说尤其如此。我们将在下一章看到,即使是那些受过高等教育的美国信息通信技术业的员工也不得不面对来自发展中国家,特别是印度和中国的高素质、但工资低很多的高技术劳动力庞大且日益增加的供给的竞争。然而,对一个充满活力的产业来说,其持续而快速的增长的源泉来自创新,因而激烈的全球劳动市场的竞争并不一定意味着美国那些训练有素且经验丰富的高技术员工稳定且收入丰厚的工作就会减少。问题在于,正如我将在第 6 章说明的那样,美国那些从全球化获利良多的高技术龙头企业的高管们热衷于用公司的资源来提升股价,因而提高自己的收入,而不是用来创造、甚至是维持美国高技术员工稳定且收入不错的工作机会。

① 关于思科 1999 年的股票期权分配,参见 O'Reilly 和 Pfeffer (2000)。

5

高技术劳动力的全球化

海外转移

进入21世纪,美国信息通信技术产业的就业关系与20世纪80年代相比发生了重大变化。在与企业专有标准截然有别的全行业技术标准的推动下,跨企业的劳工流动以及价值链的垂直专业化,包括制造业务的外包,开创了高技术劳动力广泛全球化的新阶段。21世纪第一个10年的前半期,随着美国公司把大量的工作岗位转移到海外,特别是印度和中国,“海外转移”(offshoring)一词也进入了美国民众的流行语汇。许多在21世纪被转移的工程和编程工作曾被高科技行业观察家认为是不可能在海外进行的。高精尖产品和工艺的开发通常要求互动式的学习,具有集体性和累积性;开展互动式学习的工人须彼此进行密切的交流。鉴于美国是信息通信技术革命的中心,于是人们假定这些工作根本无法转移到低工资的发展中国家。

实际上,正是美国在信息通信技术产业的统治地位吸引了世界各地的相关人才蜂拥而至,前往美国求学和求职。为什么许多最好的信息通信技术工作岗位会转移到印度和中国,而印度人和中国人又移居到美国从事信息通信技术专业的学习和工作?这一问题的解答对理解21世纪以来全球化对美国高技术劳动者经济上缺乏保障的影响至关重要。如果以美国为大本营的公司能够在本国创造更多更好的工作,从一而终式的就业模式的瓦解就不会对美国高技术劳动者的就业稳定带来多少损害。

实际上,21世纪以来,美国许多信息通信技术业的大公司在扩展其全球员工队伍的同时却在削减美国员工的数量。从2001年到2007年,IBM的全球员工数增加了21%,从319 867人增加到386 558人,但其美国员工数却从152 195人减少到126 804人,减少了17%。与此类似,从2002年到2007年,惠普的全球员工数增加了22%,从141 000人增加到172 000人,但其美国员工数却下降了21%,从67 350人减少到53 519人。2007年英特尔的全球员工数为85 187人,较2001年增加了2%,其美国员工数为46 186人,减少了15%。①

21世纪以来,虽然某些美国公司的美国员工也有所增加,但远不及外国员工的增加速度。在2000年到2008年间,微软的美国员工数增加了一倍,从27 000人增加到55 000人,但其占公司全球员工的比例却从69%下降到60%。思科系统公司的美国员工数从2000年的25 000人增加到2008年的37 400人,但其占公司全球员工总数的比例也从74%下降到57%。②

美国高科技公司的海外转移并不是什么新事物。几十年以来,美国的信息通信技术公司一直在有条不紊地将其生产制造业务转往国外,其主要方式是海外直接投资(FDI)。以往的海外转移主要是为了寻求低工资的劳动力,从事一些技能要求较低的工作。21世纪以来的新发展在于范围的改变——还是寻求低工资的劳动力,却令其从事一些需要较高技能的工作。在21世纪头10年,美国的信息通信技术公司已经能够从发展中国家,特别是印度和中国大量获得此种劳动力的来源了。

自20世纪60年代以来,亚洲发展中国家政府和企业的发展战略与美国信息通信技术公司的投资战略以及美国政府的移民政策相互交织,造成了劳动供给的全球化。这一进程推动美国的资本流向亚洲的劳动,以及亚洲的劳动流向美国的资本。其结果是,一种从事高科技工作、从而提升自身生产能力的机遇豁然展现在亚洲国家的众多劳动者面前。其中许多人在本国获得了相关的教育和工作经验,另有不少人则是通过全球职业道路,包括出国——特别是赴美留学和求职来获得此种教育和经验。

对于亚洲的发展中国家来说,这种全球职业道路可能会给它们带来"人才外流"(brain drain)的危险,如果其海外游子的职业生涯全部贡献给美国(或其他发达国家)而脱离其生长于斯的祖国的话。但对于韩国、中国台湾、中国大陆和印度这些曾经历过人才外流的国家和地区来说,其国民在美国接受的教育和获得的工作经验也可以成为一种宝贵的"人力资本"(human capital),而且可通过诱导而回归本土。这些亚洲国家和地区面临的主要挑战

---

① 资料来自这些公司的全球公民(global citizenship)报告,刊登在其官方网站。

② 资料来自其10-K报告。

在于,它们必须通过发达国家的海外直接投资、政府的推动和本土企业的成长等多种手段相结合的方式创造足够的就业机会,从而使其走上全球职业道路的国民回国效力,进而把"人才外流"转化为"人才引进"(brain gain)。

亚洲的教育和经济增长

从1970年到2000年间,韩国的人均实际GDP增长了7.5倍,中国台湾增长了5.4倍,新加坡增长了4.7倍,中国香港增加了3.7倍,并因此而获得"小虎经济"(Tiger economies)的称号。在此期间,日本从一个较"四小虎"高得多的基点起步,人均实际GDP增长了2.2倍,美国则增长了1.9倍。与此同时,日本的人均GDP从相当于美国的35%增加到相当于75%,韩国从13%增加到51%,中国台湾从20%增加到59%,新加坡从30%增加到79%,中国香港从38%增加到76%(Maddison 2007)。受人均GDP增长支持并体现出的工资增长并没有损害日本和小虎经济在信息通信技术产业的竞争优势,相反,通过强化本土劳动力的技能和努力程度,以及扩大本土产品市场并使之受到一定程度的保护,工资的提升反倒成为经济增长的内在动力。

这种迅猛的经济增长离不开政府积极且有意识的推动,从而为本国通信和教育基础设施的建设以及本国高技术知识基础的发展奠定了基础。中央和地方政府还对企业发放补贴,不论其来自本国还是外国,以利用这些基础设施和知识基础来打造最终具有本土和国际竞争力的产品(例见Amsden 1989; Amsden & Chu 2003; Branscomb & Choi 1996; Breznitz 2007; Ernst 2002; Hobday 1995; Jomo, Fulker, and Rasiah 1999; Kim 1997a; Lazonick 2007c; Lu 2000; Mathews & Cho 2000; Saxenian 2006; Wade 1990)。政府和企业对本土高科技能力的投资创造了大量的高技术就业机会。只要这些投资能够形成较以往更高的生产率,它就能对国民经济的增长有所贡献。一般说来,这种生产率的提升会有一部分转化为较高的劳动报酬,从而在某种程度上削弱这些国家此前享有的低工资优势。由于其他正在发展其生产能力的低工资国家的竞争,经济增长导致的高工资会形成一种强迫机制,促使其所在国通过挺进高附加值的生产活动实行工作岗位的"升级"。作为一种动态的国家投资战略的组成部分,较以往报酬更高的高技术就业机会的出现既是经济持续增长的原因,也是其结果。

政府用来支持经济发展最具基础意义，同时最为浩繁的支出莫过于对初等、中等和高等教育的投资了。日本自19世纪末以来对教育的持续投资为其20世纪50年代的经济起飞奠定了基础。由于早在1886年就立法要求初等教育具有强制性和全面义务性，1909年时日本已有98%的适龄儿童上了小学(Koike & Inoki 1990，第227～228页)。日本在19世纪末还建立一种为产业直接输送毕业生的高等教育体系(Yonekawa 1984)。此外，日本的企业从19世纪末起就将其大学毕业的员工派遣到海外并长期逗留，以学习西方的科技(Fukasaku 1992; Matsumoto 1999)。对二战后日本经济发展最具重要性的则是日本的工业企业把受过大学教育的工程师融入企业的管理组织，而且几十年来一贯如此(Morikawa 2001，第62～63页)。

由于此种教育投资，1960年日本15岁及以上的青少年的失学率仅为2.4%，全日本人均就学年限为7.8年(美国同期的数据分别为2.0%和8.5年)。与此相对照，韩国1960年的适龄人口失学率达42.8%，中国台湾达37.3%，新加坡达46.2%，中国香港为19.7%；这些国家和地区的平均就学年限大约为4到5年(Barro & Lee 2000)。对于那些有可能跻身“虎国”行列的国家以及其他亚洲国家如马来西亚、印度尼西亚、菲律宾和泰国来说，如何将自身的国民教育体系转化为产业发展的基础仍是一个亟待解决的重要课题。

1960年以后，韩国的教育体系发生了根本的转变。1980年，韩国15岁及以上人口的平均就学年限已达7.9年，2000年更升至10.8年，超过了日本同年9.5年的平均水平，距美国12.0年的水平仅一步之遥。在20世纪90年代末，韩国的人均博士数上升为全球第一(Kim & Leslie 1998，第154页)。

2000年，印度15岁及以上人口达6.8亿人，而韩国仅为3 700万人，但印度从未完成大众教育体系的根本性转变。1960年，印度15岁及以上人口的失学率达72.2%，平均就学年限为1.7年。2000年，印度的失学率仍高达43.9%，平均就学年限为5.1年。21世纪头10年的前半期，印度的人口占世界的六分之一，但其文盲数却超过了世界文盲总数的三分之一(EFA Global Monitoring Report 2007，第276，278，284～287页)。

然而，在此期间，印度却成为全球信息通信技术产业工程师和编程员的主要供应地。这种局面根源于20世纪50年代和60年代印度政府的投资；当时印度决定效法美国麻省理工学院的模式建立一批理工学院(Bassett 2005; Sebaly 1972)。1952年在西孟加拉邦的Kharagpur建立的印度理工学院

(India Institute of Technology, IIT)首开其先河(Bassett 2005; Shenkman 1954,第 28 页),接着,根据 1959 年的议会法案又设立了 IIT 坎普尔分院(IIT Kampur),后来发展成印度最好的理工学院。在 1962 年到 1972 年间,IIT 坎普尔分院得到了坎普尔印美计划(Kampur Indo-American Programme, KIAP)的援助,九所美国大学组成的学团帮助该校建立了实验室并确定了学术课程的内容。

20 世纪 60 年代末,印度成为仅次于美国、全球大学在校生人数位居第二的国家,尽管其人均大学生的比例仍非常之低(Ilchman 1969,第 783 页)。虽然 IITs 也造就了一批工程专业的精英毕业生,但其学员大多为理科专业。1975 年到 1990 年,印度共授予理科学士学位 1 907 944 个,相当于同期美国授予数的 97%以上;在 80 年代末,印度每年授予的此类学位数已超过了美国。印度培养的工科毕业生数量没有这么惊人,但也相当可观: 从 1975 年到 1990 年,其相当于美国年工科毕业生的比例从 35%上升到 45%(National Science Foundation 1993,附表 A-3)。

与此相对照,中国大陆更注重培养工程师而非科学家。1982 年到 1990 年间(有数据可考的最近年份),中国大陆毕业的工科大学生比日本 1975 年至 1990 年毕业的同类学生多 29%,比美国多 35%,比中国台湾、韩国和印度的合计总数多 72%。从 1975 年到 1990 年,韩国每年授予的工科学士学位翻了两番,中国台湾和印度各翻了一番。从 1990 年到 2000 年,印度的工科在校生从 258 284 人增加到 576 649 人(Government of India 2002, 2003),而中国大陆授予的工科学士学位数从 114 620 个增加到 212 905 个,韩国从 28 071 个增加到 56 508 个。更为突出的是,在 21 世纪头 4 年,中国大陆授予的工科学士学位数翻了一番多,在 2004 年达到 442 463 个。在此期间,韩国授予的工科学士学位增加到 70 034 个(National Science Board 2004, 附表 2-34; 2008,附表 2-38)。

表 5.1 显示了有数据可考的最近年份亚洲 5 个主要国家和地区及美国每 10 万人口中年龄在 25～34 岁的理工科博士学位获得者人数。由此观之,虽然美国在物理和生物学方面领先于亚洲诸国和地区,但在工程领域却落后于韩国、日本和中国台湾。从人均水平来看,中国大陆和印度仍处于很低的位置;两国在理科方面不相上下,但中国大陆在工科领域却遥遥领先。

表 5.1 有数据可考的最近年份亚洲 5 个主要国家和地区及美国每 10 万人口中年龄在 25～34 岁的理工科博士学位获得者人数

国家/地区	年份	所有理工学科	物理/生物学	工程学
中国大陆	2004	10.1	3.1	5.5
印度	2003	4.6	3.3	0.6
日本	2005	41.3	8.3	21.1
韩国	2004	44.0	9.8	25.4
中国台湾	2005	37.0	7.2	20.2
美国	2006	66.2	25.1	14.6

资料来源：National Science Board (2008,附表 2－40)；population statistics from U. S. Census Bureau (2008d).

然而,美国的数据包含了相当一部分非美籍或不在美国长期居住的人士,其中很多来自亚洲。早在 1964 年至 1970 年,年平均持有非移民签证在美留学的外国工科学生数即达 25 656 人,其中来自中国大陆及中国台湾的占 18.6%,来自印度的占 16.2%,来自韩国的占 2.5%。2003～2004 年间,在美国求学的 279 076 名外国研究生中,66%来自亚洲,其中 22.6%来自印度,18.2%来自中国大陆,8.9%来自韩国,5.4%来自中国台湾(Institute of International Education 2005)。2005 年,持有临时签证的外籍人士获得美国当年授予的工程硕士学位总数的 43.6%,而 1995 年和 2000 年的比例分别为 33.9%和 38.2%;2005 年,外籍人士还获得美国授予的工程博士学位总数的 58.6%,而 1995 年和 2000 年的相应比例分别为 42.1%和 46.0%。2005 年,持有临时签证的外国人还获得全美数学和统计学 38.6%的硕士学位及 50%的博士学位;在计算机科学领域,其所占比例分别为 42%和 52.7%(National Science Board 2008, 附表 2－30 和附表 2－32)。2007 年,印度人和中国人在持有临时签证的工程学专业研究生中的比例分别为 44%和 20.3%,在数学专业研究生中的比例分别为 10.5%和 41.5%,在计算机科学专业研究生中的比例分别为 55.2%和 15.0%(附表 2－24)。

在 2002～2005 年间,在美获得工程博士学位的非美国公民中 46%已经落实毕业后“计划继续留在美国”,而 1998 年至 2001 年间该比例为 51%。具有这种打算的中国人的比例为 56%,印度人为 63%,而 1998～2001 年间则分别为 62%和 70% (National Science Board 2008,附表 2－33)。20 世纪 90 年代末研究生临时签证转为绿卡的条件大幅放宽，似乎是该比例居高不下的原因之一（Vaughan 2003）。只要这些外国毕业生滞留美国不归，他们就会成为其祖国人才外流的一个因素。

人才外流

只有在本国经济内部存在高技术就业机会，从而可以对受过相关教育的劳动力加以生产性利用的条件下，高科技教育投资才能对发展中国家的经济增长做出直接的贡献。反过来，劳动者的就业经验也会增进其生产能力，特别是在那些采用高精尖技术的行业。如果发展中国家对科学家和工程师的教育进行了投资，但吸引这些大学毕业生的就业机会却出现在海外而不是国内，人才外流的问题就会不期而至。

在20世纪60年代和70年代，这种科学和工程领域的人才外流曾一度对亚洲的一些发展中经济体造成严重的困扰（Adams 1968；Fortney 1970；Pernia 1976；Van der Kroef 1968）。20世纪60年代末，亚洲超越欧洲，成为美国科学家和工程师的头号输出地（Schmeck 1973）。人们指责美国拿走了这些新兴工业化国家最好的东西，利用它们节衣缩食培养出来的人才来发展美国的高技术能力。

1965年的《美国移民和入籍法》（U. S. Immigration and Naturalization Law）是造成亚洲人才外流问题的重要推手；该法废除了原先规定的限额，以便引进那些对美国"特别有用"的人才（Fortney 1970，第217页）。在1967年移居美国的41 652名专业、技术及相关人士中，工程师占总数的近21%，是其中最大的类别。1966年移民美国的工程师达4 921人，相当于同年美国工程专业毕业生的9.5%。Fortney（第218页）总结道："原来的法律非常歧视那些'有色'国家，特别是亚洲国家的居民。来自亚洲的专业、技术及相关人士组别的移民人数在1965至1966年间翻了一番多（从2 078人增加到5 628人），在1966至1967年间又增长了一倍（从5 628人增加到12 282人）。"

1956年至1972年，在中国台湾赴海外留学的3万名大学毕业生中，只有2 586人回到本土（Ho 1975，第40页）。未归者中大约60%是理工科专业的，而且往往是最好的学生，因而加大了损失。20世纪50年代和60年代，韩国的人才外流问题也相当严峻。1953年至1972年间，共有10 412名学生（其中

5 376名为理工科专业)向韩国教育部提交了赴美留学的申请,而学成未归者超过总数的 90%(Yoon 1992,第 6 页)。1974 年至 1988 年间,移民科学家和工程师占美国全部科学家和工程师的比例从 5. 8%升至 10. 5%,前五位来源地分别为印度、英国、中国台湾、波兰和中国大陆(Arnst 1991; North 1995,第 6 页)。

1990 年的《移民法》(Immigration Act)把劳工类移民签证(含家属)发放的年度限额从 5. 4 万份增加到 14 万份。1996 年到 2000 年间,享受各类优先的劳工类移民签证(employment-based preferences, EBP)占移民总签证数的比例为 11. 6%,2001 年到 2004 年上升到 15. 7%,尽管在 2003 年曾出现大幅度的暂时下降。从 1996 年到 2004 年,454 000 名印度人获得了绿卡,其中 190 000人是凭就业资格优先获得的。1996 年,印度人获得的劳工类移民签证占该类签证总数的 8. 4%,在 2002 年至 2004 年上升到 24. 7%,2007 年下降到 12. 3%(Immigration and Naturalization Service 1999, 2000, 2002a, b, 2003; U. S. Department of Homeland Security 2003a, 2004a, 2006a, b, 2007, 2008)。在 1998 年以前,中国一度成为最大的签证获批国,1996 年的占比为 13. 9%,1997 年为 15. 4%,但在 2007 年跌至 6. 8%。

H - 1B 和 L - 1 非移民工作签证也是促成亚洲受过高等教育的人群流入美国高技术工作岗位的一个重要原因。自 1993 年超过菲律宾后,印度一直是获得 H - 1B 签证最多的国家(U. S. Department of State 2009)。在 2000 年到 2003 年间,印度共获得同期签发的总数为 547 000 份 H - 1B 首次签证的 57. 0%,以及 457 000 份续期签证的 48. 0% (U. S. Department of Homeland Security 2003b, 2004b, 2006c)。中国居第二位,但远远落后于印度:共获得首次签证的 9. 5%和续期签证的 7. 7%。在 1997 年至 2008 年这 12 年间,印度人获得的 H - 1B 签证占同期签发总数的 45. 7%,中国人和英国人分居第二、三位,各获得 5. 8%和 4. 9%的该类签证。

在 2000 年超过英国和日本后,印度也成为获批 L - 1 签证的头号大户。发达国家的跨国公司(MNCs)一直是申领 L - 1 签证的主要策动机构。印度获得的 L - 1 签证在 1997 年占签发总数的 4. 4%,2008 年上升到 47. 7% (U. S. Department of State 2009)。2008 年位居其后的分别是英国、日本、法国和德国,其所占比例分别为 7. 5%、6. 4%、3. 5%和 3. 5%。因此,无论就移民还是非移民而言,在美求学或求职者均以印度人为首。

H－1B签证主要是一种高技术工作者签证。在2000年至2003财年，该签证98％的获批者拥有学士以上的学位。在2003财年，其获得者的构成为：50％拥有学士学位，31％拥有硕士学位，12％拥有博士学位，另有6％拥有专业学位(亦称职业学位，professional degrees)。该签证持有者的最大职业类别为“计算机相关”类，占总数的39％；其后是“建筑、工程和测量”类(12％)、“教育”类(11％)及“医药和保健”类(11％)(U. S. Department of Homeland Security 2003b, 2004b, 2006c)。

根据对此前法律加以修改后的1990年《移民法》，H－1B签证的有效期为3年，经过再申请可延期3年。H－1B签证持有者可申请永久居留(即移民)，而聘用他们的企业往往会支持这些非移民提出此种申请。根据1998年的《21世纪美国人竞争力法》(American Competitiveness for the 21st Century Act)，H－1B签证持有者在等待永久居留权审批时可获得为期一年的签证延期，因此有人辩称H－1B签证并非一种非移民签证，而是一种“移民预备”(preimmigrant)签证。2001年，超过228 000名非移民签证持有者成为了美国永久居民(Vaughan 2003)。而且，离开美国一年以上的H－1B签证前持有者可通过新的H－1B签证在美国工作，有效期同样为3年，且可获得3年延期(Yale-Loehr 2003a)。

L－1签证创设于1970年，它使跨国公司(MNC)，无论是美国的还是非美国的，可以将其外国雇员调入在美国的公司或分支机构进行工作。这些跨国公司的“内部调派人员”必须在过去三年间在该企业连续工作至少一年，并且“担任管理或经理级职务或某种使其可获得专门知识的职务”(Yale-Loehr 2003b)。经理和管理人员可凭L－1A签证在美工作最多7年，而拥有专门知识者可凭L－1B签证在美工作最多5年。

L－1签证的发放并无年度限额；1990年的移民法生效前H－1签证也是这样。[①] 20世纪80年代，H－1签证开始大行其道，其签发数从1969年的1万份增加到1979年的2万份，到1989年则猛增至4.9万份(Lowell 2000，第3页)。1990年10月，即1990年的移民法通过前夕，*Electronics Weekly*(1990)报道称：“美国的电子公司对拟议中的移民法修改忧心忡忡，该法将限

① 针对具有“突出特长和能力”的外国人的H－1签证变成了H－1B签证，是因为根据1989年《护理救助移民法》(Immigration Nursing Relief Act)，专门为注册护士建立了一个名为H－1A的签证类别(Mailman & Yale-Loehr 2003)。

制其雇用外国员工的数量。美国的电子公司对来自海外的工程师和其他训练有素的员工依赖甚深。"

英国一份名为*Computing*的杂志警告说:"英国数以千计的编程员和分析师的工作受到了限制工作签证的移民法的威胁"。该文引用国家半导体公司首席执行官查尔斯·斯波克的言论,称在其公司的某些部门"海外员工的占比至少在三分之一";该文还引用微软的一位发言人的说法,称该公司对外国编程员非常倚重(Foremski 1990)。

与现在一样,是否存在高技术"劳动短缺"的问题当时也是一个非常政治敏感的话题(参见 U. S. House of Representatives 1990)。20 世纪 80 年代末,国家科学基金会关于美国科学家和工程师的短缺已迫在眉睫的预测使美国的高技术行业可以理直气壮地要求采行劳工类移民签证以及 H－1 和 L－1 非移民签证(参见 Weinstein 1998)。在 1990 年移民法通过前夕的国会听证会上,劳动经济学家魏农·布瑞格(Vernon Briggs)赞成对高科技签证的发放加以限制:"我坚信劳动短缺是一件好事,我们应当放任这种压力的存在,"他说道,"因为它迫使我们对教育和保健以及反歧视政策等诸多问题进行正确的反思,各种恰当的政策将因此得以形成。"(U. S. House of Representatives 1990,第 298 页;引自 Weinstein 1998)

斯隆基金会(Alfred P. Sloan Foundation)的项目官员、人口统计学家迈克尔·泰特尔鲍姆(Michael Teitelbaum)也对那种屈从于企业界"劳动短缺"论及以此为依据的立法持反对态度。他指出:"许多企业雇主和非专家所谓的'劳动短缺'其实来自企业所需的技能与美国教育体系所提供的技能之间的错配。因此,应当把重点放在教育和在职培训体系上,使之更有效地与劳动需求匹配,就像德国和日本所做的那样。"(U. S. House of Representatives 1990,第 572 页;另见 Teitelbaum 1996)

然而,在 1990 年移民法的最后通过阶段,企业界占了上风。该法将 H－1B 签证的年度限额定在 6.5 万份,比 1989 年的实际签发数多出 16 000 份,而劳工界的提议仅为 2.5 万份。这种改变是企业界游说活动的成果(例如,参见 Szabo 1989)。在 1988 年当选为美国移民律师协会(American Immigration Lawyers Association)总裁时,罗纳德·克莱斯科(Ronald Klesko)宣称:"今年将是一个企业移民年。我们将着力建立一个由企业领袖、商会、人力资源团体、企业顾问、州开发机构的领导人和移民专业律师组成的联盟"(PR

Newswire 1988)。1990 年 11 月,在新移民法即将被布什总统(George H. W. Bush)签字批准的前夕,为游说新法而成立并代表 250 家公司和企业联合体的企业移民联合会(Business Immigration Coalition)的协调官哈里斯·N·米勒(Harris N. Miller)在接受《纽约时报》记者采访时说道:"我们特别关注人才,尤其是科学和工程、计算机科学和数学方面的人才短缺问题。"(DePalma 1990)在新移民法已经出台的 1991 年,米勒表示:"关于劳工替代问题的争论让我们以前总是会输,我们的成功是因为我们把它转换为关于竞争力的讨论。"(Lee 1991)

如今,作为院外活动的核心人物,米勒仍然在为全球信息通信技术产业的劳动力自由流入美国而游说。1995 年,米勒当选为美国信息技术联合会(Information Technology Association of America, ITAA)的总裁,并一直任职到 2006 年(那年米勒辞职参加民主党弗吉尼亚州参议员提名的竞选,但未获成功)。作为信息通信技术业的最大行业协会,ITAA 堪称院外活动的主力;在该协会的努力下,1998 年《美国竞争和劳动力改善法》(American Competitiveness and Workforce Improvement Act)得以通过。该法将 1999 和 2000 财年 H-1B 首次签证的上限提高到 11.5 万份。① 2000 年的《21 世纪美国人竞争力法》又把 2001～2003 财年该签证的上限提升至 19.5 万份。2003 年 10 月 1 日以后,年度限额又恢复到 6.5 万份,但另有 2 万份签证可发给那些外国出生但在美国高等院校获得高级学位者(U. S. Citizenship and Immigration Services 2005)。②

2007 年和 2008 年,国会曾就增加 H-1B 签证展开辩论。然而,此时 H-1B 签证限额的改变必须与移民法的整体改革捆在一起;后者的焦点在于非法移民(几乎全部是受教育程度很低的低收入者)的身份合法化问题。由于未能获得修改非法移民立法的足够票数,高科技行业企业界关于增加 H-1B 签证限额的努力也受此连累而搁浅。

支持增加 H-1B 签证限额的组织中有一家叫做"竞争美国"(Compete America)的企业公会;它由 16 家公司组成,包括 Analog Devices、思科系统、谷歌、惠普、英特尔、International Rectifier、微软、摩托罗拉、国家半导体、甲骨

---

① 财政年度的起止期为 10 月 1 日至次年 9 月 30 日。

② 在每年可签发的 65 000 份签证中,根据美国与智利和新加坡的贸易协定,有 6 800 份须发给这两国国民。如果这 6 800 份签证未用完可补充到次年的额度中。

文、高通和德州仪器(Compete America 2008)。在2007年国会举行的听证会上,微软的比尔·盖茨这样阐述增加H-1B签证限额的理由:

> "不幸的是,在我们迫切需要世界最优秀、最出色的人才之时,美国的移民政策却把他们拒之门外。高技能人才签证的严重不足并非出自我们的安全考虑,而是因为过去15年以来我们的签证政策始终跟不上形势。我们现在生活在一个全新的经济时代。简而言之,如果我们告诉那些训练有素的高技能人士——其中很多出自我们的顶尖大学——美国不欢迎且不重视他们,这种做法是毫无意义的。但对于如此之多的外国学生和专业人士来说,我们的移民政策所传达的正是这样的信息。"(Elstrom 2007)

反对增加H-1B签证限额的论据来自两位美国参议员——艾奥瓦州的查尔斯·格拉斯利(Charles Grassley)和伊利诺伊州的理查德·德宾(Richard Durbin)所提供的信息。他们指出,该类签证的大头被印度的信息技术服务公司拿走了;2006年,它们占据了H-1B签证前5家最大使用者的4席,最大20家使用者的10席;[①]这4家印度公司——Infosys Technologies、Wipro、Tata Consultancy Services (TCS)和Satyam计算机服务公司合计持有14 836份H-1B签证。2007年,H-1B签证的获得者较为分散,但Infosys仍位居第一,成功申领了4 559份签证;Wipro位居第二,申领了2 567份签证;Satyam位居第三,申领了1 396份签证,TCS位居第六,获批797份签证——四家公司合计共获得9 319份签证。这些公司也是L-1签证的大户,其中TCS位居首位,2006年共获得4 887份此类签证。一家分拆自Dun and Bradstreet公司的新泽西州的公司Cognizant Technology Solutions——其雇员的四分之三在印度——2006年位居第二,同时也是H-1B签证的第六大用户(Press Trust of India 2007)。实际上,几乎所有以L-1和H-1B签证大量雇用非移民的美国信息通信技术公司均在印度拥有为数可观的员工。

---

① 这一信息刊登在Grassley参议员的官方网站,网址为http://grassley.senate.gov/issues/upload/03072008.pdf.

美国海外直接投资对遏制亚洲人才外流的历史作用

在20世纪的最后40年,众多来自世界各地,特别是亚洲受过充分教育的人士,其职业道路是通过在美国接受专门教育和获得专业工作而展开的。经历过人才外流的发展中国家所面临的挑战是必须创造本土的就业机会,使这些人能够带着他们学成的本领回归祖国;或者,通过就业机会的创造,使本国培养的高校毕业生不必出国深造并发展自己的高科技职业生涯。

从历史上来说,亚洲国家本土就业机会是在20世纪60年代、美国的微电子技术企业将半导体装配业务转移到海外时开始形成的。如第2章所述,随着贝尔实验室在1947年发明了晶体管,以及冷战军费开支的支持,一大批美国公司,包括西部电气、Raytheon、通用电气、RCA、Westinghouse、IBM、德州仪器、摩托罗拉以及1957年以后的仙童半导体使美国成为全球半导体产业的中心(Tilton 1971)。然而,从20世纪50年代末开始,日本企业成功完成了半导体技术的转移,使美国的公司备感压力(Flamm 1985,第70页)。20世纪60年代初,美国的半导体制造商开始考虑把一些劳动密集型的装配工序转往低工资的海外。

在就任国家半导体的首席执行官之前,查尔斯·斯波克曾于1961年至1967年在仙童半导体主管制造业务;在其回忆录(2001,第95页)中,他这样回忆仙童在60年代初率先将晶体管组装业务转移到亚洲的举措:“仙童1963年在香港创办的制造厂是美国半导体公司在东南亚建立的第一家制造企业。该厂立刻为我们带来了劳动成本和管理费用上的优势,并且在一夜之间对德州仪器、摩托罗拉和其他推行装配自动化的公司造成了威胁。实际上,我们开创了一个将组装线转往东南亚的新潮流,随着时间的推移,许多企业纷纷效仿我们的做法。”

1971年,一份联合国报告指出:“似乎所有较有规模的美国半导体公司都在进行海外组装”(Chang 1971,第17页)。该报告列举了22家美国半导体公司于1963年至1971年间在海外建立的33家工厂,其中8家公司来自硅谷,在海外共拥有16家工厂(第19~20页)。1972年以后,马来西亚成为半导体组装的首选地,惠普和英特尔是第一批在槟城自由贸易区办厂的公司。1974年,美国的半导体公司已在马来西亚开设了11家工厂,在韩国开设了9

家,在中国香港开设了 8 家,在中国台湾开设了 3 家,在亚洲其他地区开设了 6 家;另外在拉美国家还有 15 家工厂,主要集中在墨西哥(Davis & Hatano 1985,第 129 页)。

到 1970 年,所有仍留在美国的半导体组装线均实现了自动化。但快速的技术进步使这些组装线变得落伍,而勤奋且工资低廉劳动力的充分供给则使企业更乐意在一些发展中国家采用劳动密集型的制造方式。到 20 世纪 80 年代前半期,美国半导体批发生产商 80%的组装量在海外完成,留在美国的组装业务大都是面向军方采购的(Davis & Hatano 1985,第 129 页)。

美国的关税政策为海外转移提供了便利。美国关税表的 806.30 和 807 税则号允许从美国出口用于海外组装的货物在组装完成再进口美国时仅就其海外增值部分征税。按 1967 年美元不变价计算,1969 年“806/807”税则下的美国半导体进口总值为 1.3 亿美元(占当年半导体进口总值的 95%),1979 年上升至 22.67 亿美元(占当年进口总值的 79%),1983 年更升至 33.68 亿美元(占当年进口总值的 69%)(Flamm 1985,第 74 页)。

直到 1974 年,墨西哥仍然是 806/807 项下半导体出口的头号大户。但在 1975 年以后,其所占比例出现了急剧下降(Flamm 1985,第 76 页)。20 世纪 70 年代,新加坡、中国香港、韩国的半导体组装工人的每小时平均工资不足美国的十分之一,大约相当于墨西哥的一半(Chang 1971,第 27 页; Sharpston 1975,第 105 页)。半导体产品相对较高的价值和较低的重量意味着墨西哥毗邻美国的区位并不能为其带来超越亚洲的足够优势(Davis & Hatano 1985,第 129 页; Flamm 1985; Moxon 1974,第 35~36 页)。就亚洲内部而言,20 世纪 70 年代和 80 年代初期,806/807 项下的组装业务逐渐从中国香港转移到马来西亚和菲律宾,而韩国和新加坡的份额则基本保持不变。1985 年,美国在亚洲的半导体工厂达 63 家,雇员数几乎达到 10 万人(Henderson 1989,第 54,59 页;Scott 1987,第 145,147 页)。

虽然半导体芯片海外组装的动机在于追求低工资的劳动力,但工资极低的一些国家,如印度尼西亚和泰国并没有得到太多的重视;其他一些因素,特别是政治稳定性和劳动生产率也是重要的选址条件。例如,Signetics 韩国公司的经理詹姆斯·斯托克斯(James Stokes)在 1967 年曾说过,“如果我们只考虑低工资,我们就应该去非洲”(纽约时报 1967)。摩托罗拉位于首尔郊区的组装厂的经理乔治·尼达姆(George Needham)在 1970 年对该厂的来访者表示，韩国的女工学会组装的时间要比其美国同行少两周，“这儿的女孩更有干劲。生活在这个国家是艰难的；这些人真的很需要这份工作”。他宣称韩国的生产成本仅为该公司半导体业务的总部——亚利桑那州菲尼克斯市摩托罗拉厂的十分之一(Shabecoff 1970，第57页)。

然而，在20世纪60年代和70年代，韩国及许多其他亚洲国家可以向跨国公司提供的东西并不只是低工资和勤奋工作的组装女工。即使在工资水平上升后仍然使海外转移投资不断流入的一个重要因素，是外国的半导体公司在20世纪60年代和70年代继续雇用低工资的(女性)劳动力从事低技能生产工作的同时，它们也找到了一些工资相对较低的(男性)劳动力从事高技能的工程和管理工作。到20世纪80年代中期，所有这些亚洲国家和地区均开始步入从工资相对较低的经济体向工资较高的经济体的转变期。本土高技能劳动供给的形成对生产能力的升级，从而在工资水平已经升高的形势下继续保持这些国家信息通信技术产业及海外工厂的竞争力至关重要。

甚至在20世纪60年代初，这种高技能劳动力的重要性已经查尔斯·斯波克关于仙童在1963年进入中国香港寻求低工资组装工人的前述著作中有所体现；他写道：“尽管我们来香港是为了直接节省劳动成本，但我们发现还可以极低的费用请到工程师和管理人员。他们中的许多人曾在美国留学或受训，他们是非常能干的技术员和生产一线管理者。能够获得这样的员工并展现出其整体水平，使我们的海外转移决策立马获得了成功。”(Sporck 2001，第95页)

美国的半导体企业在20世纪60年代和70年代把其组装业务转移到海外，同时可以在当地找到合格的工程师，这一事实意义重大，也是世界银行(1993)所谓“东亚奇迹”(East Asian miracle)这一故作神秘的说法的一个重要理由。亚洲的经济转变不仅有赖于训练有素的高技术劳动力的存在，而且有赖于可以使这些劳动力对经济增长进程发挥作用的就业机会的创造。韩国、中国台湾、新加坡和马来西亚自20世纪70年代以来，以及世界上人口最多的两个国家——印度和中国自20世纪80年代以来的生产能力的升级是开发型政府和创新型企业的投资战略，以及从事高技术职业的高学历个人三者之间相互作用的结果。

韩国人才外流局面的反转

在1993年发表的关于亚洲科学和技术人力资源开发的报告中，美国国家科学基金会(1993，第1页)写道："拥有高技术经济成分的亚洲国家将与美国争夺那些在亚洲出生的美国大学毕业生。更多的人可能会回到亚洲，虽然亚洲的科学家和工程师将继续加入美国的劳动大军。"自20世纪60年代末以来，韩国在推行旨在扭转人才外流的各种政策方面尤为积极主动。Bang-Soon Yoon (1992，第5页)在其关于这一进程的研究中指出："韩国的人才外流扭转(reverse brain drain，RBD)模式在世界上是史无前例的，而且非常成功……人才外流已不再被韩国的政策当局视为一个社会问题了。"

这种转折是怎样实现的？到20世纪90年代，韩国和中国台湾的信息通信技术产业的发展已经创造了诸多工资足够高且颇具挑战性的就业机会，来吸引其在海外获得高科技教育和工作经验的居民的回归。以中国台湾为例，在1993年至1996年间，每年回归的人数平均在6 000人以上(Saxenian & Hsu 2001，第905～906页)。这是一个动态的历史进程：人才外流的反转既是产业成功发展的结果，也是其原因。20世纪60年代和70年代开发型政府和创新型企业的投资战略，以及由此形成的高等教育质量的提高和面向本土高技术劳动力的就业机会的创造，是这种反转得以发生的必要条件。

外国直接投资

从一开始，跨国公司于20世纪60年代和70年代进入韩国和中国台湾寻求低工资劳动力从事劳动密集型的组装业务的举动就形成了一些对大学毕业生的需求。随着这些公司投资于具有较高附加价值的生产活动，高端人才的就业机会亦相应增加。在外国直接投资(FDI)带来的技术转移的刺激下，当地政府开始对研究机构和研究生教育进行投资，以建立本土的知识基础。这些研究机构和教育项目本身就可形成一些颇有吸引力的本地高技术就业机会，更重要的则是它们对韩国和中国台湾本土企业的崛起，进而跃居世界级竞争者之列所提供的支撑作用。在很多时候，那些高学历、经验丰富并已经在美国获得职业成功的韩国人和台湾人对本土高技术研究机构和公司的建立发挥了关键性的作用(中国台湾的例子可参见Saxenian 2006，第4、5

章),但这些本土公司的绝大多数雇员是由本国培养出来的。

在首先进入韩国的美国跨国公司中,摩托罗拉对人才外流趋势的扭转贡献良多(Lee 1998)。1967年,摩托罗拉培训了50名韩国工程师,通过他们创办了拥有300名员工的摩托罗拉韩国公司(MK)。1972年,MK成为韩国最大的电子公司,无论以销售额还是出口值来看均是如此(Bloom 1992,第38页)。两年以后,MK的雇员达到5 000人,起初的50名工程师中仍有三分之二留在该公司(Behrman & Wallender 1976,第267, 299页)。正如Behrman和Wallender(第270页)在关于摩托罗拉向MK转让技术的详细案例研究中指出的,这家韩国子公司"实际上是由韩国的工程师经理管理的,因为所有的制造单位均在韩国人的控制之下,只有总经理是美国人,而且还是财务出身的……随着企业规模的扩大,韩国的管理人员几乎都是从'内部选拔'的,其年龄均在30岁出头,而且都是凭自己的学历和能力而获得其职位的"。①

由于自动化,MK的员工数在1988年减至3 800人,其中半导体部门的雇员为2 100人。此后,韩国进入超越"新兴工业化"的阶段,工人开始要求更高的工资和更好的劳动条件;1988年12月,当一批工人携带汽油桶占领了计算机房并扬言要自焚后,摩托罗拉关闭了在韩国的工厂(Reuters News 1988)。虽然在全球各地的工厂均无工会,摩托罗拉还是承认了其韩国工厂的工会地位,但回绝了工会的部分要求。一周之后,该厂又重新开张了(*Electronic Buyers' News* 1989)。

1989年5月,《商业周刊》的一篇文章提出质疑:"低成本的亚洲劳动力时代是否已经结束?"并自问自答说,"工资的上涨和工会的抗争正在使一些公司卷铺盖回家"(Yang & Nakarmi 1989)。在美国芯片公司中,国家半导体公司由于正在进行全球生产能力的合理化,关闭了在韩国的工厂,解雇了250名员工(Clark 1990; Electronic World News 1989)。但摩托罗拉从未打算离开韩国,部分原因是它正力图成为韩国无线通信的主要供应商。截至1993年底,摩托罗拉在韩国雇用了2 500人,自1967年在韩国设厂以来,共发运了价值32亿美元的电子产品(*Business Korea* 1994)。

1996年,MK开始在首尔以北40英里处的坡州(Paju)建立一座生产无

① 关于1967~1974年制造部门经理的内部职业道路的详细介绍见Behrman & Wallender (1976,第300~302页)。

线产品并进行半导体封装的新式制造中心(*Korea Economic Weekly* 1999)。接着,在 1998 年,即亚洲金融风暴期间,摩托罗拉承诺将在未来三年在韩国投资 3 亿美元。该投资的第一笔被用来在坡州的芯片工厂建立一所软件设计中心,其初始规模为 50 名韩国软件编程员(*Korea Herald* 1998)。

1999 年,作为制造业务全球外包战略的一部分,摩托罗拉将其拥有 880 名员工的坡州工厂,以及在中国台湾的工厂卖给了中国台湾的一家公司——Advanced Semiconductor Engineering (ASE)。尽管如此,摩托罗拉仍承诺继续在韩国投资;此时,半导体业务仅占摩托罗拉在韩业务的 30%,而且 MK 仍握有与 ASE 的长期供货合同(Flannery 1999; *Korea Economic Weekly* 1999; *Korea Times* 1999)。

2004 年,摩托罗拉将其全部半导体业务分拆为 Freescale 半导体公司(Freescale Semiconductor)。作为一家独立的公司,Freescale 在中国香港和马拉西亚设有工厂,但未在韩国建厂。然而,2005 年 5 月,在韩国移动通信技术的吸引下,Freescale 宣布将在首尔建立一所研发中心,聘用 6 名工程师。Freescale 并不是为追求从事高端工作的韩国高技能劳动力而重返该国的唯一美国的半导体企业;国家半导体公司自从在韩国劳工抗议运动风起云涌的 1989 年退出韩国后,在 2005 年重返该国,分别建立了一所设计中心和一所研发中心(Wohn 2005)。

到 21 世纪头 10 年,韩国无疑已经具备了服务于高技术市场的高端产品的研究能力。不仅人才外流的势头得到了扭转,而且跨国公司现在已经把韩国作为获得信息通信技术业高技能劳动的来源,美国,甚至日本已不再是高端工作无可争议的中心了。如前所述,从 20 世纪 60 年代后半期开始,跨国公司对低工资劳动的追求,为韩国的工程师和管理人员提供了在本国积累信息通信技术业工作经验的机会,从而对这一反转进程的启动发挥了关键作用。在这一过程中,它们向韩国转移相当多的技术,使其建立了可观的能力。

海归

然而,使韩国得以发生经济转折的投资并非仅仅来自跨国公司。借助跨国公司直接投资带来的能力,以及留学或工作于海外的韩国人的能力,韩国政府和本土企业对信息通信技术产业进行的投资把韩国变成了"职业道路"的首选地点。以质量而非数量论,拥有海外工作经验的韩国科学家和工程师的回归具有特别重要的意义。

1968 年，生活在国外的韩国科学家和工程师大约在 2 000 人左右（Kim & Leslie 1998，第 168 页）。如果人才外流的趋势能够扭转，这些海外游子无疑会成为韩国打造本土高技术能力的一个机会。在 20 世纪 60 年代后半期，韩国政府认为兴办一所产业研究中心会有助于吸引那些韩国侨民回国，这样他们就可以为本土知识基础的发展有所贡献了（Bloom 1992，第 54 页；Yoon 1992）。具体来说，韩国政府力图把人才外流变为人才流入的愿望促使其建立了两所有重大意义的知识创造机构：韩国科技研究院（Korea Institute of Science and Technology，KIST）和韩国高等理工学院（Korea Advanced Institute of Science and Technology，KAIST）。

1965 年 5 月，美国国际开发署（USAID）资助的一个美国科学家代表团访韩，就建立一所国家级科研机构提出建议，韩国科技研究院据此于 1966 年创立。该代表团以约翰逊（Lyndon Johnson）总统的科学顾问唐纳德·霍尔尼希（Donald Hornig）为首，其成员包括贝尔实验室的总裁詹姆斯·菲斯克（James Fisk）和巴特尔纪念研究所（Battelle Memorial Institute）的总裁伯特伦·托马斯（Bertram Thomas）（Bloom 1992，第 54 页；Kim & Leslie 1998，第 159～161 页）。经研究讨论，韩国科技研究院决定采用巴特尔纪念研究所那种与产业界持续互动的研究分包模式，而不是贝尔实验室的科学研究模式。美国政府为此提供了启动资金，包括付给巴特尔的 310 万美元技术咨询费。

1967 年，韩国通过了一项特别立法——《韩国科技研究院援助法》，以保证该院研究和管理的自主性及财务稳定（Yoon 1992，第 16～17 页）。同年，韩国成立了科学技术部（Ministry of Science and Technology，MOST）（Bloom 1992，第 54 页）。该部 1975 年的一份文件把韩国科技研究院描述为“国内产业界与外国先进技术之间的一座桥梁”（引自 Kim & Leslie 1998，第 161 页）。

关于第一批科学家和工程师的人选，韩国科技研究院设想的理想构成是一名来自首尔国立大学（Seoul National University）的本科生，配一名拥有研究生学历并有五年工作经验的海归。在第一年即 1969 年，该院拥有 494 名雇员，其中 18 人是海外归来的科学家和工程师（14 人拥有博士学位）（Yoon 1992，第 13～14 页）。为吸引海外关键人才效力，韩国科技研究院将提供高薪和各种补助，如搬家费、免费住房和子女教育费等。此后，这种薪酬和福利成为韩国政府吸引海归的常规手段(Yoon 1992,第14～16页)。1975年,韩国科技研究院的984名雇员中已有137名海归,其中69人已决定长驻韩国(Yoon 1992,第13页)。

20世纪70年代,韩国政府所属的研究院仍有增加,其中有些是分拆自韩国科技研究院的专业部所(Lee, Bae, and Lee 1991)。韩国电子技术研究所(Korea Institute of Electronics Technology, KIET)成立于1976年,专门从事半导体设计、工艺和系统的研究。该研究所三个研究部的领军人物均为曾在美国半导体业工作过的韩国人(Bloom 1992,第56页;Mathews & Cho 2000,第118页)。[①] 通过与一家硅谷的芯片公司——VLSI Technology的合作,韩国电子技术研究所在1978年建立了韩国第一家超大规模集成电路晶圆制造示范厂,并在1979年创办了一家完整的16K DRAM(动态随机存储器)制造厂(Mathews & Cho 2000,第118页)。

总体说来,从1968年到1980年,韩国政府科学技术部资助的海归项目共为公共研发机构吸引了130名永久居留和182名暂时居留的海外韩国人才(Yoon 1992,第10页)。海归为韩国带来了知识、经验、关系和领导力。然而,鉴于20世纪70年代末以来韩国对科学家、工程师和技术人员需求的迅速增长,公共研究机构聘用的绝大多数人员显然必须是本土培养的毕业生。

韩国的科技人员数从1978年的14 749人(每1 000人口拥有0.40人)增加到1980年的18 434人(0.48‰)和1982年的28 448人(0.72‰)。1978年,政府拨付的研发支出占全国研发总支出的比例为49%,1980年为52%,随着企业开始大规模增加研发投资,1982年来自政府的比例下降到41%(Arnold 1988,第439页)。[②] 政府对本土研发能力的投资要求教育机构进行相应的投资,以形成本土高技术劳动的供给。与韩国科技研究院相配合,1971年2月创办的韩国第一所专门的研究生院——韩国高等理学院(Korea Advanced Institute of Science, KAIS)是韩国教育投资的一座里程碑。该院1973年录取了第一批硕士生,1975年录取了第一批博士生,并于1986年招收

---

① 1985年KIET与韩国电子技术和电信研究院(Korea Electrotechnology and Telecommunications Research Institute)合并为电子和电信研究院(Electronics and Telecommunications Research Institute, ETRI)。

② 在这四年期间,韩国的研发总支出增加了两倍,而国民生产总值(GNP)增加了一倍多,因此研发支出占国民生产总值的比重从0.67%提升到0.95%(Arnold 1988)。

了第一批本科生。[①] 在此期间,韩国高等理学院于 1980 年底与韩国科技研究院合并,变成了韩国高等理工学院。1989 年,韩国高等理工学院(即前韩国高等理学院)迁移到首尔以南 100 英里处,成为大德科学城(Taedok Science Town)的中心,合并而成的新学院再次分立,但仍沿用韩国高等理工学院的名称(Kim & Leslie 1998,第 178～180 页)。

韩国高等理学院来自于在美工作、时年 30 岁的韩国物理学家 KunMo Chung 的构想(Kim & Leslie 1998)。1969 年 10 月,他向美国国际开发署的首脑,其密歇根州立大学的论文导师约翰 · A · 汉纳(John A. Hannah)提交了一份题为"在韩国建立一所新的应用科学和技术领域的研究生院"的报告。汉纳将该报告转给国际开发署的韩国部处理,该部又将其呈交韩国经济规划理事会(Korean Economic Planning Board) (Kim & Leslie 1998,第 165 页)。经该理事会推荐,这份建议引起了韩国科学技术部的兴趣,因而邀请 KunMo Chung 回国向国家领导人面陈此项计划。在韩国总统朴正熙(Chang-Hee Park)的支持下,1970 年 7 月,韩国高等理学院的构想获得了立法批准。

与韩国科技研究院的情况类似,美国国际开发署也向韩国高等理学院提供了财务援助和咨询。为促成该计划的完善,尼克松总统的科学顾问杜布里吉(Lee DuBridge)任命了一个由 5 名工程教育家组成的委员会,并以斯坦福大学的教务长、硅谷的学术构想者弗雷德里克 · 特曼为首;其他成员包括特曼的两名"亲信"和 KunMo Chung 本人(Kim & Leslie 1998,第 167 页)。在撰写关于研究生院的最初建议时,KunMo Chung 深受特曼关于改革纽约工科教育的最新报告的影响(Kim & Leslie 1998,第 165～169 页)。因此,从概念到最终的创立,韩国高等理学院均体现了特曼的理念,包括在某些特别受重视的学科应实行"卓越才智的塔尖"(Steeples of Excellence)政策,培养出杰出的毕业生(Kim & Leslie 1998,第 168 页)。

韩国政府向高等理工学院的全体学员提供学费、食宿和奖学金,并将其应服三年义务兵役改为在政府的研究机构服务三年然后取得硕士学位的制度(Kim & Leslie 1998,第 169 页)。从授予学位的第一年到 1996 年,韩国高等理工学院共授予了 3 108 个学士学位、9 566 个硕士学位和 2 647 个博士学

---

① 参见 KAIST 的网站:http://www.kaist.edu/as_intro/as_nt_facts/as_ft_gnr/as_ft_gnr.html. 关于 KAIST 介绍的英文资料链接为 http://www.kaist.edu/edu.html. 那些大学生转到了韩国工学院(Korea Institute of Technology),该院在 1989 年与 KAIST 合并。

位。其硕士毕业生中，43%进入了产业界，17%进入了政府研究机构，还有大约34%选择继续深造。其博士毕业生中，45%进入了产业界，27%进入了政府研究机构，另有26%从事学术工作(Kim & Leslie 1998，第174页)。

本土创新

到20世纪90年代，这些毕业生已可以在韩国获得诸多良好的工作机会，不仅是在跨国公司如MK，或政府研究机构如韩国科技研究院那里，而且——甚至可以说主要——来自三星、现代和LG(Lucky-Goldstar)这样的**财团**；通过本土创新，这些公司在一些高科技行业把外国的知识转化为世界领先的产品。其中，半导体业的这种转变尤为突出。1980年半导体业占韩国产出值的2.5%和出口值的2.5%，到1990年，该行业已占韩国产出值的7.3%和出口值的7%(Byun 1994，第709页)。

韩国半导体行业最为成功的公司当属三星。2007年，三星半导体产品的销售额达205亿美元，市场份额达7.5%，雄踞全球半导体供应商排名第二位，仅次于英特尔(338亿美元)而领先于东芝和德州仪器(其营收均为118亿美元)(Gartner 2008)。三星是全球闪存市场的领先者，并与韩国的Hynix Semiconductor，即原现代电子公司(Hyundai Electronics)共同把持着全球DRAM市场的领先地位。

1975年，三星收购了一家刚成立不久即陷入财务危机的企业——韩国半导体公司(Korea Semiconductor Company, KSC)，由此进入半导体业。KSC的创始人Ki-Dong Kang在美获得博士学位，曾在摩托罗拉从事半导体设计，从此开始以其知识为三星效力。三星还接收了一家破产的金星(Goldstar)与国家半导体合资公司的资产(Mathews & Cho 2000，第116页)。因此，在1975年，即韩国政府刚刚发布促进半导体产业发展的六年计划之际，三星形成了晶圆制造和面向消费类电子产品的大规模集成电路(LSI)的生产能力(Kim 1997b，第88页)。

1982年，三星开办了自己的研发实验室，对日本和美国的半导体产品开展反向工程研究；与此同时，三星还组建了一个任务小组，着手制定进入超大规模集成电路的战略。经过6个月的资料收集和分析，该小组赴美开始为期一个月的实地调查之旅，特别是收集在美的韩国半导体专家的建议。美国的大型半导体公司已经拒绝了三星关于转让64 K DRAM技术的请求，因而该小组将技术转让方锁定为一些亟需现金的较小公司。1978 年由原德州仪器工程师创办的 Micron Technology 就是这样一家公司；它在爱达荷州的工厂 1982 年才生产出第一批产品(Spaeth 1984)。作为技术转让交易的一部分，三星派出自己的工程师到 Micron 接受培训。接着，三星在 1985 年还以 210 万美元从 Zytrex 购买了高速金属氧化物硅(metal-oxide-silicon, MOS)的先进制造工艺；后者于 1983 年创建于硅谷，当时刚刚破产(Chira 1985; Pollack 1985b)。

1983 年，三星宣布对 64 K 超大规模集成电路芯片的设计和制造进行大规模投资。作为韩国最大的财团，三星可以借助其他部门的收入来支持对半导体的投资，而且它还能拿到政府的补助。参与产品开发的是两个平行的小组。其一位于美国硅谷，聘请了 300 名美国工程师，为首的则是 5 名拥有博士学位并且在美国主要芯片公司有过工作经验的韩裔美国人；另一组在韩国，其领军者为两名曾在美国公司参与 64 K DRAM 开发的韩裔美国人，以及一批曾主持三星的大规模集成电路业务并受过美国技术转让方超大规模集成电路培训的韩国工程师。三星在硅谷的机构也对韩国的工程师进行了培训，这也是美国向韩国进行技术转移的一种形式(Byun 1994，第 711 页；Kim 1997b，第 89～93 页)。

三星是在 1984 年推出 64 K DRAM 的，比美国晚了 40 个月，比日本晚了 18 个月。凭借同样的产品开发流程，三星在 1985 年推出 256 K 芯片，进一步缩小了与美国和日本的差距；1987 年完成 1 M DRAM 的开发，1989 年推出 4 M，1992 年推出 16 M，并于此时赶上了美日两国(Byun 1994，第 713 页)。

从 1980 年到 1994 年，三星的销售额从 25 亿韩元增加到 1 152 亿韩元；与此同时，三星电子(Samsung Electronics)把其研发支出占销售额的比例从 1980 年的 2.1%提升到 1994 年的 6.2%。1980 年，公司聘用的研发人员为 690 人，共提出 18 项本地专利申请，获准 4 项；未申请外国专利或获得批准。1994 年，公司的研发人员已达 8 919 人，共提出本地专利申请 2 802 项，获批 1 413项；提出外国专利申请 1 478 项，获批 752 项。三星电子每获得一项本地专利在 1985 年需要 116.8 名研发人员，1990 年降至 10.4 名，1994 年更降至 6.3 名；而获得一项外国专利在 1985 年需要 992.5 名研发人员，1990 年降至 52.2 名，1994 年降至 11.9 名(Kim 1997b，第 95 页)。

由于三星和其他一些大财团如现代和 LG 等创造的就业机会，韩国的人才外流局面在20世纪80年代末得到了扭转。1989年《华尔街日报》一篇题为“昂贵的出口”的文章宣称，“‘人才外流’的反转有利于亚洲却抢走了美国的稀缺人才。例如韩国的科学家已能够在本国获得顶级的工作，韩国也因此而受益”(Yoder 1989)。现在，韩国人对在美的约6 000名科学家和工程师的看法已与20年前大相径庭了。该文引用了韩国科学技术部的一位高官Chin Hai Sool的说法，他表示，在美国的韩国科技人员“已成为我们的一项宝贵资源”。

与韩国人的看法形成鲜明对照，那些关心人才外流反转对美国科学家和工程师供给含义的人士却忧心忡忡。“我们指望外国的毕业生留下来满足我们的需要，因为我们已很久不能满足自己的需要了”，华盛顿美国科学与技术专家委员会(Commission on Professionals in Science and Technology)的主任贝蒂·威特尔(Betty Vetter)这样说道，“这些人是无可替代的”(引自Yoder 1989)。

到20世纪90年代初，韩国已经发展到可以迅速利用这些“宝贵资源”的阶段了。1990年至1991年间，持临时签证在美国大学获得理科或工科博士学位的13 878名外国留学生中，大约56%来自中国大陆(2 779人)、韩国(1 912人)、中国台湾(1 824人)和印度(1 235人)。到1995年，这些博士学位获得者仍留在美国工作的比例为47%，其中中国大陆的滞留比例为88%，印度为79%，中国台湾为42%，而韩国仅为11%，甚至比日本13%的滞留比例还要低(那年共有227名日本人在美获得理工科博士学位)(Johnson & Regets 1998)。

马来西亚：外国直接投资推动的发展

一些亚洲国家自20世纪60年代以来已建立了颇为可观的信息通信技术能力，但并非所有的亚洲国家都能像韩国那样开展本土创新(关于中国台湾的情况，参见Breznitz 2007，第3章；Mathews 1997；Saxenian 2006，第4、5章)。就马来西亚而言，过去30年，凭借外国直接投资，该国已成为全球电子制造业的中心。从2003年到2007年，马来西亚的年经济增长速度大约在5.5%，其制造业和出口均以电子产品为主(参见Index Mundi 2008；Best 2001，第6章)。马来西亚可以凭借外国直接投资实现经济繁荣，说明跨国公司已成功实现其在当地生产能力的升级,因而可以在支付较高工资的同时保持其全球竞争力。实际上,这正是马来西亚的现实情况。

自20世纪60年代起,美国的跨国公司在其投资国的雇员一向以本地人为主,而不是投资国的海外侨民。槟城的 Bayan Lepas 自由贸易区(Bayan Lepas Free Trade Zone, BLFTZ)80年代初的资料表明,跨国公司在当地企业的各级员工均以本地人为主。1982年,该资料统计的27家电子或电气工厂共雇用了24 446人,其中5 389人(22 %)为男性,6 625人(27%)为非一线员工,海归仅有34人。在整个 Bayan Lepas 自由贸易区的52 073名雇员中,归侨仅为226人,占雇员总数的0.43%,男性雇员的1.16%,非一线员工的1.55%(Salih & Young 1987,第184页)。由于海归的绝对人数甚少,1982年每家电子/电气工厂仅能摊上1.26人,跨国公司的高级管理职务也大都由本地人担任。20世纪90年代中期的一份调查显示,国家半导体公司在槟城仅有一名海归雇员,担任常务董事一职。在整个马来西亚,德州仪器(2 800名雇员)和摩托罗拉(4 000名雇员)也仅仅各有3名海归经理(Ismail 1999,第27~28页)。

20世纪70年代初到现在,英特尔在马来西亚的经历展示了这家美国半导体跨国公司提升当地技术能力的过程。自马来西亚1972年开办 Bayan Lepas 自由贸易区之初,英特尔就成为将半导体制造厂转移至此的第一批美国公司之一,尽管它本身在1968年才成立;槟城厂是英特尔的第一座海外工厂。1974年,英特尔在槟城的雇员数为1 000人(华尔街日报1974b),10年之后增加到约2 000人。在此后10年,英特尔的产量增加了2倍,但由于劳动密集的组装工序的自动化,其雇员数仍维持在2 000人左右。1980年,工程师仅占英特尔槟城员工总数的1/40,1994年上升至1/6(Ismail 1999,第27页;Zachary 1994)。随着时间的推移,马来西亚已成为英特尔组装业务的专家;20世纪80年代中期,英特尔在亚利桑那州钱德勒市的自动化芯片厂建设组装线时就聘请了来自槟城的马来西亚专家做顾问(Dreyfack & Port 1986)。1990年,英特尔在其槟城厂建立了一家设计优化实验室,并选派了10名工程师到硅谷受训。当时英特尔还宣布将继续在槟城进行自动化投资,最终实现产品零缺陷率的目标(Dennis 1990)。

1992年7月,英特尔决定将其微控制器的全部设计、制造和销售业务从其钱德勒厂转移到槟城厂;英特尔马来西亚(Intel Malaysia)公司的常务董事

Lai Pin Yong 称这一举动堪称当地电子工业发展的里程碑,“一家跨国公司把一项重要产品的全部责任交给其海外工厂,这在马来西亚是破天荒的”。为此,英特尔马来西亚公司准备在已有 300 名工程师的基础上再招收 50 名工程师(*Electronic Times* 1992a)。在准备阶段,一个由 30 名马来西亚人组成的团队赴美国和日本接受了为期二至三年的培训。英特尔槟城设计中心于 1992 年 11 月启用,被称为东南亚头一家此类机构(Leow 1992;另见 Ismail 1999,第 32~33 页)。

自 1972 年以来英特尔在马来西亚的累计投资已达 23 亿美元,2003 年雇用的马来西亚研发人员约 1 000 人,在美国取得了 21 项专利。2003 年 8 月,英特尔在马来西亚的研发能力又添新军——启用了一所侧重于英特尔各种产品制造工艺和封装技术的设计和开发中心。为开幕活动来访的英特尔首席执行官克雷格·贝瑞特(Craig Barrett)赞扬了“马来西亚政府和企业领导人通过大学研究成果的转让和教育项目的强化刺激了信息技术的研究和创新”,并告诫说,“影响英特尔投资的关键因素在于人才的持续供给,以维持本地的设计和开发工作”(*Business Times* 2003)。

2005 年 12 月,在已拥有 5 个厂区、近 10 000 名雇员(约占其全球员工总数的 10%)的基础上,英特尔宣布计划投资 2.3 亿美元,在 Kulim 创建一家员工达 2 000 人的组装和测试厂,连同一家设计和开发中心(Ismail 2005; Yee 2005)。值此之际,已在同年 5 月升任英特尔董事长的贝瑞特表示,“英特尔正与教育部合作,帮助提升马来西亚信息通信技术业员工的全球竞争力。通过‘英特尔未来教育计划’(Intel Teach to the Future),我们已培训了 30 000 余名马来西亚教师,采用科技手段来改善学生学习”,他接着说道:“把技术有效地融入课堂,开辟了一个全新的、令人兴奋的机会,使年轻人可以掌握在这个日益复杂的世界开展竞争的知识和技能。”(Ismail 2005)

印度 IT 服务业的发展

经过多年谈判,美印终于在 1985 年 5 月达成了美国向印度实行高新技术转让的《协议备忘录》;紧接着,印度电子部(Indian Department of Electronics)宣布将建立一批“技术园”,允许外国公司在其中以独资的方式开发和出口大型的软件系统(Tenorio 1985)。1985 年 6 月,德州仪器开始与印度政府就在班加罗尔建立软件开发中心进行初步谈判。该公司提出了两个主要条件：一是全资拥有该中心，二是许可该中心接入公司的全球内部通讯网(Mitchell 1986)。印度政府同意了这些要求。

20世纪80年代中期，德州仪器是一家全球性的公司，在亚洲的日本、中国台湾、新加坡和马来西亚等地均设有分支机构。然而，与美国的其他半导体公司一样，它也面临着日本企业在普通规格大量芯片方面的竞争。德州仪器的发展方向在于定制芯片，特别是ASICs(专用集成电路，application specific integrated circuits)和超大规模集成电路(Mitchell 1986)。这些产品需要借助计算机辅助设计的方式进行大量的软件编程。

1985年8月，德州仪器半导体集群设计自动化部的副总裁罗伯特·罗泽博姆(Robert Rozeboom)对记者表示：德州仪器"在1984年就认真地把印度视为进行计算机辅助设计的软件开发的备选地。软件开发对我们的半导体业务至关重要。印度的科技教育体系是如此强大，而且拥有如此之多就业不足的毕业生，显然会成为我们的选择"(United Press International 1985)。美印技术转让协议为德州仪器在印度建立软件开发中心创造了契机。一期投资为500万美元，这对德州仪器1986年的4.46亿美元的资本支出来说是一个小数目。

德州仪器印度公司(TI India)1986年开业时仅有16名工程师和编程员；1990年增至85人，1995年增至275人，2000年为500人，2005年为1 300人，2007年为1 800人，占当年德州仪器全球员工总数的近6%(Indo-Asian News Service 2007)。所有这些雇员均从事研发工作，而且都是印度人。

1997年，*Electronic Engineering Times* 的一篇文章把德州仪器印度公司称为"本地工程师的梦幻公司"(Bindra 1997)。在德州仪器印度公司登顶"印度头一份最佳工作场所榜单"的2003年出版的一份报告称，"德州仪器的子公司德州仪器印度公司在印度的一个地方就雇用了832人。其高管层有8名女性经理，员工流失率为7%；该公司服务年限已满5年的员工达170人，超过44岁的员工有18人"(*Business World* 2003)。

德州仪器印度公司大约有75%的员工从事数字信号处理(DSP)芯片的开发工作；该芯片广泛运用于移动电话、调制解调器、数字相机、MP3播放器和网络电话等领域(Business Line 2002)。DSP是德州仪器半导体业务的主要支柱；按照公司一份出版物的说法，其印度公司已成为"母公司的研究基地”。至 2003 年底，德州仪器印度公司已获得 225 项美国专利（Rai 2003）。

作为第一家落户班加罗尔的跨国公司，德州仪器已在印度经营了近四分之一世纪；但它并不是把印度视为软件编程和研发首选地的唯一跨国公司（参见 Mitra 2007）。到 1992 年，已有 30 家其他跨国公司，包括摩托罗拉和 IBM 在班加罗尔建立了软件编程机构（O'Reilly 1992）。IBM 曾经因外资股权问题在 1978 年离开了印度，在 1991 年印度自由化改革后于 1992 年重返该国（Chatterjee 1994; Tarrant 1991; Tripathi 1992）。惠普在 1989 年就在印度建立了分支机构，但直到 2002 年才建立第一所研究实验室（法新社 2002）。2004 年 4 月，AMD 宣布将投资 500 万美元建立一个微处理器设计中心，并计划在 2005 年底以前雇用 120 名芯片设计师和开发工程师（Sharma 2004）。2005 年上半年，英特尔和微软均在班加罗尔建立了高级研究中心（Dudley 2004; Subramanyam 2005）。同年 10 月，作为一项投资 11 亿美元、为期 3 年的印度扩展计划的一部分，思科投资 5 000 万美元、占地 100 万平方英尺的研发园在班加罗尔破土动工；该项目将使思科在印度雇员数增加一倍，达到 3 000人（CMP TechWeb 2005）。一个月以后，思科的竞争对手 Juniper Networks 宣布将投资 850 万美元，在班加罗尔建立一座新的研发中心，并使其印度雇员数从 325 人增加到 675 人（*Business Standard* 2005）。12 月，英特尔宣布将于次年在印度投资 10 亿美元，包括投资 8 000 万美元的教育和社区项目，其余部分将主要用于其班加罗尔研发中心的扩建（*Computer Reseller News* 2005）。

然而，在 2005 年前后，印度本土 IT 企业的发展已使印度不像以前那样依赖跨国公司提供的高技术就业岗位了。截至 2008 年 3 月 31 日的财政年度，印度五家最大的 IT 企业——Tata Consultancy Services（TCS）、Wipro、Infosys、Satyam 和 HCL Technologies 共实现了 187 亿美元的营业收入，全球雇员总数达 36.8 万人，而 2001 年这两项数据仅为 24 亿美元和 4.6 万人。①

TCS 是这五家公司的老大，2007 财年（截至 2008 年 3 月 31 日）的营业收

① Infosys、Satyam、TCS 和 Wipro 的财政年度截止日为 3 月 31 日；HCL 的财政年度截止日为 6 月 30 日。请注意，由于 Satyam 的会计欺诈丑闻于 2009 年 1 月曝光，其营收和雇员数据可能有所夸大。

入达57亿美元。该公司设在孟买，是印度最大的多角化公司——塔塔集团(Tata Group)的下属企业，早在1968年就开始提供海外IT服务。除了在印度进行软件开发外，TCS还在20世纪80年代成为全球领先的软件"定制裁缝铺"，派出工程师和编程员承接海外项目(Head 1989)。TCS的员工数从1991年的2 000人增加到2001年的16 800人；进入21世纪，其员工数继续激增，在2008年3月达到111 407人，并计划在次年再招收30 000至50 000人(Dow Jones International News 2008)。该公司90%以上的员工为印度国民(TCS 2008，第32～33页)；其全球营业收入的56%来自北美，29%来自欧洲，9%来自印度。

Wipro和Infosys紧随TCS之后，分居第二、三位；这两家公司均位于班加罗尔，2007财年(截至2008年3月31日)的营业收入分别为49亿美元和42亿美元。哈萨姆·普莱姆吉(H. M. Hasham Premji)于1946年创建了Wipro(Western Indian Vegetable Products，即西印度蔬菜产品公司的缩写)，起初是一家食用油销售商。他逝世于1966年，他正在斯坦福大学学习并即将取得电气工程学士学位的儿子阿齐姆(Azim)回国接管了这家公司。20世纪70年代末，IBM因不同意印度政府关于外国投资企业中印度的股权不得低于60%的规定而撤出印度，Wipro趁机进入计算机行业；此后，又扩展到信息技术服务和软件行业。1992年，该公司拥有1 640名员工(*Economist* 1991)。10年后，Wipro的雇员数已超过1.4万人，2008年3月更达到82 122人。

Infosys技术公司是由纳拉亚纳·穆尔蒂(N. R. Narayana Murthy，2002年前任该公司首席执行官)和6名软件工程师，包括南丹·奈尔卡尼(Nandan M. Nilekani，公司的现任首席执行官)在1981年创办的一家软件开发企业。穆尔蒂拥有迈索尔大学(University of Mysore)学士学位和印度理工学院坎普尔分院(IIT Kanpur)电气工程硕士学位；奈尔卡尼拥有印度理工学院孟买分院的电气工程学士学位。在公司发展的头十年，通过为通用电气、DEC、Reebok和雀巢等公司开发软件，该公司赢得了高品质海外软件设计和开发商的声誉。1992年，Infosys雇用的软件工程师超过了300人(Zintner 1993)，2001年公司的员工数达5 389人，2006年3月激增至52 715人，2007年3月又增至72 241人，2008年3月达91 187人。这一时期招收的新雇员中有75%是头一次参加工作；这些"Infosys人"的平均年龄为26岁，其中93%被归类为"软件专业人员"(Infosys 2008，第5、132、135页)。

中国的本土创新

印度在全球信息通信技术业的存在主要集中于信息服务业，而中国的发展路径则与此颇有不同。在进入具有不同技能要求的全系列产业时，中国远较印度更为广泛的大众教育体系无疑更具优势（见表5.2）。须注意，在1980年和2000年，印度人口中完成中级以上教育者所占比例要高得多，虽然在这两个国家能够完成这一教育水准的只是少数精英。在大学毕业生这一层面，20世纪80年代的印度与中国的一个重要差别在于中国侧重于工科学位，而印度侧重于理科学位。因此，就受过大学教育的劳动力的供给而言，20世纪90年代中国在吸收外国先进技术并使其适应本土产业需要方面，所处的位置比印度要有利得多。

表5.2　中国和印度1980年和2000年25岁及以上完成同级教育者占人口的比例(%)

教育完成情况	中国		印度	
	1980	2000	1980	2000
失学	44.9	20.9	72.5	44.5
第一级（初级教育）	32.3 (12.2)[a]	40.7 (15.3)	11.3 (4.2)	33.2 (12.4)
第二级（中级教育）	21.7 (5.6)	35.7 (14.1)	13.7 (5.1)	17.4 (6.5)
中级后（较高级教育）	1.0 (0.9)	2.7 (2.3)	2.5 (1.7)	4.8 (3.3)
平均就学年限	3.6	5.7	2.7	4.8

a　括号内数据为完成该级别教育者的百分比。
资料来源：Barro & Lee (2000).

20世纪80年代和90年代，为释放生产能力以支持产业发展，中国对科技研究体系（science and technology [S&T] infrastructure）与直接参与商品市场竞争的高技术企业的关系进行了主动的改革。在70年代末改革之前的计划经济时代，中国已建立了相当规模的科技能力（Conroy 1992; Gu 1999; Sigurdson 1980; Suttmeier 1975）。然而，在80年代以前，这些科研院所完全是由政府的需求,特别是军品需求驱动的。改革的主要任务是要把国有的科技资源转移给企业,使之能够在为商品市场进行的产品生产中实现创新。

完成转变后的科技研究体系由国家项目和公共研究院所组成;前者从事基础研究和一些重大的产业研发项目,后者则与企业结合,开发面向国内市场及国际市场的实用技术。这一体系包括从事基础研究的国家级重大项目实验室、从事应用研究的国家级工程中心,以及开展商业化技术研究的公司研发中心和新技术产业试验特区(Gu 1999)。20 世纪 80 年代和 90 年代把这种科技研究体系转变为"国家创新体系"的力量是那些成功实现技术商业化且具有高度自主权的企业。其中最成功的是那些信息通信技术企业。政府所属科研院所与企业之间的组织关系的制度化不仅使中国可以发展新的生产能力,而且可以确保这种能力被用来满足产业应用的需求。

从贸易数据可以看出信息通信技术产业对中国 20 世纪末和 21 世纪初的经济发展的重要性。在 20 世纪 90 年代和 21 世纪头 10 年,随着电子产品的世界贸易变得越来越依赖于垂直专业化的国际劳动分工,中国已成为电子办公机械、IT 产品和电信产品等的进出口大户(Amighini 2004)。1992 年,中国在办公机械国际贸易的所占比例为 2%,IT 产品所占比例不到 1%,电信产品的比例为 2%。在信息通信技术产品的各个组别中,中国内地远远落后于美国、日本、德国、新加坡和中国香港;然而,到 2003 年,却已成为所有这些组别的主要出口大户,在全球办公机械出口的占比达 18%,IT 产品的占比也达 18%,电信产品的占比为 11%(第 207～208 页)。

中美信息通信技术产品的贸易数据尤为令人瞩目。美国对中国先进技术产品(ATP)的出口值从 2000 年的 55 亿美元(占美国当年全部 ATP 出口值的 2.4%)增加到 2007 年的 203 亿美元(占美国当年全部 ATP 出口值的 7.4%)。[①] 与此同时,美国从中国进口的先进技术产品从 2000 年的 107 亿美元(占美国当年全部 ATP 进口值的 5.5%)增加到 2007 年的 880 亿美元(占美国当年全部 ATP 进口值的 26.9%)。2003 年,美国从中国进口的先进技术产品超过了来自日本的进口,2007 年则相当于来自日本的进口值的 3 倍以上。美国对中国的先进技术产品出口也在 2007 年超过了对日本的出口,超出幅度为 2.6%,而在前一年还比对日本的出口少 8.7%。

---

① ATP 的贸易数据来自 U.S. Census Bureau (2008e)。

美国从中国进口的先进技术产品大都集中在信息通信技术领域，而美国的出口则分布很广。2007 年，美国从中国进口的先进技术产品的 88.5%被归类于信息通信技术产品组别，另有 9.3%被归入光电和电子产品类。在 2007 年美国对中国的先进技术产品出口中，航空航天类占 35.4%，电子类占 32.3%，信息通信技术类占 16.5%，柔性制造占 7.1%，生命科学占 5.5%。

正如我们关于韩国、印度和马来西亚经济发展的分析那样，理解中国信息通信技术产业进步的关键同样在于中国政府、本土企业和跨国公司对生产能力开发所进行的投资之间的动态关系。已故的卢启文是对中国的高技术企业进行案例研究的先驱人物，我与他曾经有密切的合作(见 Lu 2000 前言；Lazonick 2004b；Lu & Lazonick 2001)。在其著作 *China's Leap into the Information Age* 中，卢启文(2000)对中国四家本土计算机领军企业——四通、联想、方正和长城的演变进行了深入的案例研究。他记述了科研院所早期建立的生产能力向本土企业的转移，以及这些企业把这种能力转化为——经常是通过与跨国公司的合作——创新性产品的过程。

2005 年 5 月，Lenovo——一年前还叫联想(Legend)集团有限公司——以 17.5 亿美元收购了 IBM 的 PC 业务，同时享有在此后 5 年继续在其产品上使用 IBM 商标的权利。[①] IBM 拥有联想 18.9%的股权(2008 年 7 月减少到 4.7%)；这种安排被认为有利于 IBM 在中国的扩展。收购后，联想将其总部，连同大部分设计和开发工作放在了美国(Poletti 2004)。

在与 IBM 发生交易前的 2004 年，联想已经是中国最大的个人电脑生产商，其市场份额达 25.1%，其后是方正(9.9%)、清华同方(7.8%)、戴尔(7.2%)以及 IBM(5.1%)(Associated Press Newswires 2005)。2004 财年，联想的营业收入为 30 亿美元，雇员达 11 400 人；但其接管的 IBM 的这个亏损部门的营业收入达 90 亿美元，员工达 1 万人，其中 40%在中国。经此次收购，联想一跃成为仅次于戴尔和惠普的世界第三大 PC 制造商，其全球市场份额为 7.2%；在中国市场的占有率也增加到 33%以上(Industry Updates 2006)。2007 年，联想的全球 PC 出货量居第四位，市场份额为 7.5%；其位次被中国台湾的宏基(Acer)取代，因为后者刚刚收购了美国公司 Gateway

① 关于联想演变的进一步研究可参看 Xie 和 White (2004)，以此作为对 Lu (2000，第 3 章)较早研究的补充。

(Deffree 2008)。2008 财年,联想的营业收入达 164 亿美元,税前利润为 5.13 亿美元,2008 年 3 月 31 日的全球员工数达 23 100 人。

正如卢启文(2000,第 3 章)所分析的,联想的历史证明,本土企业与跨国公司的互补性对于中国的发展至关重要。美中先进技术贸易的迅速扩大,体现为思科、戴尔、惠普、IBM、英特尔、微软、摩托罗拉、甲骨文和太阳微系统等跨国公司主导的美国对中国的进出口急剧增长,而这些公司早已在中国建立了生产设施。其中有些公司,如电脑公司戴尔,已经在中国市场与联想、方正之类的本土企业展开竞争。美国的信息通信技术公司已经在自由贸易区,如上海的浦东建立了工厂,利用中国高素质、但工资仍较为低廉的工人进行出口生产。美国的信息通信技术企业在与中国公司建立合资企业方面也走在前列,以此为契机发展与中国企业和政府的关系,以便从中发掘新的投资机会和未来的产品市场。随着服务于生机勃勃的本土市场的中国企业快速发展,那些在芯片制造和套装软件领域仍握有独门优势的美国信息通信技术公司对中国工厂的投资亦不断增加,以向本土企业提供更多的元器件等投入品。

英特尔就是一个突出的例子。这家全球信息通信技术业的领军企业在 20 世纪 90 年代后半期就在中国有相当规模的投资;进入 21 世纪后,其直接投资呈加速之势。英特尔与中国的第一笔商业交易是在 1984 年底卖给了中国政府 1 000 台采用英特尔 8088 处理器的微型计算机(华尔街日报 1984)。不到一年以后,英特尔在北京开设了一家只有两名员工的销售办事处,以 25 岁在台湾出生的美籍华人、拥有普林斯顿大学电气工程和计算机科学学位的 William Huo 为首。该办事处签订的销售协议仍须经英特尔在香港的远东总部批准。在中国国家教育委员会的支持下,Huo 的工作是在中国的 100 所大学建立开发微处理器的实验室,使中国的工程师学会如何为英特尔的处理器编程(Sabin 1986)。

1986 年 6 月,中国电子工业部部长李铁映为参加美国半导体工业的贸易大会出访帕罗奥多;这是中国官员第一次参加此类活动。他抱怨说,尽管有很多美国经理访问中国,但到目前为止仍没有一家美国企业在中国投资建设芯片制造厂。他被告知说,问题的症结在于中国不愿提供知识产权保护(*Electronics Weekly* 1987)。此外,多边出口控制协调委员会(Coordinating Committee for Multilateral Export Controls, COCOM)限制与军事相关的技术,包括先进的半导体产品对共产主义国家的出口也是一种制约因素

(Bozman 1990; Parker 1994a,b)。

然而,1988 年 9 月,摩托罗拉以独资的形式在中国建立了第一家半导体工厂。此时,英特尔也是有意在中国进行类似投资的几家公司之一,有迹象表明它将于 1991 年在中国建立生产厂,据说是与中国最大的电子企业集团、国有的中国电子信息产业集团公司(CEC)及其香港公司合资,生产面向中国市场的微处理器(新华社 1991)。

次年 9 月,英特尔总部指示马来西亚英特尔技术公司(Intel Technology Malaysia)参加与中国当局关于在中国开办半导体厂的谈判(*Electronic Times* 1992b)。1994 年 3 月,英特尔与 CEC 签订了合同,规定 CEC 应在中国推广英特尔的产品,使之成为中国个人电脑的标准架构;而 CEC 的子公司,中国最大的半导体生产商华晶电子公司将在华组装和测试英特尔的 386SX 微处理器和微控制器(Johns 1994; Kehoe 1994)。

1994 年 9 月,为支持合资公司,英特尔在上海开办了一家独资企业——英特尔架构开发有限公司(Intel Architecture Development Limited, IADL)。该公司起初拥有 25 名中国工程师,其任务是开发软件,以使个人电脑和英特尔芯片更好地适应中国的需要(Riley 1994; *Shanghai Star* 1994)。一个月以后,IADL 与电子工业部所属的一家大型信息通信产品开发商吉通通信(Jitong Communications)签订了谅解备忘录,由该公司负责展示和销售英特尔的产品(*Electronic Times* 1994)。

冷战的结束和 1994 年 3 月多边出口控制协调委员会的解散使英特尔得以在中国更加积极地销售更为先进的产品。英特尔的奔腾芯片就是 COCOM 禁止出口的产品之一。1994 年 12 月,英特尔在北京、上海、广州、成都和西安等地举办研讨会,用一位路透社记者的话来说,“向中国的软件开发商”公开了“奔腾处理器敏感的操作核心”(Parker 1994b)。

在出访上海参加 IADL 开幕活动时,英特尔的首席执行官安德鲁 · 格罗夫宣布英特尔正在研究在中国开办一家独资芯片厂的可能性(Pei 1994),次年 6 月该厂的计划即已成型(Newsbytes 1995)。关于该项目的一份报告指出:“英特尔正在计划尽快撤出外籍人士,以便在关键的管理岗位上配置中国经理。因此,管理培训已成为这家美国公司的当务之急。”(ESP Report on Engineering Construction and Operations in the Developing World 1995)

在英特尔科技(中国)有限公司的领导下,设在上海浦东开发区的该工厂于1998年初投入运营，负责组装和测试用于出口的英特尔闪存芯片。该厂很快跻身于浦东最大的跨国公司所属出口企业之列，2000年员工达800人。为扩大规模，厂区面积从12万平方米增加到50万平方米(Asia Pulse 2000)，此时英特尔对该项目的投资规模已达5亿美元(AsiaPort Daily News 2001)。至2004年，英特尔在上海已经有三家组装和测试工厂，员工总数达2 000人，而其在中国全境的员工为2 400人(Heim 2004)。

1997年，英特尔将大区销售总部从香港迁到北京，以便更好地跟进中国日益增长的市场机会(LaPedus 1997)。次年，同样是在北京，英特尔建立了它在亚太地区的第一个研究机构——英特尔中国研究中心(Intel China Research Center, ICRC)。根据英特尔官方网站的说法，ICRC的任务是"通过研究和平台创新实现数字世界的未来，并推动与中国政府、科研机构和产业界之间的战略合作"(Intel 2008a)。

其中一项合作开始于1999年——与联想一道扩展互联网在中国的应用。联想是第一家英特尔为之提供芯片的中国PC制造企业；两家企业早在20世纪90年代中期就开展紧密合作，英特尔帮助联想提升其个人电脑的性能。1998年，联想象征性地将其生产的第100万台电脑送给了英特尔的首席执行官安德鲁·格罗夫(O'Neill 1998)。现在这两家公司准备合作提升计算机终端的速度以及中国宽带网服务器的容量和应用能力(Reuters News 1999b)。2003年，它们进一步开展合作，在北京开办了面向家庭网络及其安全应用的英特尔-联想技术推进中心(Xinhua Financial Network 2003)。不过，此后不到一年，联想宣布将在其两款家用机型上采用英特尔的老对手AMD的微处理器(Asia in Focus 2004)。与此同时，联想称将不考虑在其商用电脑和服务器上采用AMD的芯片。然而，在2006年，联想还是在其商用个人电脑上采用了AMD的微处理器(Evers 2006)。

2000年，英特尔把IADL——现改名为英特尔架构实验室(Intel Architecture Labs)——和ICRC及其他英特尔支持的研究机构纳入英特尔中国实验院(Intel China Labs)的旗下(Asiainfo Daily China News 2000; Hou 2000)。2005年前后，英特尔介入了与政府、科研机构和企业的一系列合作项目，其中很多是关于无线技术的。2005年6月，该公司创建了一个拥有资本2亿美元的英特尔风险投资中国技术基金(Intel Capital China Technology Fund)，旨在对英特尔战略利益相关领域的中国高科技企业进行投资

(Business Wire 2005)。2005 年 9 月,英特尔在上海紫竹科学园区成立了亚太研究开发有限公司,计划在 2006 年底聘用 1 000 名员工(M2 Presswire 2005)。2006 年 1 月,英特尔中国发起成立“创新联盟”,最初的成员有 22 家中国高技术企业,包括 10 家电脑制造商、12 家软件开发商及内容提供商。该联盟面向所有的中国信息通信技术企业,英特尔将借助它向成员企业提供市场调查、产品设计和应用软件等方面的技术支持和咨询服务(China Industry Daily News 2006)。

2001 年,英特尔占据了中国微处理器市场的 90%(Young & Lin 2006)。2002 年,中国成为英特尔全球第二大市场,仅次于美国市场(Young 2003)。进入 21 世纪后,中国成为英特尔成长最为迅速的市场,尽管它被 AMD 抢走了相当一部分市场份额。2004 年,英特尔在中国的市场份额为 74%,比 2001 年下降了 16 个百分点,而同期 AMD 的市场份额从 5%升至 18%(Young & Lin 2006)。2007 年,AMD 成为中国微处理器市场的领先者,市场占有率达 50%以上(*China Daily* 2007)。

2004 年在北京进行的一次采访中,英特尔的首席执行官克雷格·贝瑞特称中国人“可以胜任任何工程工作、软件工作和管理工作,美国人能做的中国人都能做”(Heim 2004)。2005 年,英特尔在中国的雇员超过了 5 000 人,相当于其全球员工的 5%,比 2004 年翻了一番(Wallace 2005)。这些员工大多集中在英特尔的四家组装和测试厂,其中三家在上海,一家在中国西南的四川成都;后者在 2005 年 12 月投产。2005 年 3 月,英特尔宣布将在成都建设第二家工厂,预计 2007 年建成投产(AFX International Focus 2005)。

与马来西亚一样,英特尔在中国雇用的员工基本上都是土生土长的本地人。2006 年《华尔街日报》中的一篇文章对此有相当精彩的描述,介绍英特尔如何在成都这样一个成本低廉、但高技术制造底蕴匮乏的地区与当地大学合作招募和培训本地劳工,不仅其第一制造厂是这样,而且还如法炮制,将其运用于第二制造厂(Ramstad & Juying 2006)。该文还指出,随着第二制造厂的完工,“该公司称它将在另一个从未有过芯片厂的地方——越南——建设下一座工厂”。[①]

---

① 另见 Hopfner (2007)。英特尔在胡志明市投资 10 亿美元建设的一座年产量为 6 亿片的芯片厂将于 2009 年 9 月投产。起初将雇用 500 名工程师,然后在年底增加到 1 000 名。英特尔预计三年后该厂将雇用 4 000 人。

全球劳动流动和国家经济发展

本章开始时我曾经提出这样的问题："既然如此之多受过教育的人士会从亚洲流入美国接受研究生教育和获得工作经验，为什么如此之多的高技术工作岗位会从美国流入这些人流出的地方?"答案在于人员从东方流入西方和工作岗位从西方流入东方这两种运动是互补的，它们共同组成了高技术劳动力全球化的动态演进过程。在发展的早期阶段，人们从东方到西方寻求研究生教育和工作经验，以获得一种在本国无法企及的职业生涯。与此同时，工作岗位从西方流向东方，以寻求低工资但仍具有一定生产力的劳动。随着时间的推移，跨国公司对附加值较高的生产活动的投资使本地劳动力的质量得以提升。随着东方生活水准的提高，其部分海外侨民——现已在西方接受了更多的教育并获得了更多的经验——被吸引回国。其中有些人会以西方公司雇员的身份在东方进行短期工作；如果东方的本地公司成长为世界级的竞争者，到海外接受教育和取得工作经验的需求就会进一步减少，而众多在西方取得良好教育、工作经验最丰富的侨民就会加入海归的行列，回国担任领导性的职位。

萨克瑟尼安(Saxenian 2006，第 18～21 页)在一本关于亚洲企业家在硅谷创业或进行公司管理的著作中把这种流动称之为"人才循环"(brain circulation)，对越来越多走上全球职业道路的亚洲人的发展模式给出了一个非常恰当的概括。随着这种人才循环的进行，他们的能力也在不断得到积累。我在本章所描述的则是一种历史力量，超越于那些追求具有挑战性和丰厚报酬的职业生涯的个人活动之上；它创造了信息通信技术产业劳动力的全球化，并使韩国、中国台湾、印度和中国大陆这样的国家和地区能够通过大批高学历、高资历的海归回国来收获其早期国民教育投资的回报。更重要的是，这种动态的增长过程使这些国家和地区能够创造出具有足够挑战性和优渥报酬的工作岗位，从而使其志向远大的大学毕业生赴海外寻求职业发展的必要性大为降低。

这些历史力量不能被理解为"市场的力量"。毋宁说，正如我描述的那样，它在本质上是一种投资战略的三重奏：一曲由跨国公司的直接投资、亚洲各国政府建立本地科技基础设施的投资以及本地公司借助外国企业的投资战略和政府的扶植跻身于世界级竞争者之列的投资所共同谱写的乐章。这种三重奏的历史起点是国民教育体系的先期发展，它在本地就业需求形成之前就创造了受过良好教育的劳动供给。由于缺乏本土工作机会，在市场力量的主导下，以及美国移民政策的推波助澜，这种劳动被引向海外，并因此导致本土的人才外流。借助这种投资三重奏，韩国和中国台湾实际上在对抗这种市场力量，并由此引发动态的本土工作岗位的创造进程，从而扭转了人才外流的局面，使其对海外科学家和工程师的早期教育从一种浪费性的投资变成宝贵的资源。中国大陆和印度目前正在做同样的事情。

我所研究的一些具体案例展示了不同的发展路径；这些路径有赖于不同时期外国和本土企业投资之间的关系。韩国的摩托罗拉、马来西亚的英特尔和印度的德州仪器，这些美国的跨国公司先是进行早期投资，然后经过一段时间后再进行升级和扩展投资。此外，在以上诸案例中，几乎清一色的雇用本土的工程和管理人员成为各跨国公司的就业重点，从而为有意在本土从事高科技职业的国民创造了第一批有吸引力的就业机会。

就韩国而言，政府和企业的本土投资促成本国高技术能力在 20 世纪 80 年代末开始形成。三星已成为世界信息通信技术产业的领军企业。进入 21 世纪以后，这种本土投资正在吸引跨国公司对韩国的高端工作岗位进行投资，其中也包括摩托罗拉这种在韩国的商业存在已超过 40 年的公司。与此相对照，由于缺乏本土领军型的信息通信技术企业，马来西亚的经济增长在很大程度上仍然依赖于英特尔这样的跨国公司的升级策略，本土的创新动能依然付之阙如。

对于美国的高科技跨国公司来说，低工资、低技能的劳动力从来不是它们在印度进行投资的主要诱因。在 20 世纪 80 年代中期，吸引德州仪器前往印度投资的首要因素是那里可以找到高学历的工程师和编程员，碰巧他们的工资也比较低廉。随着时间的推移，德州仪器对其印度业务进行了扩展和升级，雇用了大批受过良好教育的员工来设计愈益复杂的产品。在德州仪器进驻班加罗尔 20 年后，印度正在经历一种动态的增长过程，劳动者的技能与工资比翼齐飞，TCS、Wipro 和 Infosys 这样的本土企业正在跃居领先地位，吸引跨国公司“恋栈”印度而不去的依旧是印度高素质的信息通信技术产业的劳动供给，而非低成本。

在中国，同样的本土创新过程亦呈方兴未艾之势，所不同的是，中国的主要电子制造企业，如联想和方正等主要是通过服务于本国的家庭和企业市场发展起来的(Lu 2000，第 4 章；Lu & Lazonick 2001)，同时借助英特尔、德州仪器、摩托罗拉和惠普等跨国公司的资本货物(元器件等)专长来开发高品质、低成本的产品。联想和方正就是这种不仅在国内市场、而且在国际市场跻身于主要竞争者之列的典型企业。在通信技术领域，华为技术和中兴通讯也在做同样的事情(Feng & Zhang 2008)。尽管有许多中国信息通信技术业员工的高等教育和工作经验来自于美国，但绝大多数员工的教育和工作经验是在本国获得的。

鉴于动态增长的格局已经在这两个国家形成，单单印度和中国的人口规模就足以使其支配全球信息通信技术产业劳动供给的扩展。这两个国家人口之和相当于韩国和中国台湾的 33 倍。印度和中国迅速增长的国内市场不仅为本土企业提供了广阔的市场，而且也是政府与跨国公司进行谈判的筹码，藉此作为后者直接投资的条件来换取先进技术。虽然印度和中国的科学家和工程师的本土就业机会正在迅速扩展，但仍有大量受过高等教育的国民在海外学习和工作。借助美国移民政策自由化的推动，与早期的韩国和中国台湾学子相比，全球职业道路对如今的印度和中国科学家和工程师来说已成为一种相当“大众化”的现象。历史告诉我们，那些走上全球职业道路的印度和中国高技术人士终将回归其出发之地。高技术劳动力的全球化与印度和中国的持续增长将携手并进——过去是这样，今后还会如此。

信息通信技术产业劳动力的全球化对美国这样的高工资国家意味着什么？21 世纪以来，“海外转移”在美国已成为一个重大政治议题(参见 Hira & Hira 2005)，其原因恰恰在于信息通信技术产业劳动力的全球化；其演变模式正如我方才给出的分析。2003 年底在回答一位记者关于未来三年硅谷就业前景的提问时，英特尔的克雷格·贝瑞特表示：“公司仍将在硅谷继续出生并获得全球竞争力；它们只是不会在硅谷继续创造工作机会了”(Merritt 2004)。2004 年，贝瑞特又有如下说法：

> “作为英特尔的首席执行官，我效忠的对象是公司的股东以及公司的成功。我们在全世界追求具有成本效率的资源，无论它身在何处。(然而，)作为一个美国公民，我对工作岗位是否发生在美国深感忧虑……作为一个公民，我看到了所有这些资源，而且我认为

它正在使我们的国家陷入险境。”(Heim 2004)

此后贝瑞特担任了美国国家科学院繁荣21世纪全球经济委员会(Committee on Prospering in the Global Economy of the 21st Century, CPGE)的委员;该委员会正在对美国科学和工程能力发展的缺陷进行研究(CPGE 2007)。尽管从公共政策的角度他对这一问题显然颇感不安,但在2006年的一次广播脱口秀中,贝瑞特却宣称:“英特尔这样的公司可以在全球市场做到尽善尽美,哪怕一个美国雇员也不用。”[1]

---

① 汤姆·阿什布鲁克(Tom Ashbrook)对克雷格·贝瑞特的采访,*On Point*, WBUR, 2006年2月11日。

6

对股东价值的追求

新经济企业模式和股票市场

信息通信技术产业的全球化并不一定会给美国的劳动力带来严重的就业问题。像美国这样的国家，既是全球化的主要贡献者，也是其最大的受益人。借助纳税人的钱，美国政府一直在资助，并将继续资助全球最强大的高科技知识基础的建设；在科技研究和教育方面，美国一向拥有，并将继续拥有全球领先的大学；以美国为基地，全球众多最强大的高科技公司云集于此。2000 年以来，这些高科技公司总体而言都非常赚钱，这部分归功于它们有能力利用全球化的大好时机。随着世界其他国家的发展，政府对知识基础进行投资，企业对产品和工艺的创新进行投资，这两种投资的结合势必会创造更多高附加值的就业机会，从而使美国高技术劳动力的生产率和创造力得到充分利用。

如果人们普遍认为只有私有部门能够对经济增长做出生产性贡献，从而使美国政府对长期经济增长所发挥的作用受到损害，结果将会怎样？如果人们普遍认为私有部门应该把增加股东价值作为主要甚至是唯一的经营目标，并据此把公司的资源分配给那些对公司贡献最小的参与者们(即外部股东——译者注)(本章后文会展开论述)，结果将会怎样？事实上，如果公司管理层发现，以旨在"股东价值最大化"的方式配置资源会使自己变成超级富豪，即使那些受过良好教育、具有丰富经验、为公司长期努力工作的员工会为此担心饭碗，苦心积累的人力资本不断贬值，结果又会怎样？

"结果怎样"的结果已经出现。我们看到它体现在过去 30 年来企业高管薪酬一再出现的爆炸性增长上，并因此成为社会经济学津津乐道的焦点话题；我们看到它体现在布什政府 2003 年为富人减税通过的《就业和增长减税调节法》(Jobs and Growth Tax Relief Reconciliation Act)上，从其名称即可看出该法认为把股利所得税和资本利得税降至15%会使整个美国经济从中受益;我们看到它体现在美国公司的股票回购上,2000年以来,美国公司已为此动用了数万亿美元,以拉抬自家的股价。我们还看到中产阶级的没落,其中包括那些受过良好教育、年龄在40岁、50岁和60岁的资深男女,他们原本可以步入中上阶层,甚至更上一层楼。

股东价值最大化会带来优越的经济绩效——这是这种资源配置模式得以大行其道的内在经济依据,如今已被美国的工商界奉为自然法则。这一思潮起源于20世纪80年代,当时许多过度膨胀的所谓旧经济企业在新的全球竞争的压力下被迫进行了重组(Lazonick & O'Sullivan 2000a)。在这种情况下,这些公司开始抛弃"保留并再投资",即保留员工,使之在企业长期就业,同时留存利润,将其再投资于新产品和新工艺开发的资源配置理念;并代之以"缩编加分钱",即裁员和史无前例的大规模分红,包括现金分红和股票回购。

如果旧经济企业的"缩编加分钱"是(美国公司)唯一的资源配置模式,那么,在20世纪90年代初期它就已走到了尽头,事实上,当时出现的白领衰退及随后的无就业复苏已证明了这种模式的穷途末路。仅仅凭借,或主要凭借裁员和大手笔的分红,美国历史上最长的大牛市是无法持续的。从长期来看,公司的优越绩效及因此而节节攀升的股价表现需要创新的支持。

对美国经济增长而言颇为幸运的是,正在兴起的新经济催生了另外一种资源配置模式。它与旧经济奉行的"保留并再投资"模式有所不同;其主要差异在于,这些新经济企业在20世纪80年代和90年代几乎把所有的留存利润都用来投资企业的成长,很少甚至从来不进行现金分红。然而,它们并未沿袭以往的终身雇用制,而是发展了一种弹性雇工机制,更喜欢聘用年轻工人,其经济和技术成因我在前文已有所说明。

20世纪80年代和90年代新经济企业的表现,使美国人对持续繁荣的可能性重燃希望。众所周知,近几十年来,美国家庭对股票投资收益的依赖性越来越强,尤其是那些退休人群。有鉴于此,认为公司应当致力于股东价值最大化,似乎是一个有助于增加全民财富的口号。新经济企业模式在最具创新性的经济部门中兴起并站稳脚跟,使这种资源配置观赢得了最后的胜利。

新经济革新不仅使20世纪80年代和90年代的股市繁荣持续不衰,而且如本书第2章所述，更催生了这样一种商业组织模式：其中股市变成了动员资本和劳动乃至推动公司成长的主角。股市的高流动性提供了诱因，使风险资本乐于对具有高度不确定性的产品和工艺进行投资。20世纪70年代以来，为了确保风险资本的这种投资能够获得高回报，由美国电子学协会和全国风险投资协会组成的高科技行业游说团打着创新企业的旗号，促成政府降低了相关税率。通过面向广泛员工的股票期权计划，股票市场为新经济的新生企业打造了一柄竞争利器，使之能够吸引那些旧经济企业的专业技术和管理人才脱离原有的就业保障体制。如此这般完成资本和劳动的动员后，新生的高技术企业就会马不停蹄地开发产品，以期尽快公开上市。一旦上市，这些新经济企业会把利润再投资于企业成长。当这种投资取得了成功，股票价格就会应声而涨，这样一来，公司股票就变成了抢手的“硬通货”；这种“硬通货”不仅有助于吸引和保留员工，而且可用来收购那些更年幼的技术公司而无须现金支出。

这就是新经济企业在20世纪80年代和90年代的故事。2000年以后，形势发生了改变。那些新经济的龙头企业，以及像惠普和IBM这样转型为新经济模式的旧经济企业，已羽翼丰满或转型成功。它们不再遵循“保留并再投资”的准则，即使那些新经济企业也是如此。这些被认为已经成熟的企业如今正孜孜于股票的回购以维护公司股价，成为这种资源分配模式的先锋。正如我在本章和下一章所说明的那样，美国的中产阶级正在为此埋单(参见Lazonick 2008c, d)。

股东价值最大化

在所有发达经济体中，工商企业是大量乃至海量经济资源的集结地，但掌握其资源配置大权的并不是市场，而是那些公司经理。事实上可以认为，公司而非市场对资源配置的控制才是20世纪资本主义经济的根本特征(Chandler 1977, 1990)。虽然传统的市场经济理论认为应由市场来配置资源才能取得优越的经济绩效，但实际上公司控制资源配置的现象却无处不在，为此，我们亟需一种关于公司治理如何影响经济绩效的理论。

在20世纪80年代和90年代，认为股东价值最大化会导致卓越绩效的观点成为公司治理大辩论的主流说法。这种股东价值论旨在构建一种与新古典市场经济学相一致的公司治理理论。但是，与新古典市场经济理论一样，股东价值论亦缺少一种关于创新企业的理论（参见 Lazonick 2003b, 2006; O'Sullivan 2000a）。因此，无论在企业层面还是在整体经济层面，关于公司治理的股东价值论均无法解释公司主导的资源配置如何并且在什么条件下才能支持创新投资，同时对实现稳定和平等的经济增长做出贡献。

在市场经济理论的拥趸看来，“市场缺陷”——如奥利弗·威廉姆森（Oliver Williamson 1985，1996）著作中的“资产专用性”（asset specificity）——会导致企业资源配置的管理控制，从而对投资于企业的“委托人”造成“代理问题”。这种代理问题来源于资源配置决策者的两种局限性，一是认知上的，另一个是行为上的。认知上的局限性即“隐藏信息”（也称“逆向选择”和“有限理性”），令投资者无法在**事先**得知其聘用作为代理人的经理在资源配置方面是否称职。行为上的局限性即所谓“隐藏行动”（也称“道德风险”或“机会主义”），它体现了个人主义社会的人性倾向，因而作为代理人的经理会凭借手中的资源配置权力，追求并不一定与委托人利益相一致的个人私利。他们可能会醉心于打造自己的商业帝国，而不管自己所做的投资及雇用的人员能否给企业带来足够利润。他们往往会把结余的现金和现金等价物保留在公司，藉此控制这些未投入的资源，而不是把这些多余的收入分配给股东。更有甚者，他们会用这种控制权中饱私囊。根据代理理论，如果缺乏股东价值最大化的公司治理制度，管理控制势必会导致资源配置的低效。

有人认为，股东收益的增加是资源配置趋于更高效率的标志。但为什么应该是股东的价值最大化？为什么不是为债权人创造更大的价值以使其投资更安全？或支付更多工资和福利，为雇员创造更大的价值？抑或完成更多的税收，为企业运营于其中的社区创造更大的价值？新古典金融理论家宣称，在上述所有公司利益相关者中，只有股东是“剩余索取者”（residual claimants）。换言之，股东的收益来自其他利益相关方取得其生产性贡献的报酬之后的剩余；而后者的收益都是有合约保证的。如果公司经营亏损，股东的收益就是负数，反之亦然。

按照这种说法，在所有利益相关者当中，只有股东有动力承担生产性资源的投资风险，而这种投资正是优越经济绩效的源泉（O'Sullivan 2000b, 2002）。进而言之，作为剩余索取者，只有股东会花心思督促管理层对资源进行有效配置，而其他利益相关方可能会置身事外。再者，公众股东通过股票市场买卖公司股票,成为对资源进行再分配、使之变得更有效率的参与者,而且处于其中最佳位置。而代理问题,即作为承担风险的委托人的公众股东不得不将企业的资源配置置于其代理人的管理者的控制之下——会对资源的有效配置产生持续的威胁。

根据股东价值论的理论范式,股票市场本身就是一种有效的公司治理机制:代理问题可由此得到解决,经济资源的有效配置亦可由此而实现。具体说来,股票市场可以发挥"公司控制权市场"(market for corporate control)的职能,从而迫使公司——用迈克尔·詹森(Michael Jensen)的话说——"吐出"宝贵的"自由现金流"(free cash flow)。詹森是股东价值最大化的主要学术倡导者,他在1986年提交的一篇论文(1986, 第323页)中系统地阐述了这一观点:

> 自由现金流是指公司在满足所有具有正的净现值(经相关资本成本贴现后)项目的投资需求后的剩余现金流。当公司产出可观的自由现金流时,股东与管理层在分配政策方面往往会产生严重的分歧。问题在于,如何激励管理层吐出这些现金,而不是将其投入那些低于资本成本的项目或浪费在组织的低效上。

怎样才能让控制公司资源配置的管理者甘愿或不得不把现金分给股东?如果一家公司不实行股东价值的最大化,股东可以卖掉该公司股票,把钱投到他们认为效率更高的用途上。抛售该公司股票的行为必然会使公司股价受到打压,为股东对企业兼并创造便利条件,从而使愿意把自由现金流分给股东的管理层上台,然后通过更多的分红或(和)股票回购的形式拿到这些现金。操作得更好一点,正如詹森(1986,第324页)在20世纪80年代中期的企业兼并运动期间所建议的,公司狙击者们还可以利用这种"公司控制权市场",借助债务融资的方式进行收购。由此,公司就"被"负债了,股东的股权亦摇身一变为对公司的债权,管理层就不得不以利息而不是股利的形式吐出"自由现金流"了。此外,詹森和Murphy (1990)及其他人还主张,通过为公司管理层设计与股权挂钩的薪酬方式,如股票期权等,使其自身的利益与股东的利益相一致,股东价值最大化就可以水到渠成了。这样,即便没有收购的威胁,公司管理层也会出于自利的动机追求股东价值最大化,把公司的收益仅投资于那些“净现值为正(经相关资本成本贴现后)的项目”(Jensen 1986,第 323 页),并将其余的公司盈余以股票分红或(和)回购的形式还给股东。

股东价值论批判

在 20 世纪 80 年代和 90 年代,股东价值最大化成为美国公司治理的主流意识形态,并通过各种各样的渠道传播到全世界。美国公司高管也渐渐成为这种观点的拥趸,更准确地说,促使他们皈依这种信条的是与股权挂钩的现实薪酬,而非其理论上的吸引力(Lazonick & O'Sullivan 2000a;亦见第 2 章)。20 世纪 80 年代和 90 年代股票市场的大牛市,再加上美国公司董事会的薪酬决策,使美国公司高管们抱上了金娃娃。在 70 年代,美国股市经历了十年熊市,同期的高通胀更让股利大大缩水。然而,在 80 年代和 90 年代,股票的高实际收益却变成了美国公司经济的标签,对此本书第 1 章已有所论述(见表 1.2)。

这种高收益主要来自于股价上涨而非分红,即便在高派息率流行的 20 世纪 90 年代,股利收入的绝对值也没有多少。收益方式决定了持股思路。股利使投资者通过持有股票而获得收益,因而有助于持股的稳定;而价差收益只能在投资者卖出股票时才能兑现。公司高管或其他企图兑现手中股票期权的员工,往往会有抛售股票锁定既得收益的动机。(不然的话,除非是在 10 年行权期的最后时刻,他们一般不会急于行权。)因此,高价差收益与高管的股票相关收入是相互促进的。

值得一提的是,20 世纪 80 年代和 90 年代美国公司在分红方面并不吝啬。但如果公司股票价格上涨,则股利收益率——即支付给股东的股利相对于股价的比率——就会有所下降,除非股利总额能够同比例上升。20 世纪 80 年代,美国公司支付的股利按年均 10.8%的速度增长,而公司税后利润的增速为年均 8.7%。到了 90 年代,股利支付年均增长 8%(其中,1999 年出现了 4%的负增长,是自 1975 年以来的首次负增长),同期税后利润的年均增速为 8.1%。美国公司的股利支付率即支付的股利占(经存货价值重估和资本消耗调整后的)税后净利润的比率在 20 世纪 80 年代和 90 年代分别为 48.4%和 56.5%,而 60 年代和 70 年代的数字分别为 38.8%和 41.3%。2000 年至 2007 年,美国公司的股利支付率上升到年均 60.5%,2007 年更是达到创纪录的66.2%。在2008年前三季度,上述纪录再次被刷新至73.3%(U.S. Congress 2009,表B-90)。

20世纪80年代和90年代,美国股票的高收益是三种不同力量共同作用的结果:(1)有利于股东的利润分配机制,尤其是那些相对成熟的公司,通过裁员、提高现金分红和股票回购等方式增加对股东的分配。(2)创新提升了每股收益,特别是那些新兴的高科技公司。(3)股市投资者的投机行为,至少在早期,引发这种投机的股价上涨是由操纵和创新这两种因素的合力推动的。搞清楚这三个决定股价走势的决定因素,对于我们批判股东价值最大化导致更优经济绩效的观点是至关重要的。

20世纪80年代和90年代,许多创办于19世纪末的老公司对源自劳动到资本的各种收益进行了调整或再分配。在"缩编加分钱"的体制下,这些公司一手裁员,一手加大了对股东的分配(Lazonick & O'Sullivan 2000a)。如前所述,这种分配体制是对"保留并再投资"模式的反动,后者代表着二战后的几十年公司财务的典型特征,那时企业用留存利润对管理和技术进行再投资,其职工队伍也随之扩大。到了20世纪80年代,这些公司的雇员——无论是管理层还是一线工人——由于在"保留并再投资"的体制下已工作了30多年,均期待自己能够在公司内部长期就业(Lazonick 2004a, 2007e)。现在,公司的裁员使所谓可分配给股东的自由现金流有所增加。在20世纪80年代早期和中期,借助债务杠杆的敌意收购进一步推动了这种公司收入的再分配,并受到"公司控制权市场"倡导者的肯定。为了偿还因收购而背上的巨额负债,收购后的裁员就势在必行了(Blair 1993; Shleifer & Summers 1988)。

20世纪80年代中期以来,这种倾向于股东的再分配更多地采取了股票回购的形式。如图6.1所示,整体看来,从1994年到2007年,每年非金融类公司、商业银行以及保险公司的股票净发行是负数。在1997年到2000年互联网繁荣期,由于许多公司热衷于回购股票以刺激股价,股票市场"负融资功能"(negative cash function)显著增强。以2007年美元不变价计,非金融机构、银行、保险公司的股票发行净融资在1998年达到-3 000亿美元的底部,2003年回升到-490亿美元,这也是1993年以来扣除物价因素的最高值。然而,自2003年后,美国公司的股票发行净融资再创新低,2007年达到-8 960亿美元。

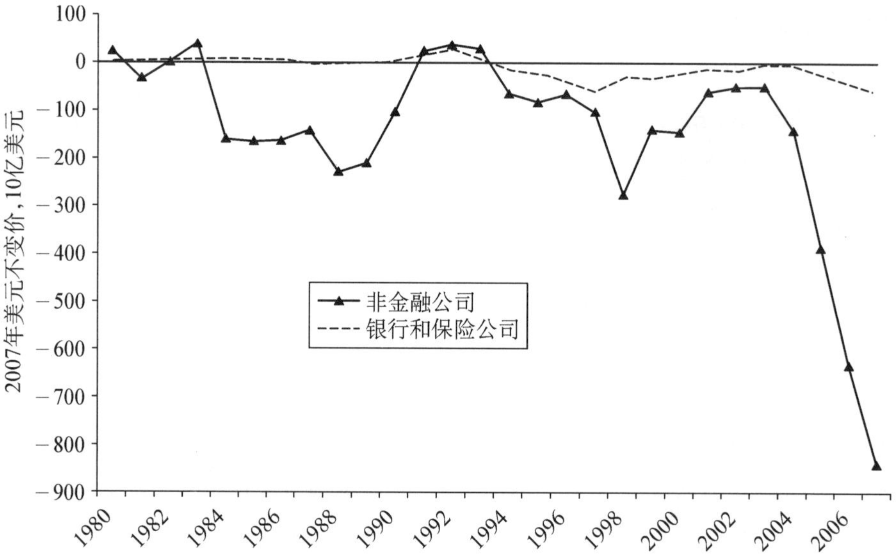

图 6.1　1980～2007 年美国非金融公司及部分金融公司股票发行净融资

资料来源：Board of Governors of the Federal Reserve System (2008).

上市公司这种"吐出"现金流的行为表明，代理理论及其股东价值论已成为公司资源配置的主导思想。下文我们将直接考察包括标准普尔 500 指数成分股公司在内的股票回购行为，以及它怎样推动了倾向于股东的再分配。此外，我还将考察信息通信技术产业龙头公司的回购股票行为，并由此提出这些被吐出的现金流是否真的是"自由"的问题。

不可否认，技术创新确实可以通过价值创造来提升股价。操纵则不然，它虽然也能推高股价，但只是把价值从劳动收入转移为资本收入，例如，解雇工人、削减工资和福利并不能创造新的价值。在 20 世纪 80 年代和 90 年代，像英特尔、微软、甲骨文、太阳微系统和思科系统这样的新技术公司，营业收入和雇员的显著增长都是通过"保留并再投资"的理念实现的。它们把利润留在了公司口袋里，几乎不分红(尽管在 20 世纪 90 年代大都有股票回购)，而是将其再投资于创新的产品和工艺之上。总体而言，尤其是在 90 年代，这些公司的收入和雇员人数始终在增长，而且都很赚钱(参见 Lazonick 2007b)。股票价格的稳步提升体现了这些公司创新活动带来的收益。

经验丰富的股市老手意识到，操纵和技术创新两者的结合为公司的股价提供了坚实的基础，并且投机于股价的进一步上涨。其他不那么懂行的投资者则会跟风追随。自 1985 年四季度到 1987 年三季度和 1995 年一季度到

2000年三季度，在这两个时段里，投机作为股价上涨推手的重要性大增，特别是在后一个时段。那些内部人，包括公司经理和华尔街的专业人士，对这种投机大加鼓励并从中渔利，因为那些非专业的外部人正在排队等候买进这些价格高涨的股票；其隐含的假定是，这些“更大的傻瓜”会继续吃进价格已经高估的股票。但是，终有一天“最大的傻瓜”会接到最后一棒。这一刻终于降临了：1987年四季度股市出现了崩盘；2000年四季度股市出人意料的大跌更是如此。2001年，股市继续节节下挫，投机给美国历史上最长的牛市画上了休止符。

金融经济学的“行为”学派认为股票市场投机是决定股价的重要因素，但是总体来说，这一理论并不认同博傻说。比如，金融经济学家罗伯特·希勒(Robert Shiller, 2000)在互联网繁荣时推出了一本畅销书，把股市泡沫描述为“非理性繁荣”，该书(第18页)假设股市所有的参与者，无论是专业人士还是非专业人士都可以获得同样的信息，暗指非理性的繁荣是股市的常态。但是，这个假设经不起检验。网络股泡沫破灭后，针对证券欺诈的调查以及股民提起的诸多集体诉讼(因专业人士的信息误导而蒙受损失)均表明，专业人士利用内幕信息牟利的现象普遍存在；美国证券交易委员会的调查显示，大量上市公司会通过倒签(backdating)管理层股票期权的授予日期，使之似乎是在股价较低的时候被授予期权，并在授予高管股票期权后没几天就披露有助于股价走高的利好消息，从而两方面为管理层谋求更大的股票期权收益(Forelle & Bandler 2006; Lie 2005)。只要那些内部人既有能力又有动力通过上述手段操纵股价谋取私利，他们的“繁荣”就绝对是蓄意为之，而不是“非理性的”。

在标题为“有利于企业成功的文化变革或只是表象”的一段内容中，希勒(2000，第22～24页)意识到(但在我看来仍然低估了)公司高管作为终极的职业内部知情人，其自利动机助长了股票投机，因为与股票挂钩的收入在其薪酬总量中占有相当大的一块。具有讽刺意味的是，网络股泡沫破灭后，詹森严厉谴责美国上市公司高管，认为他们未能对华尔街说“不”，而是在获取更多股票期权收益的欲望刺激下，为公司股价的膨胀推波助澜(Fuller & Jensen 2002)。不仅如此，公司内部人还可以从股价波动中谋取利益，股价上涨时自不待言，股价下跌亦如是；散户股民持续买入的时候，内部人正好卖出(例见Gimein等2002)。

特别是在那些高科技公司，从沸腾的股市中获利的并非仅限于公司高管。如我在第2章所述，20世纪80年代和90年代，大范围的雇员股票期权计划已在新生的科技公司广泛普及。到90年代末，为了争抢高流动性的人才，这种做法也扩散到那些老牌公司，乃至美国以外的公司(Carpenter, Lazonick, and O'Sullivan 2003; Glimstedt, Lazonick, and Xie 2006)。尽管公司高管们仍然得到股票期权的大头，但许多高技术员工，尤其是在那些身处高科技行业者，也从股东价值最大化的公司政策中获得了直接利益。

但是，上述金融行为是否真的像股东价值论的倡导者所宣扬的那样，能够为社会经济带来更有效的资源配置效率呢？事实上，代理理论在分析公司治理与经济绩效的关系方面多有缺陷，主要表现在以下三个方面：(1)未能从历史的角度说明公司为什么会成为如此巨量的经济资源分配的核心角色；(2)如何计算自由现金流；(3)为何只有股东才是"剩余索取者"。这些缺陷的根源来自于，代理理论及其基础——新古典市场经济理论，缺乏一个关于创新企业的理论。此外，美国产业公司的发展史已经把这些缺陷暴露无遗，而代理理论正是在这种历史背景下发展起来的，并号称对其完全适用。

代理理论宣称应剥夺低效的管理者对公司资源配置的控制权，却无法对这种巨量资源控制权的历史成因加以说明。早在20世纪第一个10年，所有权与控制权的分离就已成为当时美国工业企业的主要特征(Berle & Means 1932)。这种分离的发生来自创新企业的成长壮大，从而要求将其资源的战略配置，如转换技术和进入市场之类的重大决策权置于领取薪水的职业经理手中，因为只有他们充分了解企业在其中开展竞争的各项业务的投资要求。与此同时，公司股票的上市交易使公司原来的所有者-创业者可以向公众股东售出其手中的股份，从而拥有足够的身家从公司高层职位退休而安享余生。打算退出的所有者-创业者将控制权交给资源的支薪职业经理，后者大都已加入公司几十年，帮助企业成长到如今的规模。家族所有者从公司的战略控制职位归隐后，那些新生代的支薪经理们开始把他们所供职的企业看作自己职业生涯的归宿，经过若干年的尽心工作和努力后，他们也有望晋升到企业的最高层。

随着支薪经理全面接管公司的战略控制职能，在20世纪的头几十年间，创新型的管理型企业逐渐成为其所在行业的巨头(Chandler 1977, 1990)。然而，在二战后的几十年间，尤其是在20世纪60年代出现的公司多角化浪潮中,许多公司因变得过于庞大而无法进行有效的管理(Lazonick 2004a)。无论是在行为上还是认知上,那些负责公司资源配置的高管们均脱离了执行其战略的组织。在行为上,他们自视为公司的主宰者而非其中一员,热衷于薪酬的横向攀比(例见 Crystal 1991; Patton 1988)。在认知上,公司过度膨胀,涉足大量陌生行业,使公司高层管理者很难对其中任何一项业务的投资要求形成深入的理解。

此外,20 世纪 70 年代和 80 年代,美国许多公司面临外国公司的激烈竞争,尤其是来自日本的创新型企业(值得一提的是,日本公司的组织特征也是所有权和管理控制的分离)的竞争。对这种挑战的创新型回应要求建立一套新的治理机制,以使美国的战略决策者与其管理的企业组织重新融为一体。然而,由于对股东价值最大化信条的皈依以及股票期权的诱惑,这些老牌公司的战略决策者开始热衷于公司股价的提升,因为他们可以从中获得巨大的个人利益,即使这种股价上涨只是来自劳动收入与资本收入的再分配,即使对股价上涨的追求会对公司以往累积的生产能力造成损害(Lazonick & O'Sullivan 2000a)。

代理理论也没有说明,当企业开始创新投资时,如何判断管理层的资源分配决策是否有效率。任何战略管理者在为一个创新战略作资源配置时,都会面临着技术、市场和竞争的不确定性。技术不确定性的存在,是因为企业可能无法按照其创新性投资战略预想的那样完成高质量的工艺和产品开发。市场不确定性的存在,是因为即使企业的开发计划获得成功,未来可能出现的产品价格下降和要素价格上涨也会拉低其投资回报。最后,即使克服了技术和市场的不确定性,企业仍然面临着竞争的不确定性:具有创新性的竞争对手的投资策略也许会创造品质更高、成本更低的产品并赢得市场。

或许有人说,如詹森所言,企业只应投资于"按相关的资本成本贴现后净现值为正的项目"。但是,姑且不论"相关的资本成本"应如何界定,没有谁敢说,在一项创新投资战略的投入之初他就能够预测该项目未来产生的收入流,进而算出其净现值,而无需对特定项目的创新流程有任何了解。如果说公司管理者根据这样一个计算公式就能实现股东价值的最大化,而不必对创新项目本身深思熟虑,那更是天方夜谭了(Baldwin & Clark 1992)。

至于第三点,即代理理论认为除股东之外其他的企业参与者均根据其各自的生产性贡献获得了相应的报酬,而这些报酬均有合约保证的假定更经不起推敲。认为只有股东才是唯一的剩余索取者的说法源自市场经济理论。但是,这种说法显然与创新企业的真实情况不符。如果存在一个公开的、完全竞争的市场,供企业从其他企业购买生产投入所需的物质商品,交易各方能够获得合约保证的回报的说法是可以成立的。但是,正如我在下文所述,如果企业的投入是国家提供的,其回报就无法获得完全的合约保证。同样,如果企业的投入是雇员的劳动服务,上述假定也不能成立。最后,如果你承认不能把创新活动归结为一组"合约的联结"(nexus of contracts),你同样会对代理理论主张公众股东实际担当着风险承受职能的说法产生怀疑。

鉴于其对生产资源的投资,国家也拥有剩余索取者的地位。任何关于经济发展现实的分析都必须考虑国家的综合作用,这表现在以下两方面:(1)国家对基础设施的投资,由于其必需的规模及其经济产出固有的不确定性,商业企业对此往往无力独自担当;(2)为商业企业提供补贴,鼓励它们在创新事业上进行投资。在把新知识转化为产业应用的投资方面,美国在整个20世纪堪称全球最具开发性的国家。如果忽视政府在新知识及其赖以传播和扩散的基础设施上所进行的根本性投资,就无法解释美国何以能在计算机、微电子、软件以及数据通信等领域独占鳌头(例见 Abbate 2000; National Research Council 1999)。同样,如果忽视国家卫生研究院(National Institutes of Health)对知识基础的持续投资以及政府通过立法——如1983年的《罕见病药物法》(Orphan Drug Act)——为商业企业提供的补贴,也无法解释美国在生物技术方面的领先地位(参见 Lazonick & Tulum 2008)。

通过发展新知识的联邦政府实验室、企业和大学的实验室,以及开发劳动者未来能力的各类教育机构,美国政府一直在对增强国民生产能力进行投资。工商企业对这些知识和能力多有采用;虽然企业可能要为此支付一定的费用,比如说一名工程师的薪水,而他所受教育的部分乃至全部是在政府支持下完成的;但是,我们很难从中发现有什么"合约的联结",使政府对生产性贡献(并为企业所采用)的此种投资的回报得到了合约的保障。实际上,为上述投资提供资金的政府(更准确地说是纳税人)承担了风险,而国内的企业只是对由此形成的生产性能力进行进一步的开发和利用并最终惠及国民,但前者的投资回报是没有任何合约保障的。

此外,美国政府还经常为企业提供资金补贴,帮助它们开发新产品新工艺,甚至开办新的企业。这种政府补贴有时会体现为受管制的垄断行业的定价标准。在某些特定行业，关税保护给该行业的企业开发出更高质量、更低成本的产品争取了时间。公众为此不得不承受较高的产品价格，使这种高关税得以维持并承担了这种补贴的费用。显然，补贴是与市场交易促成的合约完全不搭界的，实际上，它被定义为"一种旨在公共利益的政府对企业的拨款"(Dictionary. com 2008)。许多受惠于政府补贴的企业并没有与公共部门签订什么合约，对这种由补贴资助的生产性投资的回报加以保障。

与政府类似，工人也发现他们对自己面向所在企业的生产能力进行了投资，而无法得到合约保障的回报。作为对公司治理大辩论的重要贡献，玛格丽特·布莱尔(Margaret Blair 1995)提出，与企业股东一样，工人也应当获得剩余索取权，因为他们对"企业专用"的人力资本进行了投资，期望在其职业生涯中逐步收获其投资回报，但并未得到合约保障。非但如此，如果其人力资本真的是"企业专用"的，这些工人就只能依靠当前的雇主来获得自己的投资回报。专用性人力资本不能在企业之间流动，意味着这些工人至少部分地承担了自己的投资风险，因此也应当被看作剩余索取者。布莱尔进一步指出，如果像股东价值论的支持者那样，认为只有股东承担风险并因此应该拥有剩余索取者身份，就会导致人力资本投资的不足，不仅工人，而且整个经济都将因此而受到损害。

对于那些关心美国公司"缩编加分钱"倾向的人来说，布莱尔关于企业专用的人力资本投资的观点为之提供了一种利益相关者理论；这种理论认为，与股东一样，工人也应被看作是委托人，企业的经营要保障他们的利益。但是，那些打算进行裁员的企业经理会振振有辞地辩称，就工人的生产能力而言，那些年事已高，比如说 50 多岁的老工人是无法与技术同样熟练且精力充沛的小伙子竞争的，虽然前者在过往岁月曾进行了企业专用的人力资本投资，但由于技术更新的缘故，其技能已经过时了。接下来，这些企业经理会宣称，在当初进行企业专用的人力资本投资时，这些如今的老工人就已经承担了相应的投资风险，因此应该像其他承担风险的投资方一样，坦然接受其企业专用人力资本终有一天会失去市场价值的可能性。

工人则可以针锋相对地反驳，他们日积月累起来的能力并不会老化和过时，相反，如果对所在行业的技术、市场及竞争环境有一个正确的理解，这些能力仍然可以对创新的进程大有裨益。作为委托人，他们甚至会指责作为其代理人的管理层，说他们的行为是机会主义的，因为其手中的股票期权把他们与外部股东的利益绑在了一起。他们会说，人力资源重组是为了创新的说法纯粹是忽悠，裁员的真实目的无非是要把原属于劳动力的企业收益转移给资本。显然，即便从工人的角度看，代理理论关于经理人员具有隐藏信息与隐藏行为倾向的看法也是适用的。问题在于，代理理论无法给出经理人究竟是在创新还是在投机的分析，因为与新古典经济理论一样，代理理论根本就没有一个关于创新企业的理论。

投资要想转化为创新，必须对生产资源进行战略性配置，在之前通行的要素价格条件下，通过特定的流程把特定的生产性投入转化为品质更高、成本更低的产品。创新投资是一种直接投资，它首先面对的是技术、市场和竞争环境的不确定性。那些既有能力又有动力把资源配置到创新事业的决策者必须决定，在这些不确定因素的条件下，哪些类型的投资有可能开发出品质更高、成本更低的产品。接下来，他们必须动员已承诺投入的财务资源，以保证创新过程的连续性，直至开发出品质更高、成本更低的产品并取得财务回报(Lazonick 2006)。

在这一创新过程中，公众股东在企业中扮演了什么样的角色呢？在为创新投资进行战略性的资产配置时他们是否也面临着以上不确定性？答案显然是否定的。作为证券组合投资者，他们通过对所有上市公司发行在外的股票进行投资，力求实现投资的多元化和风险的最小化。而且，他们的股票投资是有限责任性质的，法律并不要求他们投入更多的“善款”来支持其以前投入且扭亏无望的资本。实际上，即便是这些前期亏损的投资，公众股东也可以通过高流动性的股票市场来卖出其股票从而迅速止损——这就是我们闻名已久的“华尔街漫步”。

如果缺乏便利的投资退出机制，公众股东就不愿意持有那些公司的股份，毕竟，他们无力掌控相应资产的配置权力。正是组合投资的这种流动性，使得公众股东不同于直接投资者和非上市公司的股东，后两者由于其股权投资缺乏流动性，只能持有股票直至创新成功后收回投资。正如伯利(Berle)和米恩斯(Means)(1932)指出的那样，现代公司制度改变了私有产权的性质：作为私有产权主体，公众股东只拥有某公司可交易股票的所有权，但并不直接拥有该公司投资购置的具体资产。

实际上，20 世纪美国股票市场的根本作用是把公司投资形成的资产的非流动性所有权变成了流动性的股权，从而实现了公司所有权与管理控制的分离。工商企业的确会利用股票市场来为新的投资项目融资，但这种情况往往发生在股票市场投机气氛高涨，公众股东相信发行的新股具有高弹性、可以为他们带来快速的投机收益之时（参见 Lazonick & Tulum 2008；O'Sullivan 2004）。公众股东追求的是财务流动性，而创新投资者需要的是财务承诺。代理理论之所以会认为那些游离于创新过程之外的股票投资者的价值最大化能够带来优异的经济绩效，正是由于它忽视了创新在经济活动中的作用，以及为了创新公司资源的战略配置必须经由内部人实现这一基本事实所致。

股票市场的五项功能与创新企业

从事商业活动的企业试图把生产性资源转换为可供销售并产生收益的货物和服务。因此，作为一种合格的企业理论，至少必须能够解释这种转换是如何发生及其收益是如何获得的。进而言之，作为一种力图把握现代资本主义经济现实的企业理论，它还必须能够解释为什么在同一种产品市场的竞争中，有些企业能够相对于其他企业获得持续的竞争优势。就公司治理理论而言，如果要想有助于理解企业如何取得优越的经济绩效，就必须以创新企业理论（theory of innovative enterprise）为依据（详见 Lazonick 2006；Lazonick & O'Sullivan 2000b；O'Sullivan 2000a）。

创新过程具有不确定性、集体性和累积性。因而，创新企业需要以其战略、组织和财务安排来加以应对（Lazonick 2006；O'Sullivan 2000a）。战略的作用在于针对这种不确定性进行资源配置和投资，通过人力和物力资源的开发使企业能够在特定的产品市场开展竞争。组织的作用在于开展技术转换并进入市场，以使企业的产品能够为买家以其愿意且有能力支付的价格购买。财务安排的作用在于保持各项能力的累积性，使其在生产性资源投入之初到产品销售完成、财务回报实现的整个过程得以维持。

在具体的时间和地点，创新是建立在我所谓“创新企业的社会条件”之上的。它们由三个独立且相互联系的条件组成，即战略控制、组织整合与财务承诺；它们是战略、财务和组织转化为创新得以产生的社会条件。显现为社会关系并植根于企业机体的社会条件是决定企业绩效优劣的核心所在。

面对技术、市场和竞争这些创新过程的内在不确定性，战略控制赋予决策者配置企业资源的权力。为了使创新得以发生，位居战略决策职位的企业领导人必须有能力且有动力将资源配置于创新性的投资战略。他们的能力取决于其关于组织现有的创新能力怎样才能通过对新的、通常具有互补性的能力进行战略投资从而使之得以强化的知识;他们的动力则取决于其个人利益与企业组织取得和保持竞争优势的利益之间的一致性。

行使战略控制的管理者必须有能力把握企业为之竞争的产业的技术、市场和竞争特点,同时对其赖以推行创新投资战略的组织的学习能力有充分的了解。决策者与企业组织之间的这种鱼水关系可能会因企业的过度扩张、进入过多的业务领域而瓦解,就像美国大企业20世纪60年代的多角化运动那样;那些对企业行使战略控制的决策者可能会对创新过程的组织和技术条件失去了解。如果出现这种情况,公司治理的任务就是要找到某种方式,使战略决策的制定与学习型组织重新结为一体。

组织整合是使组织保持创新性的社会条件;它是一组能够激励组织成员运用其技能和努力,产出较以往品质更高、成本更低的产品的社会关系。为了开发高品质的产品,创新过程的参与者必须开展组织学习;这种学习的集体性和累积性越强,学习过程的固定成本就越高。如果对组织学习的投资是企业竞争优势而非劣势的源泉,企业就必须形成足够规模的销售,使这种高额的固定成本转化为较低的单位成本(Lazonick 2006)。各种报酬形式(包括晋升、薪资和福利)是使个人与组织融为一体的重要工具。然而,要使创新得以发生,这种薪酬机制就不能仅仅是对吸引和留住雇员的劳动市场进行简单的操作;它应当是对作为创新之本的生产过程加以管理的激励系统的一个组成部分。最为重要的是,这种薪酬体系必须能够动员企业的员工开展组织学习,并确保因此而形成的生产能力得到高水平的利用。

使创新过程得到财务支持的社会条件是财务承诺(financial commitment);它是一组分配资金,使创新的累积过程得以维持并最终产生财务回报的社会关系。人们常说的"耐心"资本使具有时间累积性的组织学习得以形成组织能力,而无视创新过程所包含的内在不确定性。对内部收益(internal revenue)的战略控制是财务承诺的基础。创新投资所需的规模和时间也许会要求外部财务资源,如股票和债券的发行、银行信贷等对这种"内部资本"(inside capital)加以补充。在不同的时间和地点以及不同的制度环境下,会有不同类型的外部资金或多或少地投入,用以维持创新过程(Lazonick 2007d)。

对内部资金的控制,如果必要的话再加上外部资金的杠杆作用,企业经理就可以藉此推行大规模、长时期的创新投资战略了。由于创新过程的不确定性,高品质、低成本的产品产出所需资金的投入总额在投资战略的初始阶段是不可预料的,只能随着时间的推移逐步明朗。代理理论认为,企业经理会因构思有误的投资战略而浪费公司的资源。然而,鉴于创新过程的累积性,任一时点带来无产出的成本的投资战略却有可能在以后的时点最终取得成功。在这里,公司治理的任务在于正确评估公司经理不断追加资金投入的要求,以使创新不致夭折于萌芽状态,同时确保不会出现资金的大量浪费。

在知识密集型产业,**技能基础**(skill base)对企业能力的积累和转变至关重要,它是企业对其奉行的创新战略进行投资的根基。在企业内部,不同的职能专家和上下级职务构成了企业的劳动分工,并规定着企业的技能基础。为了催生具有集体性和累积性的组织学习,行使战略控制权的管理者可以选择如何构造企业的技能基础,包括如何在职能岗位和职务上根据员工的资历和经验来调整劳动分工。然而,与此同时,企业所在产业的特定学习条件以及企业所需员工对各种就业机会的选择也制约着组织的技能基础。

创新型企业要求其战略控制者能够识别企业现有技能基础的强项和弱点,进而对这一基础加以改变,以便对竞争挑战做出创新性的回应。这些战略决策者还必须能够动员已投入的资金,保持对技能基础的持续投入,直到其能够产出较以往品质更高、成本更低的产品。为了建成能够开展创新的组织,公司治理制度必须特别关注企业的财务承诺和战略控制问题。

那么,股票市场对创新型企业的作用何在?它对创新过程有何支持或损害作用?股票市场会怎样影响企业的战略控制、组织整合和财务承诺?试图解答这些问题的研究必须对企业实际运用股票市场的方式进行考察。

对于从事商业活动的企业来说,股票市场具有五种作用,我将其概括为五个"C":(1)创建(creation);(2)控制(control);(3)兼并(combination);(4)薪酬(compensation);(5)现金(cash)(Lazonick & O'Sullivan 2004)。

创建。它提供了一种手段,把公司的私人股份转换为可交易的股票,并且为企业的早期融资者提供了退出机制,使其不必为企业提供进一步的融资,因而股票市场具有鼓励资本流入创业企业的作用。通过在将来为资本提供流通前景,股票市场可以帮助企业在创业的较早阶段获得财务承诺。

控制。通过股份的买卖,股票市场可以影响公司持股比例的集中程度,进而影响公司资产所有权与公司资源配置控制权之间的关系;因此,股票市场可以对由谁来行使公司资源的战略控制发生影响。

兼并。通过赋予公司股票交易货币(exchange currency)的作用,股票市场可以使公司用自家的股票而非现金作为并购(M&A)的支付手段。股票市场将由此对公司的财务状况产生影响,使一家公司取得另一家公司的战略控制权。

薪酬。通过赋予公司股票交易货币的作用,股票市场可以使公司把自家的股票——通常采取股票期权的形式——当作一种薪酬方式,用来吸引、保留、动员和奖励员工。股票市场因此成为一种整合组织的手段。

现金。通过为投资企业提供流动性,同时使投资人仅对其投资的股份承担有限责任,股票市场对公司现金的募集具有开源作用,使之可以把这些现金用于企业的资本支出、债务偿还、运营支出以及资本金的增加。股票市场因此直接成为企业财务承诺的源头。

在二战结束之后的几十年间,旧经济企业模式是美国工业公司的主流形态,目前已被20世纪60年代发轫于硅谷微电子产业并在90年代得到巩固并取得支配地位的新经济企业模式取代;在此期间,股票市场的功能也发生了根本的变化(Carpenter, Lazonick, and O'Sullivan 2003; Lazonick 2007b, c, e; Lazonick & Tulum 2008; O'Sullivan 2004, 2007,即将出版)。现在让我们对美国主流企业运用股票市场这些功能的变化情况进行逐个考察。

创建

通过引导投资者把资金投入那些不能直接取得财务回报、具有高度不确定性的创业企业,股票市场的创建功能具有支持创新的作用。借助公司股票的首发上市(IPO),股票市场可以使风险投资者退出其投资。美国具有风险投资背景的IPO在1987～1992年间平均每年为112例,1993～1998年为180例,1999～2000年的互联网高峰期为267例,2001～2007年为55例。在这些股票发行中,信息通信技术企业所占比例在1987～1992年为36%,1993～1998年为50%,1999～2000年为81%,2001～2007年为44%。[1]

---

[1] 具有风险投资背景的IPO和并购数据来自Thomson Financial Venture Xperts。另见Lazonick (2007d,第1001～1004页)。

此外,创业企业的股权投资者也可以选择通过并购交易将其股份卖给那些老牌公司。美国具有风险投资背景的并购交易在1987～1992年间平均每年为27例,1993～1998年为118例,1999～2000年为289例,2001～2007年为357例。在这些并购交易中,信息通信技术企业所占比例在1987～1992年为49%,1993～1998年为60%,1999～2000年为73%,2001～2007年为78%。尽管充分发育的股票市场并非这种并购的必要条件,但一个活跃的IPO市场却有利于股份售价的提升,因为被收购企业的股权拥有者也可在将来通过IPO而实现退出。通过上市,老牌企业为收购方提供了一种新的选择:它们可以通过其可交易(因而是可流通的)的股票而非现金来收购企业。

自20世纪60年代以来,股票市场的创建功能一直是风险资本家支持高技术创业企业的强大诱因。全球风险投资的三分之二以上投在了美国。加利福尼亚的硅谷是全球风险投资的首善之区;在2001～2007年间,它在美国风险投资总额的占比为38%,在投资交易数的占比为31%(Pricewaterhouse-Coopers 2008b)。如第2章所述,硅谷成为风险资本的大本营是在20世纪60年代和70年代初它成为微电子技术创业企业的繁殖地时成型的。1973年成立的NVCA落户硅谷并以此为主要基地,标志着风险资本已发展成一个独立的产业(Lazonick 2007b)。

在股票投机漫无节制时,IPO对新兴企业尤为有利:20世纪20年代末航空股的发行是这样;60年代初电子股出现了一些牛股时也是这样;80年代初微电子和生物技术股的发行同样火爆;90年代末互联网革命催生的网络股更是如此(Cassidy 2002; O'Sullivan 2007)。在上述时期,快速且获利丰厚的IPO或并购交易前景为风险投资提供了太多的诱因,而最后为其埋单的则是投机大众。20世纪90年代末的网络股投机造成的问题尤为严重,因为此时广大的美国家庭已成为流动性极高的股票市场的积极参与者。美国纽约州总检察长和证券交易委员会随后进行的调查表明,作为内部人的华尔街投资银行可以优先拿到首次发行的新股,然后迅速将其售出并锁定利润,因为作为外部人的公众急于购买这些上市交易的股票(例见Chaffin 2002a, b; Moore 2002; Teather 2002; Vickers & France 2002)。

对网络股以及其他与网络相关新股的投机导致作为外部人的投资公众的收入再分配。在与作为内部人的华尔街的博傻游戏中,那些短线交易者以及缺少知识的家庭充当了“更大的傻瓜”的角色。此外,在供应端,这种投机也使创新能力的积累出现了问题。一些技术型的创业企业往往会把更多的精力投入到取得 IPO 资格,而不是如何将其产品商品化上。投机也会使老牌的高技术公司受到干扰,因为其部分技术和管理骨干会跳槽到新兴企业;这些公司的高管们也会致力于收购一些技术型的创业企业,以此来使投资大众相信其公司已加入了新经济的行列,因而股价应该得到更高的估值(Carpenter, Lazonick, and O'Sullivan 2003; Lazonick & March 2008)。

控制

企业所有权与控制权的合一为那些企业股权持有者提供了力争成功的巨大激励。这些股权持有者不仅包括创办人-企业家和风险资本家(他们通常会对企业的战略方向决策积极献策),而且还包括那些以股票或股票期权形式持有企业股权的雇员。当企业能够 IPO 或参与并购时,这些股权持有者就会身价百倍。

私人拥有的公司一旦被收购,资产的所有权就会与其管理控制权相分离,尽管被收购公司的前所有者兼管理者可能会继续留任,担任收购后企业的经理,而且经常会拥有收购方的一些股权(作为交易条件的一项内容)。股票的首次公开发行也会不可避免地造成所有权与控制权在一定程度上的分离,其程度取决于创办人-企业家和风险资本家在公司上市前后股权的稀释程度,同时还取决于他们是否仍居于掌控公司战略控制权的职位。通常说来,美国的高科技企业的所有者兼管理者仍然会继续担任公司的战略控制之责,虽然在公司首发上市后其股权已稀释到很小的比例。但他们不能认为自己,或自家的后代可以继续留在这样的位置上。在大多数情况下,经过一代人的时间——而且往往比这要短得多——公司的战略控制权就会转移到那些没有多少公司股权的支薪经理手中。①

对于那些所有权与控制权仍合而为一的公司来说,把股票用作兼并和薪酬的支付手段会使创办者的股权随着时间的推移而大幅稀释。然而,在许多较为年轻的公司,创办人仍然会因其从股市获得的巨大财富而活跃在公司事务中。此外,许多位居公司控制之职的职业经理人也因公司董事会慷慨授予

---

① 关于表 1.6 和表 1.7 旧经济和新经济信息通信技术公司的所有权与控制权的分离情况,参见 Lazonick (2007d,第 1008~1009 页)。

的与股权相关的薪酬而积累了可观的财富。基于其个人立场,这些所有者和管理者绝对不会对股东价值最大化不仅有利于其公司而且有利于整个经济乃至社会的信条提出任何质疑。

按照股东价值论的观点,所有权与控制权的分离会引起致命的代理问题。但这种观点,即支薪经理作为代理人而非委托人具有导致公司资源错配的自然倾向的说法却不能解释如下现象:即在所有权和控制权相分离的情况下,为什么美国的股份制企业会成为驱动 20 世纪美国经济发展的推手(参见 Lazonick 1992)?此外,采取授予这些支薪经理上市公司股权,比如说,以股票期权的方式,来解决所谓的代理问题也是不恰当的。股票市场的震荡会给这些经理提供大把的机会,使其通过售出股票来获利,即使这些收益并非来自公司的生产和竞争优势。

这种可能性会变大,如果——实际上在美国相当普遍——股票期权收益的兑现并非源自公司股票在相当一段时间内相对于其所在行业的超卓业绩。更有甚者,当股票市场变得高度投机时——就像 20 世纪 90 年代末那样,或公司的利润非常丰厚——例如 2005 年前后的情形,那些行使公司控制权的经理们就会运用公司的资源来影响股价的走势,使其个人从中获利。股票回购——对此我将在下文详细说明——就是这样一种资源配置方式。

有许多方法可以规范公司经理的行为,使其采取切实的行动来提升公司的生产和竞争表现,但在我看来,给予其美国式的、以股票为基础的报酬却不在此列。实际上,正如我早先曾提及的,在 20 世纪 90 年代末,互联网泡沫的极度膨胀甚至招致迈克尔·詹森的批评,而此人在 20 世纪 80 年代和 90 年代一直是学术界股东价值最大化的首席鼓吹者。詹森曾特别强调须加大公司高管的股票相关收入,以使其与股东的利益保持一致(Jensen & Murphy 1990)。在《向华尔街说"不":停止收益游戏》一文中,Fuller 和詹森(2002)呼吁公司的首席执行官们抵制华尔街的金融分析师要求公司报告更高的利润以推升股价的企图。他们指责公司的经理们与华尔街合谋,给予公司股票过高的估值,结果导致资源的错配。他们(第 44 页)给出了两个例子:北电网络(Nortel Networus)和安然(Enron)。其中北电在 1997～2001 年间的并购支出高达 320 亿美元以上,大都以价格高估的股票而非现金支付,结果不得不把这些资产注销或关张。Fuller 和詹森的确承认,北电高管层之所以采取此种举措,是出于"维持管理者和雇员股票期权价值的动机"(第 44 页)。

兼并

一家公司收购了另一家公司之后，必须将其收购价值计入公司的资产负债表。在20世纪下半叶，许多美国公司均以“权益结合法”来处理其收购业务，即收购方按被收购企业的账面价值将其记入自己的资产负债表，而商誉，即该项收购的市场价值与账面价值的差额，则不被当作无形资产记入。由于不必摊销商誉，收购方在此后几年就可以在其利润表中显示更多的利润——如果按实际收购价记账，其报表利润就不会有这么多。在大多数公司经理看来，公司的报表利润越高，公司的股价就越高。

在多角化运动如火如荼的20世纪60年代，许多权益合并性质的收购是借助举债，或运用股票加现金的方式完成的(Brooks 1973，第160～161页；Editors of *Fortune* 1970)。1970年，鉴于权益结合法在多角化运动时代的滥用，会计原则委员会(Accounting Principles Board，1973年更名为会计准则委员会[Financial Accounting Standards Board，FASB])出台了一项新规定：只有完全采用普通股支付的收购才可以采用权益结合法(Wallman，Wallman，and Aronow 1999，第26页；Rayburn & Powers 1991；Seligman 1995，第419～429页)。20世纪90年代后期互联网的繁荣提升了股票相对于现金的价值，因而使股票成为更具吸引力的兼并工具。在此期间，权益结合法使老牌企业更愿意对新兴企业的收购下注，因为后者的账面资产通常很少。

与20世纪80年代后期相比，以股票替代现金作为主要并购支付手段的做法在90年代末的美国变得更为流行了。“20世纪90年代并购活动最突出的变化在于其支付方式的转变。1988年，大型并购价值的将近60%，即超过1亿美元是完全以现金支付的，以股票支付的不足2%。但仅仅10年之后，情况几乎完全变了：1998年，大型并购价值的50%是完全以股票支付的，完全以现金支付的仅为17%。”(Rappaport & Sirower 1999，第147～148页)2000年末和2001年上半年，股票价格的崩盘引起舆论对权益结合法的诸多批评，会计准则委员会因此在2001年7月出台了禁止对收购资产继续采取这种记账法的规定(FASB 2001)。

20世纪90年代末，采用股票进行收购的做法在美国的信息通信技术产业尤为盛行，因为当时的投机热潮使股票看起来比现金更具价值。正如当时微软的总裁史蒂夫·鲍尔默在1998年初的一次记者访谈中所说的那样(引自Cusumano & Yoffie 1998，第302页)：

“我们必须向前走，决定或不决定对互联网进行投资。例如 WebTV，又如 Hotmail。我想，其中有些收购是明智的，有些也许最终是不明智的。我们有钱(以我们的股价计算)，相比较而言这些项目并不大。这些收购(WebTV、Hotmail)都是用股票支付的。不管怎么说，我始终认为这是一笔钱——每项收购大约花了 4 亿美元。但我会就此打住，并且说：‘好吧，这只相当于微软市值的 0.5%’。也许可以把这看作是一笔合理的保险支出。”

思科是美国最经常运用股票进行收购的公司。该公司 1984 年创立于硅谷，1990 年 IPO 上市，该年营业收入为 7 000 万美元，拥有员工 254 人。在 20 世纪 90 年代，思科成长为互联网路由器市场的霸主，其营业额在 2000 财年达到 189 亿美元，年底的员工数达 3.4 万人。从 1993 到 2003 财年，思科共进行了 81 笔收购，总价值达 381 亿美元，其中 98%是以股票支付的。

然而，从 2003 年 11 月到 2008 年 9 月，思科又进行了 50 起收购，总值超过 150 亿美元，但几乎都是以现金支付的，仅有两起收购部分地采用了股票来支付。为什么思科会一改其惯常采用的股票这种并购货币(acquisition currency)方式？2001 年 7 月关于权益结合法的禁令意味着以股票为支付手段的收购再也不能用这种方法来粉饰此后的利润报表了。在此之前，思科曾大量采用此种手法(Donlan 2000)。但以此来解释思科收购支付方式的转变显然是不够的，因为在会计准则委员会的禁令已经出台的 2001 年 7 月到 2003 年 3 月期间，思科仍进行了 10 起全部用股票支付的收购。这一禁令对思科考虑是用现金还是用股票来收购的影响似乎仅限于会计处理方面。实际上，思科的股票价格在 2003 年 11 月至 2004 年 12 月期间通常要比其在 2001 年 7 月到 2003 年 10 月期间的价格为高。因此，当其他条件不变时，这种情况应该鼓励思科更多地采用股票进行收购才对；但其实际做法恰恰相反。

使思科愿意采用现金收购的原因也许源自这样的事实：在 2004 财政年度，思科的流动资产已达 140 亿美元。由于它准备进行大规模的股票回购，采用股票进行收购会令其股份总数有所增加，因而不得不进行更多的回购以避免股权被稀释(参见 Domis 2003)。按被收购企业的人数计算，思科用现金支付的金额比以往用股票支付的金额少得多，这说明被收购企业的所有者更乐意收取现金，而不是动荡不定、可能会跌价的股票。

2005 年末，思科同意以 69 亿美元收购位于乔治亚城的一家拥有 7 500 名雇员的家庭娱乐公司——Scientific-Atlanta。为完成此项收购，思科在 2006 年初发行了 65 亿美元的债券。这是该公司头一次发债，也是美国有史以来发行最大的一笔公司债。思科宣布该债券与其海外收入挂钩(Aubin 2006)，因为它不想在把利润汇回本国时在美国再缴一回税。同时，如下文所述，思科也希望在美国保有足够的现金，以支持其年复一年的巨额股票回购。

思科以善于整合被收购的企业以及相对较低的员工流动性闻名于世(Mayer & Kenney 2004; O'Reilly & Pfeffer 2000)。然而，在 20 世纪 90 年代，并不是所有运用股票进行收购的信息通信技术公司都像思科这样高效。正如一些论著详细说明的那样(参见 Carpenter, Lazonick, and O'Sullivan 2003; Lazonick & March 2008；本书第 3 章)，在互联网繁荣的高潮期，朗讯和北电效法思科的策略，以价值数十亿美元的股票(当时的股价颇有高估)收购了一批技术公司，却并未给收购方带来多少价值。但在互联网高烧的背景下，这些收购却受到欢迎，被认为代表着信息通信技术业的未来，而且确实在短期内刺激了收购方股价的上涨。无论在朗讯还是北电，其支持收购的首席执行官均因此获得了大量与股票相关的薪酬和奖金，但在后来的衰退期，他们的这种新经济行为却使其旧经济公司滑到了破产的边缘，他们本人也因此遭公司辞退而黯然离去。

薪酬

如第 2 章所述，从 20 世纪 50 年代起，面向高管层的股票期权得到美国工业公司的广泛采用。从 60 年代开始，另一类企业开始将股票期权应用于与此迥然有别的目的。高技术创业企业开始利用股票期权吸引那些不属于高管层的专业、技术和管理人员脱离老牌公司有保障的就业体系。正如我们在第 2 章了解到的，面向非经理人的股票期权在新经济信息通信技术产业尤为普及。

股票期权收入在企业内部的广泛普及，使高管层得自这种雇员薪酬模式的巨大收益变得更具合法性。第 2 章给出的数据表明，尽管股票市场在 21 世纪第一个 10 年的前半期已陷入疲软，这些高管席卷这种收益的能力却未见衰减。但新经济企业的一般雇员却并非如此。在 20 世纪 80 年代和 90 年代，这些非管理层的员工实际上是以旧经济公司的就业稳定性换取了新经济企业的股票相关收入。在 2000 年以后，他们不得不面对新经济企业的不稳定性，再加上信息通信技术产业劳动力全球化(见第 5 章)的威胁,在股票期权收入方面却很难有所收获了。

现金

说到股票市场对公司的作用,人们首先想到的是企业通过发行股票募集现金以支持其对生产资源的投资。这种关于股票市场功能的看法成为以下观点的支柱:即股票持有人是风险承担者,他们在没有合约保障收益的条件下资助了经济增长,因而对公司的剩余资产拥有权利。但是在整个 20 世纪,股票市场相对来说只占公司现金来源的一小部分,而且即使在 20 世纪 20 年代末老牌公司大量出售其价格膨胀的股票时,其意图也主要是利用当时股票市场的投机风潮来改善自己的资产负债状况,而非藉此进行新的投资(参见 O'Sullivan 2004)。通过这种财务操作,这些公司对随后的股票市场崩溃和经济大衰退拥有了更好的抵抗力。

与此相对照,在互联网繁荣的 20 世纪 90 年代末,利用股票市场的投机热潮通过股票的首发和增发席卷巨额资金,以此来资助其生产性投资的却是那些新兴企业。Sycamore Networks 就是一个突出的例子。这家光纤网络公司于 1998 年 2 月创建于马塞诸塞州的 128 号公路走廊地区,其两位创始人此前已经创建了一家非常成功的数据设备公司——Cascade,并已将其出售。在只有一个客户(其高管被"友好且家庭式"地授予 Sycamore 的股票期权)、上一年收入为 1 100 万美元,亏损为 1 900 万美元,员工为 155 人的情况下,Sycamore 在 1999 年 10 月进行了首次公开招股,募集资金 2.84 亿美元,其发行量仅占该公司股份总数的不到 10%(Bulkeley 1999; Carpenter, Lazonick, and O'Sullivan 2003; Warner 2000)。1999 年 12 月, Sycamore 的股票市值在美国列第 117 位,落后于 Emerson Electric 仅一位,而后者创建于 1890 年,年营业额达 143 亿美元,员工达 117 000 人! 接着, Sycamore 在 2000 年 3 月,即牛市的顶点进行了二次增发,当时股价高达 150 美元,又为公司圈进了 12 亿美元。与此同时,Sycamore 的高管和董事们以 7.26 亿美元卖出了其持有的部分股票(Gimein 等 2002)。

实际上,正是那些针对 Sycamore 股票的投机者使该公司的高管和风险投资人在公司仍为一家尚未站稳脚跟的创业企业时就获得了巨额回报。该公司的确在 2000 年获得了 2 040 万美元的利润,但在 2001～2008 财年(截至

7 月 31 日)期间,却录得 8.29 亿美元的亏损。2001 年 9 月 27 日,Sycamore 的股价从一年前的 107 美元跌到 3.29 美元;一年后进一步跌至 2.36 美元。此后其股价一直徘徊在 2.30(2002 年 10 月 9 日)至 6.29 美元(2004 年 1 月 16 日)之间,2008 年 10 月 10 日,其股价为 2.7 美元。不过,由于在股票投机高峰期募集的资金,再加上一些精明的投资,该公司在 2008 年 7 月 31 日的现金和短期投资余额仍达 8.21 亿美元,比一年前的 9.08 亿美元有所减少(Sycamore Networks 2008)。①

Nextel 公司 1999 年募资 24 亿美元的股票发行是信息通信技术产业新经济公司在 20 世纪 80 年代和 90 年代一次较具生产性且较少投机性的融资行动;作为外部融资之一部分,这笔钱被用于该公司进军移动通信的"备战资金"(Knight 1999)。Nextel Communications 于 1987 年创立,当时名为 Fleet Call,是一家主营无线调度设备的企业。1999 年,其营业额达 33 亿美元,员工为 15 000 人,但其历年累计亏损达 46 亿美元。实际上,该公司在 1990 至 2001 年期间年年亏损,累计亏损额超过 92 亿美元。但 Nextel 的销售收入一直在稳步增加,终于在 2002 年实现了 19 亿美元的盈利。2004 年,Nextel 跻身财富 500 强榜单第 157 位,其成绩为营收 134 亿美元,盈利 30 亿美元,员工数 1.9 万人。2005 年,Nextel 与 Sprint 通过一宗价值 350 亿美元的并购合并为一家公司。

对部分 20 世纪 80 年代和 90 年代创建并在 90 年代经历了快速增长的新经济企业来说,股票市场的融资仅是其资金来源的很小一块。例如,思科系统公司只进行过一次股票公开发行,即 1990 年上市时募集的 4 800 万美元。该年思科营业收入为 7 000 万美元,经营活动产生的现金净流入为 1 000 万美元,资本支出为 400 万美元。此后,直到 2005 年为收购 Scientific-Atlanta 而发行 65 亿美元的债券之前,思科完全是凭借其内部资金来资助其自身增长的。在 1991 到 2008 财年(截至 7 月 26 日)期间,思科通过售股共获得 183 亿美元的收入,但都是售予公司员工,供其行使股票期权之用,或用来推行员工持股计划,而非来自股票市场的公开发行。

实际上,进入 21 世纪以后,思科已成为股票市场的资金供应者而非圈钱者了。思科的第一次股票回购发生于 1995～1997 年,总额为 5.08 亿美元。

---

① 2005 年,Sycamore 出售了 4.67 亿美元的资产,使其手持现金或准现金从 2004 财年末的 4 500 万美元增加到 2005 财年末的 5.08 亿美元(Sycamore Networks 2006,第 24～25 页)。

接着，由于投机者把思科的股价从1997年12月12日的8.51美元炒到2000年3月27日的80.06美元(此时这家创办仅16年的公司成为全球市值最大的公司)，思科当然没理由再进行回购了。[①] 然而在此后的30个月，思科的股价却掉头向下，到2002年10月8日跌至8.6美元，仅比1997年12月12日的股价高1%。为了支持其股价，思科在2002年又开始进行回购，当年回购了价值19亿美元的股票，2003年回购额为60亿美元，2004年为91亿美元，2005年为102亿美元，2006年为83亿美元，2007年为77亿美元，2008年为104亿美元;7年回购总额为536亿美元。在这些年间，作为一家盈利甚丰的企业，思科的股价在2007年11月6日达到34.08美元的高位，但在2008年11月20日又跌至14.47美元的低点。

在2002～2008年间，思科用于回购股票的支出几乎是其270亿美元研发支出的两倍。在这7年中，其回购支出相当于其税后净利润的144%。虽然思科一直是一家盈利甚丰的创新型公司，但我们可以认为，思科的股价在1990～1997年间是由创新驱动的，在1998～2002年间是由投机及投机破产驱动的，在2003～2008年间则是由股票回购这种操纵方式驱动的(参见第7章)。

思科2000年以后的金融行为堪称美国大公司，包括像思科一样从事高科技业竞争的公司的典型代表。在美国大公司当中，股票市场的"现金"功能的主流趋势是向股市输送资金，而非从中捞取资金。以2008年1月标准普尔500指数中292家自1981年以来上市交易的成分股公司为例，其回购额占净利润的比例在1987年达到了当时的历史高峰，因为该年10月股市出现了崩盘，许多公司均出手支持自家的股价。在1995年以后，这292家公司的回购额急剧上升，并在1997年首次超过了股利的派发数(Dittmar & Dittmar 2004)。2008年1月标准普尔500指数在编的全部500只成分股2007年的平均现金股利派发额为5.13亿美元，而其回购额为11.84亿美元。近年来，

---

① 鉴于思科在1998～2000年的收购步伐和深度，思科普遍采用权益结合法来处理其成本，未进行回购；而且证券交易委员会规定，发生采用权益结合法记账的收购之后，6个月之内不得进行股票回购(Mclarthy 1999，第94页)。会计准则委员会在2001年7月禁止采用权益结合法，而思科董事会在同年9月13日宣布了30亿美元的股票回购计划(Nguyen 2001)。媒体认为思科这一阻止股价下跌的举动具有爱国意义，当时正值美国股市因9·11恐怖袭击休市4个交易日于9月17日恢复开盘之际(例见Rapoport 2001)。实际上，在此期间，证券交易委员会放宽了关于股票回购时限的规定，以鼓励公司在股市恢复交易后回购股票(Gordon 2001)。在思科的带领下，许多公司也纷纷宣布了股票回购计划(参见Reuters News 2001)。

股票回购已成为资源分配从而支持股价的主要操纵模式。

图6.2显示了标准普尔500指数2008年1月在编的453只自1997年上市交易的成分股的股利派发和股票回购情况。[①] 该图包括微软、甲骨文、思科和戴尔之类的新经济公司，它们在1980年或尚未上市，或根本不存在，但如今已成为自家股票的最大回购者。许多新经济公司（如思科、戴尔和甲骨文）从未派发过股利。在该图涵盖的11年间，这453家公司共派发了1.7万亿美元的现金股利，平均每家38亿美元；与此同时，其股票回购总额达2.5万亿美元，平均每家55亿美元。如图所示，这些公司在2007年平均每家派发了5.53亿美元的股利，平均每家的股票回购金额为11.94亿美元。从总数上来看，标准普尔500指数截至2008年1月的全部500家成分股公司在2006年的股票回购额为4 860亿美元，2007年为5 920亿美元。

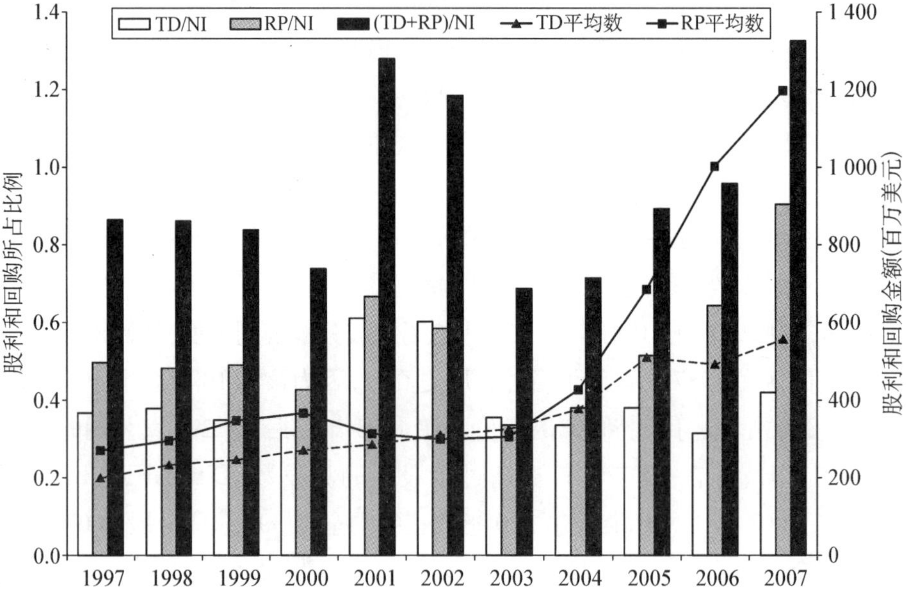

图6.2　1997～2007年标准普尔500指数成分股公司现金股利和股票回购占净利润的比例以及派发股利和股票回购额的平均数

注：2008年1月入选标准普尔500指数并且自1997年始上市交易的453只成分股公司的数据。RP＝回购，TD＝股利总额（普通股和优先股），NI＝净利润（经存货价值重估和资本消耗调整后的税后利润）。
资料来源：S & P Compustat database，1997－2006；2007年各公司披露的10－K报告。

① 在截止时间上，我把各公司的财政年度处理成日历年度，例如，沃尔玛在截至2008年1月31日的2008财政年度进行的76.91亿美元的股票回购被我记作2008年；其他依此类推。

哪一种类型的公司股票回购量最大？表 6.1 列举了 2008 年 1 月标准普尔 500 指数成分股中 2000～2007 年回购额最大的 50 家公司。在 2000～2003 年间，这 50 家回购额最大的公司每年平均回购金额为 18 亿～19 亿美元，但在 2007 年已稳步攀升至 60 亿美元。正如我们看到的，这 50 家公司分布的行业范围相当广泛，其中 15 家公司(斜体字的)属于金融服务业(包括人寿和财产保险)，10 家公司(粗体字的)属于信息通信技术业，4 家公司属于医药业，还有 3 家属于石油加工业。

表 6.1　2008 年 1 月标准普尔 500 指数成分股公司中于 2000～2007 年股票回购额最大的 50 家公司

RP 排名 2000～2007	公司	2007 年财富杂志的产业分类	2007 年财富杂志排名	RP(百万美元) 2006	RP(百万美元) 2007	RP(百万美元) 2000～2007
1	埃克森美孚	石油加工	2	29 558	31 822	108 304
2	**微软**	计算机软件	44	19 207	27 575	81 747
3	**IBM**	信息技术服务	15	8 022	18 828	62 318
4	*美国银行*	商业银行	9	13 660	3 790	55 674
5	辉瑞	制药	47	6 979	9 994	50 132
6	*通用电气*	多元化金融	6	10 512	14 913	48 263
7	**思科系统**	网络/通信设备	71	8 295	7 681	43 129
8	**英特尔**	半导体/电子元件	60	4 593	2 788	41 575
9	*花旗集团*	商业银行	8	7 125	663	37 141
10	宝洁	家庭和个人用品	23	16 830	5 578	36 324
11	**惠普**	电脑、办公设备	14	7 779	10 887	33 721
12	*高盛*	证券	201	7 817	8 956	30 186
13	强生	制药	35	6 722	5 607	26 694
14	**戴尔**	电脑、办公设备	34	3 026	3 026	25 545
15	时代华纳	娱乐	49	13 660	6 231	25 165
16	**甲骨文**	计算机软件	137	2 067	3 937	23 939
17	*富国银行*	商业银行	41	1 965	7 418	23 243
18	**AT&T Inc.**	电信	10	2 678	10 390	21 628
19	*摩根大通*	商业银行	12	3 938	8 178	21 248
20	*美林*	证券	30	9 088	5 272	21 028
21	百事公司	食品、消费类产品	59	3 010	4 312	20 704
22	联合健康集团	健康护理：保险和护理管理	25	2 345	6 599	20 678

（续表）

RP排名 2000～2007	公司	2007年财富杂志的产业分类	2007年财富杂志排名	RP(百万美元) 2006	RP(百万美元) 2007	RP(百万美元) 2000～2007
23	Amgen	制药	173	2 000	5 100	20 361
24	沃尔玛	综合商业	1	3 580	1 718	19 633
25	*摩根斯坦利*	证券	21	3 376	3 753	19 050
26	雪佛龙	石油加工	3	5 033	7 036	18 815
27	Altria Group	烟草	61	1 254	0	18 213
28	迪斯尼	娱乐	67	6 898	6 923	17 815
29	*美国运通*	多元化金融	75	4 093	3 572	17 643
30	联合包裹服务	邮递、包裹和货物快递	46	2 460	2 639	17 374
31	*雷曼兄弟*	证券	37	2 678	2 605	16 672
32	CBS	娱乐	181	6	3 351	16 519
33	Home Depot	专业零售	22	3 040	6 684	16 388
34	**德州仪器**	半导体/电子元件	185	5 302	4 886	16 296
35	默克	制药	101	1 002	1 430	15 984
36	*Wachovia*	商业银行	38	4 513	1 196	15 664
37	3M	多种产品	100	2 351	3 239	13 521
38	*Washington Mutual*	储蓄机构	97	3 039	3 497	13 271
39	麦当劳	食品服务	106	2 959	3 943	12 878
40	波音	航空和国防	27	1 698	2 775	12 876
41	*Allstate*	保险：财产和事故类	64	1 770	3 606	12 334
42	*US Bancorp*	商业银行	122	2 798	1 983	12 313
43	Anheuser-Busch	饮料	149	746	2 707	11 909
44	WellPoint	健康护理：保险和护理管理	33	5 439	6 151	11 591
45	*Prudential Financial*	保险：人寿和健康	74	2 512	3 000	10 889
46	可口可乐	饮料	83	2 416	1 838	10 589
47	Kimberly-Clark	家庭和个人用品	136	762	2 813	10 002
48	ConocoPhillips	石油加工	5	925	7 001	9 850

（续表）

RP 排名 2000～2007	公司	2007 年财富杂志的产业分类	2007 年财富杂志排名	RP(百万美元) 2006	RP(百万美元) 2007	RP(百万美元) 2000～2007
49	**Comcast**	电信	79	2 347	3 102	9 489
50	Cigna	健康护理：保险和护理管理	141	2 765	1 185	9 434

注：RP＝普通股和优先股的回购；黑体字是指信息通信技术公司；斜体字是指金融服务公司。各公司的数据均取自其 2007 财政年度。
资料来源：S&P Compustat database，2000－2006；company 10－K filings，2007；*Fortune*（2008）.

如表 6.2 所示，在 2000 至 2007 年间，这 50 家公司中有 19 家以股票回购形式分配给股东的现金超过了其同期的净利润；另有 7 家公司的股票回购额相当于其净利润的 90%～99%。在此期间，这 50 家公司中，股票回购和股利派发合计数超过同期净利润的公司为 23 家，相当于净利润的 90%～99%的为 9 家。从 2000 年至 2007 年，在 10 家信息通信技术公司中，股票回购额超过净利润的公司有 5 家，另有 3 家公司的股票回购和股利合计数超过净利润。

表 6.2　2008 年 1 月标准普尔 500 指数成分股公司中于 2000～2007 年股票回购额最大的 50 家公司的支付比例、研发支出强度与回购强度比较

RP 排名 2000～2007	公　司	RP/NI (%)	TD/NI (%)	(TD+RP)/NI(%)	R&D/销售额 (%)	RP/销售额 (%)
1	埃克森美孚	47	29	75	0.3	5.1
2	**微软**	80	63	143	**15.9**	29.1
3	IBM	99	16	115	5.6	8.7
4	美国银行	55	49	104	0.0	9.4
5	**辉瑞**	76	61	137	**17.9**	14.8
6	通用电气	35	50	85	1.7	4.2
7	**思科系统**	151	0	151	**16.2**	22.8
8	**英特尔**	93	18	110	**14.4**	15.8
9	花旗集团	31	36	68	0.0	4.4
10	宝洁	80	44	124	3.1	8.7
11	惠普	128	33	160	4.7	5.8
12	高盛	72	8	80	0.0	8.8

（续表）

RP排名 2000～2007	公 司	RP/NI (%)	TD/NI (%)	(TD+RP)/NI(%)	R&D/销售额 (%)	RP/销售额 (%)
13	**强生**	39	37	76	**12.6**	7.6
14	戴尔	136	0	136	1.0	8.4
15	时代华纳	−56	−4	−60	0.4	8.4
16	**甲骨文**	92	0	92	**12.4**	28.4
17	富国银行	46	43	89	0.0	7.9
18	AT&T Inc.	25	65	90	0.1	4.8
19	摩根大通	36	51	87	0.0	3.9
20	美林	56	17	74	0.0	6.0
21	百事公司	64	35	99	0.2	8.8
22	联合健康集团	95	1	95	0.0	4.3
23	**Amgen**	126	0	126	**27.6**	27.7
24	沃尔玛	31	20	51	0.0	1.2
25	摩根斯坦利	46	23	69	0.0	4.6
26	雪佛龙	17	35	52	0.2	1.5
27	Altria Group	26	56	82	1.1	3.4
28	迪斯尼	92	27	118	0.0	7.6
29	美国运通	69	18	87	0.0	8.3
30	联合包裹服务	64	34	99	0.0	5.8
31	雷曼兄弟	92	10	102	0.0	6.9
32	CBS	−70	−9	−78	0.0	10.3
33	Home Depot	54	16	70	0.0	5.1
34	**德州仪器**	108	10	119	**16.3**	17.7
35	**默克**	34	53	87	**11.1**	6.3
36	Wachovia	44	55	100	0.0	6.0
37	3M	58	43	101	6.3	8.8
38	Washington Mutual	62	51	113	0.0	8.3
39	麦当劳	64	30	94	0.0	8.8
40	波音	69	33	102	4.1	2.9
41	Allstate	55	26	81	0.0	4.7
42	US Bancorp	44	53	98	0.0	9.9
43	Anheuser-Busch	69	37	106	0.0	10.3
44	WellPoint	99	0	99	0.0	5.0
45	Prudential Financial	75	16	90	0.0	4.6
46	可口可乐	30	53	83	0.0	5.9
47	Kimberly-Clark	62	43	105	1.7	8.2

（续表）

RP排名 2000～2007	公 司	RP/NI (%)	TD/NI (%)	(TD+RP)/NI(%)	R&D/销售额 (%)	RP/销售额 (%)
48	ConocoPhillips	17	18	35	0.1	1.2
49	Comcast	112	0	112	0.0	6.4
50	Cigna	133	13	147	0.0	6.6

注：RP＝普通股和优先股的回购；TD＝普通股和优先股的现金股利；NI＝税后净利润；R&D＝研发支出。黑体字是指研发支出超过销售额10%的公司。

资料来源：S&P Compustat database，2000－2006；company 10－K filings，2007。

用于股票回购的资源配置会对公司的其他目标，包括追求更高品质、更低成本产品的创新投资造成怎样的影响？由于不同的行业具有不同的技术、市场和竞争特点，表6.1所列的公司在业务和治理政策方面会面临不同的问题。本章仅讨论信息通信技术业的公司，其股票回购量最大的几家公司足以代表该行业的主要企业。①

表6.2所示的50家公司中有9家(用粗体字标出)的研发支出超过其销售额的10%，因而可划入“高科技”之列。其中5家——微软、思科、英特尔、甲骨文和德州仪器——属于信息通信技术业，其他4家为医药公司。这些公司的股票回购额均超过其研发支出。其他5家信息通信技术公司，IBM、惠普、戴尔、AT&T Inc.和Comcast的研发支出不足其销售额的10%。

在2000～2007年间，微软对股东的分配高达其同期利润的143%；它的这种做法表明，即使这样一家极具统治力的高科技公司，其经理也不得不屈从于华尔街的要求，用公司的收益来拉抬股价。2004年6月，微软的股利收益率仅为0.6%，库存现金和短期投资高达560亿美元，资产负债表中的债务数为零。此外，这家盈利颇丰的公司上一年的现金流入量达160亿美元。有鉴于此，华尔街在2004年中开始向微软施加压力，要求其增加对股东的分配并提升其股价。一名高盛集团的软件行业分析师撰写报告建议，通过举债300亿美元，同时从自己的库存现金中提取700亿美元，微软可实行一个1 000

① 目前我正在对标准普尔500指数的成分股公司进行统计研究，试图从中发现决定股票回购的产业和企业层面的因素，同时进行案例研究，以评估股票回购对公司生产能力的影响。关于股票回购对石油、金融服务和医药业影响的初步讨论，参见Lazonick (2008d)。

亿美元的股票回购计划(Bishop 2004)。在一个月之后的2004年7月,微软董事会批准了一项为期4年、总金额为300亿美元的股票回购计划;同时将每年0.16美元的每股股利增加一倍,达到每季度0.08美元,并派发每股3美元的一次性特别股利(相当于股价的12%),总金额为326.4亿美元。

在宣告这些分配方案的新闻稿中,该公司向公众保证:“这些支出不会影响微软对今后几年促进增长的研发投入”(Microsoft 2004)。该文引用公司董事长盖茨的话来支持这一承诺:“我们看到,在帮助世界各地的企业、个人和政府实现其目标方面,我们具有不可思议的创新能力,我们仍将是我们这个行业最强大的创新者——本财政年度我们申请的专利达3 000项以上就是明证。”该文还引用公司首席执行官鲍尔默的如下说法:“我们将继续对公司的各项业务进行重大投资,并保持我们作为行业领先创新者的地位,但我们现在也有能力在此后4年向股东支付750亿美元。”

2006年4月27日,即仅仅一年半以后,微软宣布将进行重大的新技术项目投资,包括针对谷歌和雅虎的在线项目发起大规模资源投入。微软预计2007财年的每股收益为1.36至1.41美元,显著低于华尔街分析师预测的1.57美元。早先那位曾建议微软实行1 000亿美元回购计划的高盛分析师里克·谢尔兰德(Rick Sherland)对微软的这一宣布感到不满,他说:“这对华尔街是一个令人吃惊的坏消息。这对股价是有害的,因为投资人本指望微软这么大的产品周期能在次年为其带来收益”(引自Romano 2006)。次日,微软的股价下跌超过11%,使公司的市值减少了300亿美元。在华尔街软件行业分析师的一片口诛笔伐中,微软的股价在5月份的大部分交易日仍在下跌;他们宣称微软已变成一家成熟的企业,只能吸引那些期望得到稳定的股利和回购收益的“价值投资者”了。*Bloomberg News* 发表的一篇文章(Bass 2006a)引用一家投资公司经理理查德·泽纳(Richard Pzena)的话说道:“公司的管理者没有意识到公司的股东已经改变了。那些期望企业年增长25%的人不会再持有微软的股票了。”——该公司持有1 430万股微软的股票。

5月31日,鲍尔默在华尔街一家投资研究公司Sanford C. Bernstein & Company召集的联席会议上为微软“巨大且大胆的下注”进行了辩护(Bass 2006b)。华尔街仍对微软的技术战略指责不已(纽约时报 2006)。[①] 5月份一

---

① 关于Bernstein and Co.会议的全文,包括鲍尔默的总结发言来自Factiva (Voxant FD Wire 2006)。

直走低的微软股价在此次会议前几天有所回升，然后继续下跌，其 6 月 13 日的低点较 4 月 27 日已跌去了 21%。最后，微软在 7 月 20 日宣布将提前两年完成其 300 亿美元的股票回购计划；与此同时，微软又宣布将在 2007～2011 年再进行 200 亿美元的股票回购。在此之后，微软的股价 4 天上升了将近 7%。

微软的例子说明，即使是最强大的高科技公司也会在华尔街的压力下将其现金流用来“创造”股东价值。华尔街的论据是微软如今已是一个成熟的企业，因而已失去了创新能力，至少相对于美国经济最适合滋生的创业企业来说是这样。这些分析师宣称，作为一家成熟企业，微软应把其现金流交给股东；就是说，华尔街的共识是：这些“老的”新经济企业应该以我所谓的“操纵”(manipulation)，而非创新来驱动其股价。

与股票回购相比，美国的高科技企业是否应当把更多的财务资源投入研发？21 世纪第一个 10 年，半导体业协会(Semiconductor Industry Association)及其领军企业英特尔一直在游说美国政府对纳米技术研究给予更多的投资(Electronic News 2005)。然而在其网站上，英特尔却大肆标榜自 1990 年以来在股票回购上已投入了 632 亿美元(Intel 2008b)。鉴于英特尔之类的公司过去多年从美国政府对知识基础的投资中获益甚多，为什么它不能从其回购支出中拿出一部分来支持美国的纳米技术研究？①

自 20 世纪 80 年代以来，关于股东价值最大化能为企业和经济带来最佳绩效的信条得到了美国公司经理的接纳。这种信条认为，政府对资源配置的任何干预企图都会对经济绩效带来损害。在实践上，股东价值论意味着公司在收获了更多的利润后，应当将其中一大块用来回购股票以推升股价。

与此相对照，还有其他许多配置如此巨额资源的方式可供公司经理选择。他们可以用这些资金来维持资深雇员的就业，而不是像现在这样将其扫地出门，有时又以合约员工(contractors)的形式将其回聘；这些资源也可用来实现公司经理关于如何利用企业的生产能力来产出品质更高、成本更低的产品和服务的想法；股票回购的资金也可以用来为企业所处社区提供所需的服务。或者，如前面提到的，把用于回购的钱缴纳更多的税款，以支持政府面向未来技术的投资。简而言之，公司经理完全可以不把这些资源用于股票回购

① 也可向美国的制药业提出同样的问题。表 6.1 和表 6.2 的 4 家公司也像其他公司一样主张美国的药价应比其他国家为高，以资助公司的研发。然而，如表 6.2 所示，这些公司也将其利润的相当部分用于股票回购(Lazonick 2008c; Lazonick & Tulum 2008)。

和股票期权行权这种“拿了钱就跑”的方式，而是用来促进经济的持续繁荣。

为什么要回购自家的股票？

在本章的开头，我对股东价值最大化的信条进行了批判。在公司内部，股东并非进行了投资、却未得到合约保障收益的唯一参与方。实际上，由于上市公司的公众股东可以通过股票的买卖轻而易举地建立或结束其与特定公司的关系，很难说他们对公司生产性资源的开发和利用做出了什么贡献；如果是这样，这种贡献到底是什么？我曾经指出，要想回答这个问题，我们需要一种关于创新型企业的理论，并以此为基础分析股票市场对上市公司实际发挥的生产性功能。

上市公司的股份持有者对公司生产能力的开发和利用做出贡献的最明显方式就是提供资金，使企业可以用来对此种能力进行投资。但历史证据表明，至少是在美国，股票市场只是公司资金的一个相对较小的来源——股票市场过度投机的时期也许是一个例外。例如，自 20 世纪 80 年代以来，通过 IPO，那些年轻的生物技术公司——其商业产品的推出仍然需要经过多年的开发，并在此期间面临产品能否最终成功的不确定性——也可以利用股票市场筹集药物开发的巨额资金了(Lazonick & Tulum 2008)。然而，对于那些较为成熟的企业来说，由于股票回购已成为一种系统而广泛的公司资源配置方式，股票市场更像是一个资金的“用户”，而不是“来源”。

为什么公司要回购自家的股票？① 代理理论认为这种对股东的分配代表了公司的“自由现金流”。如果公司经理追求股东价值的最大化，经济活动就会更有效率，因而公司应把自由现金流分配给股东；这是代理理论的核心观点。21 世纪以来的大规模股票回购证明了这种股东价值论的得势。

刨去意识形态的成分，公司资源配置的自由现金流观点还有其他一些问题。由于技术、市场和竞争带来的不确定性，即使是最熟悉情况的公司决策者，我们也不能指望他对一个较短时期，比如说 5 年内的公司收益流做出较为合理的准确预测。但没有这种准确的预测，就无法在任一时点确定企业拥有

---

① 不少学术文献对此提出了另一种假设，参见 Dittmar (2000)；Jun, Jung, and Walking (2008)；以及 Kahle (2002)。

的现金流在多大程度上是"自由的"。正如最近的次贷危机(subprime mortgage debacle)所显示的那样,多年的盈利会在一夕之间变成亏损,原本似乎自由的现金也会突然变得极为匮乏。

即使能够对未来的收益流得出较为合理的准确预测,但用以推断这些收益现值的资本成本的确定也是相当主观的。由于公司高管们享有与股票相关薪酬的规模取决于股票的回购,我们可以认为他们会故意抬高资本成本,使其做出不利于不确定条件下的生产能力投资的决策,并把公司的较大一部分现金规定为自由的。相比之下,如果公司的决策者认识到,或正视创新过程所包含的技术、市场和竞争的不确定性,他们就会了解保存公司现金流的必要性,以此来应对技术变革、市场需求波动和新的竞争者出现所带来的应急需求。

如果公司经理放弃了代理理论并转而接受创新理论(innovation theory),他也许会说,回购会使作为薪酬和并购支付手段的公司股票变得更具吸引力,因而有利于公司创新能力的积累。然而,这种说法具有如下缺陷。①

如果把股票当作兼并货币来收购其他公司,收购方较高的股价无疑会使自己更具竞争力;但只有在高企的股价来自于创新和投机,而非回购操纵时这种做法才能奏效。就像我们讨论过的思科的例子,开展大规模股票回购的公司在运用股票进行兼并方面可能会受到很大的制约。此外,当其他条件不变时,为抵消运用股票收购造成的股权稀释,收购方的股票回购力度必须更大。

上市公司经常会在财务报告中宣称其股票回购是为了抵消公司股票期权计划引起的股权稀释。② 即使从股东价值论的观点来看,这种说法的经济

① 关于20世纪90年代末和21世纪初互联网繁荣和衰退期间公司运用股票作为并购和薪酬支付手段及其对创新过程的支持或损害作用,参见 Carpenter, Lazonick, and O'Sullivan (2003)。

② 在2004财政年度以前,戴尔明确表示其股票回购计划的目的在于"管理因戴尔的股权薪酬计划下发行股票而引起的股权稀释"(Dell 2005,第23页)。然而,在2005和2006年,该公司又宣称其回购计划的目的在于"向股东分配现金,同时管理因戴尔的股权薪酬计划下发行股票而引起的股权稀释"(Dell 2006,第16页;Dell 2007,第18页)。与此类似,在2001年以前,太阳微系统公司明确宣布其股票回购是与股票相关的薪酬计划挂钩的。但在2001年,该公司引入了一个"新的相机而行的股票回购计划,以随时在公开市场上购买股票"(Sun Microsystems 2004,第84页)。在该公司2001、2002和2003年的股票回购额中,根据此项相机购买计划回购的比例分别为47%、25%和100%。惠普也曾宣称,其股票回购是"为了管理因雇员持股计划而发行股票所造成的股权稀释,同时相机回购股票"(HP 2006,第30页)。实际上,表2.1涉及的大多数信息通信技术公司在2000～2007年回购的股票数远远超过其股票期权的行权数。在IBM,这一比率为4.32,德州仪器为3.26,惠普为2.80,英特尔为2.78,甲骨文为2.59,思科为2.14,戴尔为1.89,摩托罗拉为1.67,微软为1.36,太阳微系统为1.34,AMD为0.10,朗讯(2000～2006年)为0.00。

原理也颇为含混。如果一家追求股东价值最大化的公司认为以股票期权作为员工的部分报酬是划算的,这种报酬就应当对每股收益具有加成而非减少作用。诚然,这种加成作用也许只能在以后几年才能体现出来,但如此说来,从股东价值论的观点来看,这就可归结为股票期权形式的报酬(或其他任何形式的薪酬)在经过适当的贴现后,其产生的未来收益的净现值是否为正的问题。

从创新理论的观点来看,当公司股价因创新投资带来利润而有所上升时,股票期权未来几年的收益增加应归属于企业的雇员。在股价预计将上升的背景下,创新型企业可以运用雇员股票期权的形式来吸引、保留、动员和奖励员工。① 系统性的股票回购,例如英特尔在其网站上宣扬的那种类型,使员工相信公司正在致力于维持高股价或股价的提升,从而有助于这种薪酬战略的推行。然而,那些了解创新企业的投资要求的员工也许会认为,把资金用于股票回购,说明公司已经完成了使其在未来保持竞争力的创新投资;如果是这样,他们也许会把这种系统性的回购看作是兑现自己已拿到的期权并离开公司的信号。客观地讲,这里的关键问题在于(无论是对学术研究者还是对公司的长期雇员来说),公司现在用来进行股票回购和提升股价的现金流是否会损害公司未来支持创新投资的财务承诺,特别是在当今全球产业激烈竞争的背景之下。

公司的高管们经常会宣称,他们的股票回购行动具有"信号"作用,说明作为公司决策者的他们对公司股价的长期走高信心十足(Louis & White 2007; Vermaelen 2005,第3章)。但从财务的观点来看,只有在未来的某一时点,当投机热潮把股价炒得超出其价值,且公司趁机从自家股票的回购者变成卖出者时,这种说法才有意义。然而,公司经理的立场是其股价从来不会估值过高,即使在投机最狂热的时候也是如此。按照这种"信号"说,我们应在20世纪90年代末的投机热时看到股票的大规模出售,就像美国的工业公司在20年代末所做的那样。实际上,作为个人投资者,这些公司的经理确实卖出了自己的股票,以收获投机带来的收益(经常高达数千万乃至数亿美元)。但是,作为公司的决策者,同样还是这些公司经理,却动用公司的资金

① 关于雇员股票期权对员工的吸引、保留、动员和奖励作用,及其在不同的劳动市场条件下的不同作用的深度分析,见 Glimstedt, Lazonick, and Xie (2006)。

回购股票,企图把已经被投机者炒高的股价进一步推高,使自己收获更多的利益。鉴于股票回购已成为公司资源配置的一种系统模式,以及公司高管们通过这种操纵自家股价的方式使自己致富的普遍性,我们有充分的理由相信,如果不对股票回购和股票期权收益加以立法限制,公司经理这种把自己的个人利益置于公司利益之上的行为在未来仍将继续。①

在我看来,股票回购是当今美国富者愈富,而稳定和平等的经济增长却因此受害的大规模再分配进程的关键一环。2003 年的《就业和增长减税调节法》(Jobs and Growth Tax Relief Reconciliation Act)把股利所得税从 38.6% 减少到 15%,把资本利得(售股所得当然在内)税从 20%减少到 15%,从而极大地推动了这一再分配进程(McNamee & Scherreik 2003)。尽管该法对股利所得税的削减幅度较资本利得税更大,但我们却看到,自 2002 年以来,美国公司回购股票的力度却比其股利增加的幅度更大(Blouin, Raedy, and Shackleford 2007)。②

我认为,其主要原因在于,回购会推升股价,因而增加股票期权的收益(参见 Fenn & Liang 2001; Grullon & Ikenberry 2000,第 41~42 页; Hsieh & Wang 2006; Jolls 1998; Kahle 2002; Weisbenner 2000)。③ 如表 2.4 信息通信技术产业主要公司的数据所显示的那样,公司高管从股票期权获得的收益通常是其公司雇员平均收益的几百倍,甚至经常高达数千倍。诚然,在 20 世纪 90 年代末公司股价飞涨的时代,数百万名持有股票期权的非经理雇员也有所斩获;在思科和微软这样的公司,一小部分员工甚至获利甚丰。然而,对于许多(如果不是大多数)非经理雇员来说,其股票期权收益是短命的,因为

---

① 许多国家不允许进行股票回购(Grullon & Michaely 2002,第 1677 页)。实际上,在 1982 年以前,证券交易委员会曾一度把股票回购视为对公司股价的操纵。Grullon & Michaely(第 1649 页)写道:"在 1982 年以前,美国并没有关于股票回购活动的明确规定。这种局面使得进行回购的企业面临着引起证券交易委员会调查并被指控为非法进行市场操纵的风险"。然而,在这一年,作为 20 世纪 70 年代末以来解除金融机构管制潮流的一个组成部分,证券交易委员会放松了管制,"使公司可以更容易地从公开市场上买回自家的股票而免于被指控市场操纵之忧"(Hudson 1982)。特别是,根据 Rule 10b-18 条款,如果公司每天在股票市场上的回购额不高于市场日均该股票交易量的 25%,证券交易委员会就不会指控其进行操纵(Grullon & Michaely 2002,第 1676~1682 页; McCarthy 1999)。

② 股利增长慢于回购增长的原因还在于:回购减少了公司发行在外的股票数量,因而使派发的股利总额自动减少。

③ 一篇发表于 *Journal of Applied Financial Economics*,题为"股票回购与外部融资的必要性"(Billett & Xue 2007)的文章一开头就指出:"公司财务文献中讨论最多的一项发现就是:当公司宣布其股票回购意图时,其股价就会上涨。"(第 42 页)

在21世纪初股市就开始急转而下,紧接着又是2003年的无就业复苏;其中海外转移的加速是促成此种局面的重要因素。

实际上,美国迄今并未出现关于回购及其近年来的加速,乃至其对收入分配和经济增长之含义的公共政策辩论。然而,在2008年夏,似乎出现了一些变化的苗头。2008年7月31日,在迄今为止最大的股票回购者——埃克森美孚(见表6.1)宣布第2季度的利润达117亿美元,股票回购额为88亿美元之后,国会的民主党知名议员开始向这家大型石油公司的股票回购发难(Menendez 2008)。[①] 纽约州的民主党参议员查尔斯·舒默(Charles Schumer)说道:"它们(那些大型石油公司)告诉我们要进行更多的国内生产;它们告诉我们将进行更多的海外钻探;它们告诉我们会在大陆找到更多的油田。但它们用自己的利润干了些什么?它们被用来回购股票,只是为了推升自己的股价。"(Hays & Ivanovich 2008)

正如我们看到的,一掷数十亿美元回购股票的并非只是那些石油公司。这种做法已遍及美国的各行各业。那些花费了大量的时间和精力考虑如何通过股票回购操纵股市的公司高管们是否也为如何在全球化经济中应对技术、市场和竞争方面的不确定性——这种即使是最强大的公司也不得不关心的问题——付出了足够的时间和精力呢?

从公共政策的角度来看,那些对公司资源行使战略控制权的管理者的资源配置激励是否应该仅仅指向推升公司的股价?那些高科技公司是否应该一面进行大规模、系统性的回购,一面向政府要求对未来的技术进行投资?那些从高油价或高药价中榨取了高额利润的公司应当把这些利润大量地运用于股票的回购,而不是发现更多的储量或开发更多的药品吗?或者我们应当管制这些石油和制药公司的价格,同时禁止股票的回购?至于华尔街的那些银行,政府是否应该在它们陷入危机时出手加以拯救?实际上,如果不是近年来的大规模和系统性回购,这些公司本来可以有更多的资本进行自救。

这些问题涉及一个重大的公共政策议题,即应该用多少资源来支撑股票

---

① 针对埃克森美孚上一年用于回购的资金超过其开发和勘探资金的事实,舒默参议员在2006年1月首次提出了这一质疑。舒默说道:"政府有责任确保这些公司继续开展创新而不是坐享其成"(Piller 2006)。艾德·马金(Ed Markey)众议员也在2008年5月谈到这一问题,他说:"大型石油公司正在把它们的利润用于推升股价,而不是用来寻找石油或提供比每加仑4美元更便宜的汽油"(Souder 2008)。

市场,就是说,为什么股票市场会成为美国经济运行的中枢;并且,如果我们希望实现经济的持续繁荣,这种局面是否应当继续存在?在我看来,要形成和推进有助于经济持续繁荣的政策,首先必须拒斥股东价值论的信条。对此,我将在最后一章详加论述。

7

持续繁荣的前景

“市场力量”不是自然现象

在微电子技术革命的推动下，美国在过去30年已经演进为一个高度创新的经济，但由此产生的经济增长并不稳定，而且收入分配也变得颇为不均。信息通信技术产业旧经济企业模式向新经济企业模式的转变对这种不稳定和不平等的形成干系甚大，对此本书前文已多有论述。社团主义的旧经济企业模式为公司雇员提供的集体安全已一去不复返，取而代之的是雇主和雇员之间更为个体性的关系。与几十年前相比，即使是美国劳动大军中那些教育程度最高者，他们的就业和收入也在“市场力量”的诡异多变和重压下感受到了威胁。特别是，正如我在第5章和第6章所指出的那样，全球劳动力市场和美国金融市场目前已支配了美国的高科技就业条件。

就雇用关系的调节而言，市场力量并不是什么自然现象。相反，公司和政府的政策和决策规范着资本和劳动市场的运行以及为谁的利益运行(Lazonick 1991, 2003b)。自20世纪70年代后期以来，公司的战略和美国政府的政策相结合，共同决定着新经济企业分配资源、雇用劳动和财务投资的方式。根据既定的政治意愿，政府立法可以禁止那些导致不稳定和不公平的公司战略，并推动那些可导致持续繁荣的公司战略。

当美国公司的经理们竭力将生产活动全面转移到世界低工资地区时，他们辩称这是市场竞争的压力使然。然而，在制定这些决策时，这些经理们通常并不认为他们对美国现有的劳动力——那些使其全球化运营成为可能的人们——负有责任，他们也很少征询这些员工的意见——例如，像他们曾在施乐公司所做的那样(见第4章)——看看有什么可以保持和扩大公司竞争力的替代办法。事实上，美国是所有发达经济体中唯一对现有员工的意见置若罔闻且对员工保护最为不力的国家。

当美国公司的经理们动用数十亿美元回购股票时，他们辩称这是股市的要求使然。然而，在2000年以后，这些财力强大的公司实际上是在利用它们的金融实力操纵股市，其直接受益者正是那些制定这种资源配置政策的经理本身。秉持股东价值最大化的信条，那些控制着美国公司资源分配的经理们理所当然地认为他们只对股东负有责任。

美国联邦政府的支持和扶植对新经济企业这种资源分配模式的盛行亦有明显的推波助澜作用。它一如既往地将税收收入用来资助美国的高技术知识基础，但对这些所谓的私人企业如何以及为谁的利益来使用这种知识基础却不闻不问；美国的公司在过去从政府的慷慨资助中获益良多，但在其高管宣称他们必须进行海外转移来保持竞争力时，美国政府却退缩在一旁，不肯对其提出补偿要求。通过移民法，美国政府一直在纵容——至少直到最近——那些游说团体开放更多非移民工作签证的要求，同时却未对这种签证的使用乃至滥用进行有效的监督。由于一直未对公司高管的薪酬加以干预和管制，美国政府实际上已成为过去三十年这些公司高管薪酬不明不白的——有人甚至认为是可耻的——爆炸式增长的同谋或者帮凶。

美国公司的管理者声称，他们肩负确保股东价值最大化的信托责任；这种观点，正如我在第6章所指出的，与企业实现创新的条件是南辕北辙的。然而，尽管公司高管大肆宣扬这种信条并藉此为自己创富，他们同时却毫不迟疑地以保持"美国"竞争力的名义呼吁政府增加知识创造(knowledge creation)方面的投入并降低税负。在2008年金融危机期间，这些企业高管们仍然若无其事地援引股东责任的说法，来为其管理不善却获得过度薪酬辩解——公司最终失败的代价则由美国公众来承担。例如，雷曼兄弟的总裁理查德·福尔德(Richard S. Fuld)在2008年10月这样告诉国会众议院监督及政府改革委员会(House Oversight and Government Reform Committee)，自2000年以来他获准拿到的3亿美元报酬是因为"薪酬委员会认为他花费了大量的时间来确保管理者和雇员与股东的利益保持一致"(Davis 2008)。

一个国家需要创新来启动经济增长。然而，当公司的高管们利用股权激励使收入分配发生于其有利的倾斜时，当他们决定裁撤那些合格雇员，尽管公司正在收获这些员工曾有份参与的创新成果时，许多美国公民将因此而遭受损失，尽管他们为之工作的公司仍在大把地盈利。此外，正如我在第6章所指出的，站在21世纪第一个10年之末的时间点来观察，公司坚持股东价值最大化的做法很可能会使美国一些最成功的商业企业的创新能力受到损害。

在美国,那些受教育水平较低且缺乏工作经验的人谋生从来不易;但进入 21 世纪后,即使那些受过良好教育且具有丰富工作经验的美国人也面临着比过去大得多的就业压力。虽然我详细阐述了新经济企业模式固有的不稳定和不平等性质,但我并不主张回归旧经济企业模式。然而,我们必须承认,旧经济企业确实为就业和退休提供了一种强有力的集体保障机制。事实上,在旧经济时代,美国公司的这种功能大大减少了美国政府为确保经济稳定和平等增长而直接介入的必要性。而且我认为,在 20 世纪 60 年代,正是由于商业性公司为相当部分的美国居民提供了这种集体保障,美国政府才有可能提出"向贫困开战"(War on Poverty)的口号,以提高那些未被公司的保障机制所覆盖的居民的就业机会。通过各种方式,旧经济企业为政府对经济不稳定和不平等的干预提供了一个平台,其中包括经济精英之间的共识。随着旧经济企业模式的没落及新经济企业模式的起而代之,新的共识又将从何而来?

旧经济时代股票市场的作用有限

为分析旧经济企业对稳定和平等的经济增长的基础作用及其局限,我们必须对其在二战结束后几十年间提供这种集体功能的历史背景有所了解。这些背景如下:

- 政府用于二战的开支使美国得以走出延续整个 20 世纪 30 年代的大萧条;
- 二战后美国政府在冷战背景下对高技术知识基础的巨大投资,包括国家对研究的投入以及传播这种知识的高等教育体系;
- 强大的企业研究实验室,其中许多成立于 20 世纪之初,它们能够吸收和进一步发展知识;
- 累进税制度使美国政府可通过干预来支持有助于持续繁荣的公司基础,同时在社会运动的推动下,通过机会均等政策把繁荣的成果扩散到那些公司经济未能覆盖的人群。

从一而终式的就业是旧经济企业对美国经济稳定和平等增长发挥促进作用的基础。寡头垄断的市场地位和专有技术策略使这些旧经济公司有能力为其雇员提供这种就业模式,并鼓励它们这样做。许多旧经济公司工会的存在及其对就业保障的强调,进一步强化了公司对“组织人”的承诺。对经理和工人来说,其终身就业于一家公司的指望体现在他们所获得的不可转移的约定给付养老金计划之中;这种计划已成为其就业关系的固有成分,而且服务年限越长越有利。

在新经济体系中,养老金,连同其他收入待遇,均严重依赖于股票的市场表现。从历史来看,旧经济企业能够促进经济稳定和平等增长的一个主要原因在于股票市场的有限作用,它对公司创建、控制、兼并、薪酬和现金,以及子公司运营的作用均不过如此。对旧经济企业来说,股票市场的主要作用在于把股权与管理控制权分离,这是管理革命得以发生,从而使有经验的支薪雇员掌控已走出创业期的公司,并使分散的社会公众股东无力干预公司资源配置的基本社会条件。通过促成所有权与控制权的分离,股票市场的这种“非控制”功能促进了二战结束后几十年间经济在旧经济企业模式下的稳定和平等增长。其成果与 20 世纪 80 年代由股东价值驱动的“公司控制权市场”——迫使公司“吐出”所谓“自由”现金流的运动——所造成的动荡形成了鲜明的对比(Lazonick 1992)。

一般说来,在旧经济企业模式下,即使是已上市的老牌公司也不会利用股票市场来筹措用于生产性资产的投资资金。对这些企业来说,股票市场只是在 20 世纪 20 年代后期投机盛行时才成为其重要的现金来源。当时这些公司纷纷以高估值的股价卖出自家的股票,用来偿还债务或增加现金储备,以改善其资产负债表;这与 20 世纪末互联网繁荣时期美国工业公司的做法完全相反(Carpenter, Lazonick and O'Sullivan 2003; O'Sullivan 2004)。

在旧经济企业模式时代,只是在 20 世纪 50 年代末和 60 年代初柜台交易市场(OTC market)开始引入创业企业投资的“过热发行”时期,股票市场才开始发挥其公司创建的功能(O'Sullivan 2007)。从历史的角度来看,这种投机热预示了创业企业的股票首发会对新经济企业产生何种影响。实际上,柜台交易市场的这种过热发行,引发了证券交易委员会的“证券市场特别研究”(SEC 1963),由此导致 8 年后纳斯达克市场的组建(Ingebretsen 2002,第 4 章; O'Sullivan,即将出版)。

如前所述,在 20 世纪 50 年代和 60 年代,股票市场也开始在旧经济企业模式下具有了某种薪酬功能,但仅限于高层管理人员;这种旨在规避税收的股票运用方式遭到了公众的批评。回顾历史,我们可以把这种面向经理人员的股票期权的引进看作公司高管的激励脱离其管理的企业的薪资结构的第一步。公司高管的利益脱离其所领导的企业的第二步发生于20世纪60年代的企业帝国构建时代,通过多角化运动,这些公司进入诸多互不相关的业务领域,因而无法对其进行有效的管理,进而导致旧经济企业模式的动摇。在这里,如同面向管理人员股票期权的引进一样,公司股票在旧经济企业模式下同样发挥了一种重要作用,即"兼并"功能;但这种作用也导致了经济的不稳定和不平等,并最终引发了旧经济企业模式的解体。

因此,在旧经济企业模式下,无论是股票市场的薪酬功能还是兼并功能,在美国的大公司均引起了资源的战略配置与组织学习过程的脱节。然而,战略与组织学习的整合是企业创新的**必要**条件(Lazonick 2004a, 2006, 2007a; Lazonick & O'Sullivan 2000b; O'Sullivan 2000a, b);这两者之间的分离使美国的工业企业在面对创新型的外国竞争者时处于被动挨打的境地。在20世纪70年代并延续到80年代,美国的公司发现自己在一系列重要产业——它们曾经独步全球的领域丧失了竞争优势,开始落后于外国竞争者。外国公司通过交叉授权、跨国投资以及军事合约进入了美国的知识基础。在诸多外国竞争者当中,由于拥有高超的整合技能,日本公司在吸收这些知识并通过本土创新加以改进方面尤为擅长。通过交叉持股、终身雇用和主办银行信贷(main-bank lending)等制度,日本发展了一种更具集体性的旧经济企业模式,使之能够更有效地开发和利用技术,从而使日本的公司得以反超其美国同行(Lazonick 1998, 1999, 2005)。

新经济企业模式下的股票市场:从创新到投机再到操纵

新经济企业模式兴起于20世纪60年代和70年代,它并没有受到同期日本产业经济所发生转变的多少影响。然而到了80年代和20世纪最后10年,新经济企业模式实际上是美国对日本竞争的一种回应。如第2章所述,在旧经济企业模式向新经济企业模式转变的过程中,美国股票市场通过其企业创建和薪酬功能支持了资本和劳动的重新配置,并通过其兼并功能促成了高科技新生公司的快速增长。

通过创建和薪酬功能,股票市场使资本和劳动得以从旧经济的所有者手中流入新经济的创业企业。具有高度流动性且上市条件较为宽松的纳斯达克股票市场使创业企业首发上市的成功率大为提高,进而导致风险资本对高科技企业的投资。如第2章所述，风险投资在新旧企业模式转变的资源再配置过程中发挥了关键的作用，它使禁锢于老牌企业的企业家才能和知识得以流入新兴企业。如果说风险投资发挥了使财务资源从旧经济流入新经济的再配置作用，股票期权则发挥了与之互补的劳动再配置作用。股票期权为创业企业提供了一种使高学历者放弃旧经济老牌公司的稳定就业转而加盟前者的诱因。如果创业企业成功上市或被上市公司兼并，这些期权可能会身价百倍。一旦创业企业完成上市，股票市场的兼并功能将成为这些新经济企业实现增长的重要推进器，就像第6章介绍的思科公司的兼并型增长战略那样。

在20世纪90年代，股票市场的企业创建、薪酬及兼并功能成为新经济企业模式得以扩展的关键环节。企业家、风险资本家和高技术员工因此宣称他们为创新型经济贡献了资源并通过其持有的股权收获其回报。然而，与此同时，新经济企业时代股票市场作用的加强也使美国自20世纪80年代以来的经济增长趋于不稳定和不平等。虽然股票市场促进了资本和劳动流入新兴企业的再配置，它同样会导致投机，因而滋生不稳定，它也会导致操纵，因而引起不平等。

在20世纪90年代后期，美国股市确实变成了一个高度投机的市场，公众发现了一些极具创新性的新经济企业，然后开始在许多创新能力乏善可陈的网络股公司上下注。图7.1显示了当时的投机泡沫程度。NASDAQ综合指数在1998至2001年间的升跌幅度使道琼斯工业平均指数(DJIA，它当时把英特尔和微软作为NASDAQ的代表也包含在其30只成分股之内)和标准普尔500指数相形见绌。从1998年3月到2000年3月，包含了3 000多只股票的NASDAQ综合指数上涨了149%；与此同时，道琼斯工业平均指数仅上涨了21%，标准普尔500指数则上涨了36%。

自20世纪80年代初以来，股票市场的投机泡沫在很长一段时间一直追逐着两条主线：一是兼并操作，即旧经济公司的组织和资产重组；二是创新，因为新经济公司将其几乎全部收益注入企业的增长。然而，在21世纪第一个10年，正如我在第6章所述，操纵成为驱动股价走势的魔咒，其主要操纵手段则是股票回购。

思科系统公司就是20世纪90年代末在NASDAQ市场一飞冲天的企业之一。1998年10月，斯坦福大学商学院(Stanford Business School)教授查尔斯·奥赖利(Charles O'Reilly 1998，第1页)出版了一部关于该公司的案例研究，其开篇第一句话就是："思科是一家价值60亿美元的高科技隐形公司，在

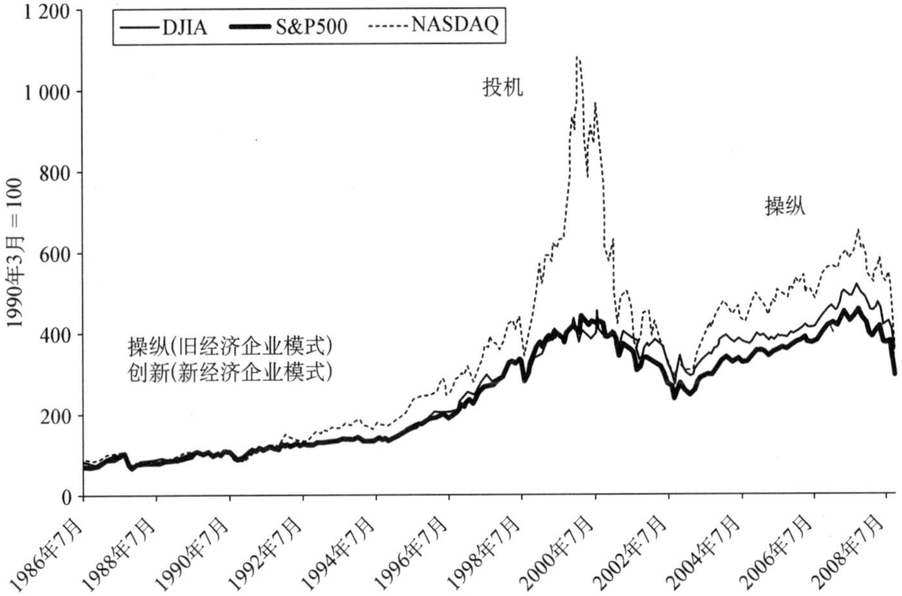

图 7.1　道琼斯工业平均指数、标准普尔 500 指数和 NASDAQ 综合指数 1986 年 7 月至 2008 年 10 月的走势(月度数据)

注：截至 2009 年 8 月，道琼斯工业平均指数(DJIA)由 30 只成分股组成，其中 27 只在纽约证券交易所(NYSE)上市，3 只在 NASDAQ 上市；标准普尔 500 指数有 500 只成分股，其中 410 只在纽约证券交易所上市，90 只在 NASDAQ 上市；NASDAQ 综合指数包含 2 809 只成分股。

资料来源：Yahoo! Finance, http://finance.yahoo.com, *Historical Prices*, monthly data.

很大程度上不为一般公众所知。”仅仅 17 个月之后，这家“不为人知”的公司的市值就攀升到全球之冠。2000 年 5 月，*Barron's* 杂志的编辑托马斯·唐兰(Thomas Donlan 2000，第 34 页)对思科股价的合理性进行了一番估算，发现要想匹配其当时 190 倍的市盈率，思科必须在 2010 年将其 1999 年的 25 亿美元净利润提升到 2.5 万亿美元！

在 21 世纪头 10 年思科仍然非常成功，但由于投机的相对缺乏，它需要进行大量的股票回购来支撑其股价。图 7.2 A 显示了思科股价的走势：首先是 1990 年到 1998 年思科将其盈余几乎全部用于再投资的创新阶段，[①]然后是 1998 年至 2000 年的投机阶段，市场的疯狂驱动其股价急剧攀升，最后是 21 世纪以来思科通过股票回购(如第 6 章所述)支撑其股价的操纵阶段。

---

① 在此期间，思科未支付现金股利，但在 1995～1997 年间进行了 5.08 亿美元的股票回购，相当于其 1995～1997 年净利润的 21.0%和 1990～1998 年净利润的 11.5%。

图 7.2 A 也显示了英特尔和微软的股票价格变动，与思科的同期走势比较，它们在互联网繁荣期的股价走势要平缓得多。但是，如图 7.2 B 所示，它们的股价走势也反映了创新、投机和操纵这三个阶段，主要的操纵手段仍然是股票回购。这三家公司均为美国信息通信技术产业的骨干企业，其 2000 年至 2007 年的研发支出共计 1 130 亿美元。然而，同期它们用于回购股票的金额却高达 1 640 亿美元。在 2008 财政年度，思科（财政年度截至 7 月 26 日）为股票回购耗资 104 亿美元，而研发支出为 51 亿美元；微软（财政年度截至 6 月 30 日）为股票回购耗资 125 亿美元，研发支出为 116 亿美元；英特尔（财政年度截至 12 月 31 日）为股票回购耗资 71 亿美元，研发支出为 54 亿美元。①

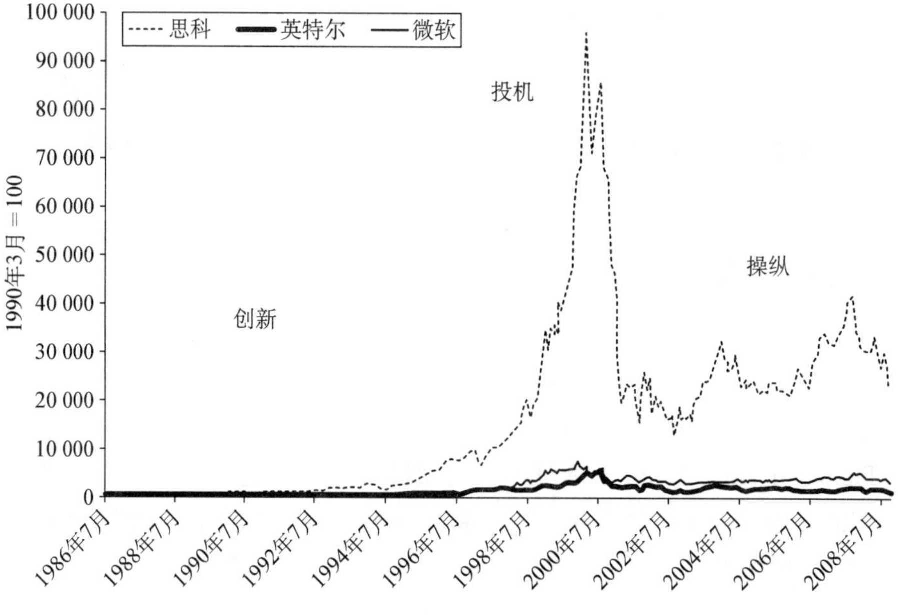

图 7.2 A　思科(1990 年 3 月至 2008 年 10 月)与英特尔和微软(1986 年 7 月至 2008 年 10 月)的股价走势

资料来源：Yahoo! Finance，http://finance.yahoo.com，*Historical Prices*，monthly data.

① 2008 年 9 月，在完成了 400 亿美元的股票回购后，微软宣布其董事会批准在 2013 年 9 月前继续进行 400 亿美元的回购。微软董事会还宣布将进行最多 60 亿美元的债务融资，其中部分资金可用于股票回购（Associated Press Newswires 2008）。

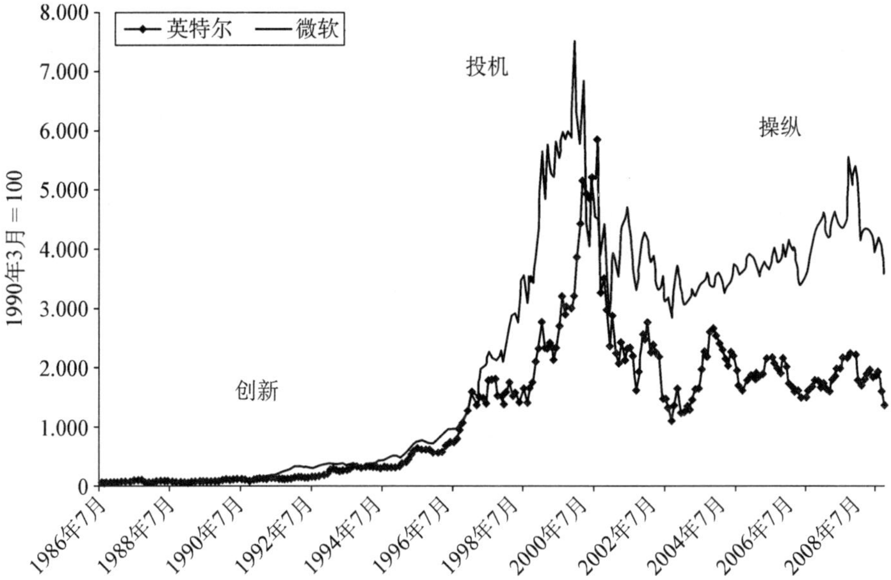

图 7.2 B　英特尔和微软(1986 年 7 月至 2008 年 10 月)的股价走势

资料来源：Yahoo! Finance，http://finance.yahoo.com，*Historical Prices*，monthly data.

正如我们所看到的，这些公司只是一个更大趋势的几只领头羊而已：在 21 世纪的头 8 年，标准普尔 500 指数的 500 家成分股公司用于自家股票的回购资金投入超过了 2 万亿美元。这笔巨款可以看作是美国公司界信守股东价值教条，因而令美国经济为之投入财力的尺度。我在第 6 章对股东价值论的批判为以下这个复杂问题提供了一个简单化的答案：股东应该得到怎样的回报，才能使他们对生活水平的提高和经济收益的平等分享有所贡献？在 21 世纪第一个 10 年，问题并没有得到解决，而不稳定和不平等便是其后果。

经济不稳定的出现

美国信息通信技术产业对股东价值的这种追求使该产业劳动者的经济不稳定状况愈趋严重。由于终身就业体制在 20 世纪 90 年代已寿终正寝，高科技行业的员工发现他们在市场、技术和企业战略发生变化时会变得相当脆弱。取而代之的是跨企业的劳工流动，在“高流动”的硅谷劳动市场这种情形尤为突出(Benner 2002; Hyde 2003)。

对许多信息通信技术产业的员工来说，个体劳动的流动性在 20 世纪 90

年代末互联网繁荣期足以为其争取较好的就业条件，特别是当他们就职于一家拥有慷慨的股票期权计划的公司时（参见第 2 章）。新经济企业的增长，20 世纪 90 年代末劳动力市场的极度紧张，以及股票期权收益的现实可能性及其实际兑现，促使高技术劳动者从收入依赖于内部升迁和职能分工的层级体制公司转向依赖于跨企业流动的新经济企业。到 21 世纪初，那种指望从一而终的就业心态已经在美国的信息通信技术产业彻底消失了。

20 世纪 90 年代旧经济企业模式向新经济企业模式的转变，必然会使信息通信技术企业的那些年长员工面临比过去大得多的不稳定。从一而终的就业模式通常意味着员工的薪资将随着其服务年限的增加而增加，其享有的传统的约定给付养老金也将随着退休日的临近而大为增值。21 世纪第一个 10 年的前半期，高技术雇员所面临的就业条件恶化在 2001～2002 年的经济衰退结束后仍在持续。工程师和编程员的失业率在 2002 年末开始的"无就业复苏"期间仍在上升（Hira 2003；IEEE-USA 2004a，b；Khatiwada & Sum 2004）。

无就业复苏的很大一部分原因在于 21 世纪初美国信息通信技术产业海外转移的加速（Groshen & Potter 2003；Houseman 2007），印度和中国则是海外转移的首选之地。关于海外转移的范围和地点、其中高技能工作所占的比重以及海外转移对美国就业和美国经济整体表现的影响尚需进一步收集可靠的资料。① 半导体行业协会收集的关于美国大中型半导体公司所雇工程师的数据表明：其海外企业的工程师人数在 1997 年占其总共 56 995 名工程师的 12.3%，2000 年占其 96 093 名工程师总数的 20.8%，2005 年占其 125 360 名工程师总数的 33.7%。而这些企业在美国本土的工程师数量则从 2000 年的 76 129 名下降到 2004 年的66 851名，在 2005 年又激增到 83 167 名。海外的工程师职位则呈稳定增长之势，从 2000 年的 19 964 名增加到 2005 年的 42 193 名（Brown & Linden 2008a，第 5 页）。② 数据显示，海外就业的增长大都来自中国的半导体制造厂和印度的芯片设计中心（Brown & Linden 2008a；亦参见 Ernst 2005）。

① 要想通过报纸和出版物来追踪海外转移的工作数，可参见 TechsUnite offshore 在 http://www.techsunite.org/offshore/网站的追踪器。

② Brown 和 Linden 指出这些数据并非每年都严格可比，但足以说明美国半导体行业工程师就业分布的总体趋势。

显然,在21世纪头10年,美国公司已经可以获得印度和中国日益增加的高技术劳动力供给了,他们的能力也越来越足以胜任那些以往必须在美国进行的高技能工作(参见第5章)。而且正如我们看到的,美国公司还可以通过H-1B和L-1非移民签证在美国雇用这些劳动力。那些认为非移民劳动力涌入美国的现象严重扰乱了美国劳动力市场的薪酬和工作条件的人士为此对美国的H-1B签证政策提出了严厉的批评(Matloff 2004)。

原则上,雇主付给持有H-1B签证工人的工资应"至少相当于当地的现行工资、或其他具有类似经验和资格者的工资,按两者孰高而定"。法律还规定,雇主只有在"不会对类似工种工人的工作条件产生负面影响时"才可以雇用持有H-1B签证者(美国劳工部2007)。在实际操作中,维持这种要求是很难的,因为执法部门很少甚至根本不曾强制雇主这样做。①

即便是雇主严格遵守法律规定,与美国公民或拥有永久居留权者相比,持有H-1B签证的工人在面对其雇主时也会处于弱势地位。在新经济企业模式下,雇员的谈判能力在于他们可以转换工作;而持有H-1B签证的工人只有在其找到另一个拥有空缺H-1B签证名额的雇主时才可以离开现有的雇主。雇主可能会利用其手上的H-1B签证额度,要求H-1B签证持有者前往美国不同的地区就职,而这种安排对美国劳动者来说是不可接受的。如果H-1B签证持有者的永久居留权申请是由雇主操办的,他对雇主的依赖就会更大,因为这种申请的获准旷日费时,是一个非常漫长的过程(Chakravartty 2006)。

如第5章所述,H-1B签证年签发额的上限在1998年是65 000份,1999年和2000年是115 000份,2001年至2003年是195 000份,2004年又恢复到65 000份,外加2万份准备给在美国大学毕业的外国人。自2004年以来,关于H-1B签证的需求已超出这85 000个名额,高技术行业的雇主一直在呼吁要增加这种签证额度,以缓解其所谓的美国高技术劳动市场的短缺。2006年5月,参议院通过的《移民综合改革法》(Comprehensive Immigration Reform Bill)将把每年H-1B签证的额度提高到115 000份,而且规定如果上一年额度用满,则翌年自动增加20 000份。② 然而,在2007年和2008年,其

① 关于来自反H-1B签证计划网站的观点及其所列的问题清单,参见ZaZona.com (2008)。另可参看2008年1月推出的hireamericansfirst.org网站。

② 更多信息可参看 http://en.wikipedia.org/wiki/Comprehensive_Immigration_Reform_Act_of_2006.

立法批准进程在众议院被搁浅，不是因为 H－1B 签证，而是因为如何处理进入美国劳动力市场的非法移民问题。

信息通信技术产业的雇主们认为需要更多的 H－1B 签证，因为美国高技术劳动市场供不应求。他们提出的补救措施包括增加 H－1B 签证额度的短期性政策以及改进美国青少年 K － 12 教育体系的长期性政策。他们警告说美国的创新能力正在弱化，高技术工作的海外转移会进一步加速。

在一篇颇有影响的专栏文章中，比尔・盖茨(2007)声称美国的教育系统必须改进，以使“美国的年轻人在加入劳动大军时具有足以使其在知识经济中取得成功的数学、科学知识和解决问题的能力”。他引用了一篇 2003 年发表的报告中的数据：美国高中生的数学成绩在 29 个发达经济体中仅排名第 24 位。① 盖茨呼吁企业和政府共同努力，以改善美国 K－12 教育体系的科学和数学教育成效。他还建议说，美国应该“让出生在外国的科学家和工程师更易于为美国公司工作”。事实上，盖茨声称美国计算机科学专业的毕业生短缺已经达到了“危机点”。他呼吁增加 H－1B 签证的配额，同时(使外国公民)更快、更便捷地取得美国的永久居留权。鉴于外国人占美国计算机科学博士生的比重高达一半，这些改革将使美国高校的外国研究生在完成学业后留在美国的人数有所增加。

毫不奇怪，美国电气和电子工程师学会(IEEE)——其宗旨是“促进 22 万名工程师、科学家和相关专业人士的职业和公共政策利益”(IEEE-USA 2006a)——对这种扩大美国高技术劳动供给的移民法改革并不热心。在 2006 年 5 月美国参议院通过移民综合改革法案后，IEEE-USA 的总裁韦德伦(Ralph W. Wyndrum, Jr.)评论说，“这项法案为众多高技术签证打开了闸门，但问题是美国吸收多少高技术工作者才不会升高失业率同时又不减少工资呢？”(IEEE-Cedar Rapids Section 2006)

21 世纪以来，关于高技术劳动力在美国到底是短缺还是过剩的问题一直多有争论(Gordon 2007)。作为对美国 STEM(科学、技术、工程和数学)劳动力的再生和扩展已出现危机这一说法的回应，兰德公司 2004 年为美国科学和技术政策办公室(U. S. Office for Science and Technology Policy)和斯隆基

① 盖茨在这里援引的显然是《2003 年国际学生数学评测报告》。该报告由经济合作与发展组织的国际学生评估项目(PISA)主办(OECD 2004)。下文对此有进一步的讨论。

金会所做的研究指出,“许多这种关于短缺的说法都是可疑的,或者是有一定立场的”(Kelly 等 2004,第 5 页)。[①] 在 2003 年无就业复苏时期撰写的一篇报告中,斯隆基金会的项目经理(现为副总裁)、人口统计学家迈克尔·泰特尔鲍姆(2004,第 13 页)指出:“颇具讽刺性的是,这种关于劳工短缺的说法往往表现为科学和工程的专业性与短缺论鼓吹者的宣传性的两极分化——前者需要准确的证据和细致的分析,而后者的分析严格性——即使往好了说——是相当薄弱的。”

不考虑关于危机的种种花言巧语,鉴于技术的迅速变化和高技术工作者的高度专业性,这两种关于美国高技术劳动供给是否充足的观点实际上是与年龄相关的。在任何熟练劳动力市场,任一时点均会出现高技术雇员现有技能的供给与新的高技术职位所要求的技能之间的“错配”(参见 Levy & Murnane 1992; Morris & Western 1999; Powell & Snellman 2004)。对信息通信技术产业的一般劳动者来说,其年龄与其适应新需求的学得的技能是成反比的。如果公司不断招募那些技能似乎很先进的年轻员工,同时不断解雇那些似乎技能已落伍的老员工,那么就很可能会出现公司乐意雇用的新员工不足与公司打算解雇的老员工过剩并存的局面。

这种判断与我们所了解的旧经济企业模式向新经济企业模式转变是完全一致的。新经济企业模式的一个主要特征是公司对雇员的职业生涯缺乏承诺。对于新经济企业模式的公司来说,它们仍然看重其现有众多员工的经验所带来的生产力;对员工说来,组织内部层级的升迁前景仍然是其付出更多努力、为公司做出生产性贡献的诱因。然而,与此同时,新经济企业模式的问题在于缺乏关于员工解雇的制度性约束,恰恰在为了利用因行业技术、市场和竞争条件的变化而带来的获利机会之时,这些公司也会毫不迟疑地裁员,而且经常如此。每当这种机会出现时——在变化迅速且全球化的信息通信技术产业,这种事情是经常且不断发生的——公司就会试图用年轻的员工来替代年长的员工。

正如我在第 3 章说明的,看一看 IBM 在 1990～1994 年间雇用关系的转变——当公司偏重于年轻员工时,老员工就会被弃之如敝屣。IBM 20 世纪 90 年代大规模重组的主要目的是为了摆脱其已实行数十年之久的终身雇用

① 对美国缺少合格的科学和工程专业毕业生的观点的批判,参见 Lowell 和 Salzman (2007)。

制度。事实上，在1994年有大约3 500名IBM员工对美国国内收入署提起集体诉讼，称IBM不应该在他们的遣散费中计入税金，因为这是他们放弃对IBM的年龄歧视进行起诉的权利而达成和解的补偿(DeBare 1997; Ramstad 1994b, c;另见 Associated Press 1994; *Raleigh News and Observer* 1996)。正如我们在第4章看到的，IBM在1995年和1999年对养老金制度进行了根本性的变革，其目的显然是为了使公司对年轻雇员更具吸引力。在此过程中，许多不能继续享受传统的约定给付计划的IBM中年员工的预期养老金出现了显著的减少。

鉴于其在信息通信技术产业中的规模、声誉和重要地位，IBM从旧经济企业模式到新经济企业模式的转变标志着美国公司完成了从就业保障到无保障的过渡。事实上，与1992～1997年IBM的经历相同步，Abowd和他的合作者(2007)发现美国出现了从聘用有经验的年长员工到聘用熟悉电脑应用的年轻员工的转变。运用《当前人口调查》的数据，Schultze(1999，第10～11页)发现，“中年和老年员工，无论出于何种原因，与其雇主共事的时间已不如以往长久了”。此外，他还指出，在20世纪80年代和90年代，白领相对于蓝领工人的裁员率也有大幅度上升，由1981～1982年的33%上升到20世纪90年代的80%。

1998年末，就在互联网大潮方兴未艾以及国会准备把H－1B签证的额度从65 000份增加到115 000份时，美国电气和电子工程师学会模仿财富杂志每年颁布的最赚钱的500强公司榜单，发布了“MisFortune 500”榜单，网址为www. misfortune500. org，该网站刊登了数百位已失业同时在互联网繁荣期又无法找到工程师工作的老员工的信件(PR Newswire 1998)。[①] 根据电气和电子工程师学会的问卷调查，年龄因素被列为他们获得新工作的首要障碍，占问卷回复者的比例2004年为67%，2006年进一步上升到72%(IEEE-USA 2006b)。[②]

---

① 对于认为美国政府和公司的政策造成了资深工程师过剩的观点，诺曼·马特洛夫(Norman Matloff)是批评最有力的人士之一。根据他的说法(2006b)，在2000年“IEEE-USA遭到了来自其上级组织——支持H－1B签证的产业和学术组织的巨大压力，因此突然改变了立场。它仍然对H－1B签证持批评态度，但开始主张用‘即时绿卡’(instant green cards)来代替H－1B签证。它完全无视其成员认为绿卡对他们像H－1B签证一样有害的抱怨。Misfortune 500的网页也被撤消了。”

② Hyde(2003，第12章)认为，包括与年龄歧视相关的就业歧视法律的立论基础在于“企业个体可以提供稳定的长期就业的假定”，因此在他所谓的“高流动性的劳动市场”(如硅谷)就业歧视是很难得到证明的。

虽然信息通信技术产业的资深员工在20世纪90年代和21世纪头10年被解雇的故事比比皆是(例见 Hira 2007),但是,关于这一现象的系统性研究仍付之阙如。例如,惠普21世纪头10年在其与康柏合并后进行的员工"大倒腾",据说降低了雇员的平均年龄(Wong 2006)。我们很想知道,此次合并以及成千上万个工作岗位随之消失后,有多少老员工被解雇,同时又招募了多少年轻员工?年轻员工对中老年员工的替代到底是出于公司聘用具有不同技能员工的需要,还是仅仅为了省钱而裁撤那些工龄较长、因而按惯例须付给其较高薪酬的资深员工?在缺少确凿证据的情况下,这一问题目前仍众说纷纭。鉴于这些公司热衷于向低成本地区进行海外转移从而改变公司员工的年龄构成,这种替代很可能是为了降低成本而不是为了获取技能。

在一本关于就业"动荡"的著作中,Brown、Haltiwanger 和 Lane(2006,第108页)对金融服务、零售食品、半导体、软件和货车运输行业进行了比较,认为这两个因素在信息通信技术行业均有作用,因而对年长且薪资较高的员工造成双重打击。他们发现,半导体行业中最常见的职业道路是"换工作"(job switcher),员工为两家不同的公司工作;在软件行业中最常见的职业道路则是"跳槽"(job hopper),员工为两家以上的不同公司工作(第84～86页)。对这些行业各种受教育程度的员工来说,转换工作反而挣到的钱变少了(参见 C. Brown 2005; Brown & Linden 2008b)。根据对美国半导体行业的广泛研究,Brown 和 Linden(第22页)的结论是:"劳动力市场的处境对于那些技能落伍的年长工程师已变得尤为艰难。当公司声称面临工程师短缺,通常是说它们缺少年轻、拥有最新技能且薪资相对较低的工程师,即便它们有大批资深工程师在排队申请再培训。"

关于新经济企业模式下年长员工究竟缺乏何种技能尚需进一步的研究。在新经济企业模式下,企业想留住的是那些拥有、或愿意学习所需技能的员工,以及那些愿意长时间努力工作的员工,这样才能适应激烈竞争环境中"市场时机"就是利润的现实。例如,在微软这样的公司,软件编程是一种具有高度集体性和累积性的过程,推出更快、更好且更便宜的产品有赖于数以百计个别员工贡献的整合(Cusumano 2000)。像微软这样的公司,高生产力有赖于其相对较低的员工流动率,这反过来说明特定的雇员对其雇主给予的工资不菲的工作亦有较高的依赖性。可获得的劳动供给越大,这种依赖就越深。

长时间的工作在新经济企业是正常情况。新经济公司的高技术员工通常属于支薪雇员，因此《公平劳动标准法》(Fair Labor Standards Act)关于员工每周工作时间超过 40 小时，公司就必须为其超额时间支付 1.5 倍报酬的规定不适用于他们。这些员工会发现，他们的工作时间很长，而薪酬的增加却很少。在互联网博客中，有一个关于信息通信技术产业工作条件的著名例子：2004 年 11 月，一位在 Electronic Arts(EA)公司工作的软件工程师的妻子在 LiveJournal 上发表了一篇标题为"Electronic Arts：人的故事"的匿名公开信。[①] 她抱怨说，由于总是处于赶在最后期限前推出视频游戏的压力之下，EA 强迫她丈夫这样的开发人员一周工作 85 小时，"从上午 9 点至晚上 10 点，每周 7 天，周六下午偶尔 6 点半能下班"。尽管工作时间如此之长，游戏开发人员却没有加班工资，也没有轮休或病假。

在公开信发表后的一个月，4 000 多人在 LiveJournal 上发表了评论，几乎所有人都支持这对"EA 夫妻"，其中很多人建议 EA 的雇员应加入工会。此事发生时，根据加州法律，许多游戏开发人员是有权要求加班费的。EA 就两起关于加班费的集体诉讼案达成了和解，一起是 2005 年 10 月其图形设计师提出的 1 560 万美元加班费要求，另一起是在 2006 年 4 月其编程员提出的 1 490万美元加班费要求。在这两起案件中，EA 后来将这些受加州法律管辖的非豁免(nonexempt)员工都改成了小时工(hourly employees)，因此其超时工作可得到 1.5 倍的报酬。作为此次变革的一部分，EA 给予这些员工一次性的股票补助，但规定他们不在 EA 的股票期权授予范围之内(Maragos 2005; Jenkins 2006)。

读者应该还记得，第 3 章曾提到，IBM 为"模糊白领和蓝领工人的界限"(其首席执行官小托马斯·沃森的原话)，在 1958 年将其 8.9 万名员工全部改为支薪待遇。近半个世纪后，由于 IBM 已转换到另一种企业模式，该公司的系统管理员、网络技师和其他在美国各地的技术人员于 2006 年初发起了针对 IBM 的集体诉讼，控告公司"通过非法的方式，把安装、维护和支持计算机软硬件的员工排除在联邦和州劳动保护法之外"(Business Wire 2006a, b)。2006 年 11 月，IBM 支付了 6 500 万美元来了结官司，但不承认有任何不当行为或法律责任(Konrad 2006)。此后，在 2008 年 1 月，IBM 宣布其 7 600 名技

---

① 该文可在 http://ea - spouse.livejournal.com/找到；另见 http://en.wikipedia.org/wiki/Erin_Hoffman.

术支持人员将被重新归类为非豁免雇员,但每周 40 小时的基本工资将被削减 15%,因为他们现在有权领取加班费了(Bergstein 2008)。

与此同时,正如我们看到的,从 2000 年到 2007 年,IBM 的全球雇员数增加了 72 000 人以上,而其美国雇员数却减少了 2.7 万人。不过,尽管 IBM、微软、英特尔和思科这样的高科技公司仍然在美国雇用工人,它们的管理层仍希望在这个国家获得丰裕的劳动供给。信息通信技术产业的经理们之所以游说美国政府增加 H-1B 签证的额度,不只是为了,甚至主要不是为了通过高技术劳动的丰富供给来拉低工资成本。如果这些公司希望减少其工资开支,它们可以把更多的日常生产活动转移到印度或中国,就像它们已经并将继续实施的那样。然而,就那些仍保留在美国的工作岗位而言,信息通信技术公司所面临的问题并非工资,而是劳动生产率。

劳动生产率取决于劳动者的努力程度和劳动技能,劳动市场趋紧的形势削弱了雇主要求其雇员付出高水平努力的能力(Lazonick 1990)。过分关注作为劳动市场平衡机制的工资率,实际上是对雇主所面临的问题的误解,尤其是在高工资、高技能的产业部门。信息通信技术产业雇主的主要问题并不在于薪酬本身,而在于它们对流动性颇高的劳动者的努力程度无法加以有效的控制。这些公司的雇员意识到企业的战略变化已使从一而终的就业模式走到了尽头,因而开始借助跨企业的劳动市场向外看,到其他企业寻找有利于自己职业生涯的发展机会。在其他条件不变的情况下,可获得的高技术劳动供给越多,高技术工作者对他目前所在公司的依赖性就越高,雇主要求雇员长时间且努力工作的控制力就越大。

这就是比尔·盖茨要求取消 H-1B 签证限额的意义之所在。除了可增加劳动供给,H-1B 签证持有人的继续就业对其当前雇主的依赖也比美国居民大得多。此外,他们通常要比美国信息通信技术企业的本土员工更为年轻(U.S. General Accounting Office 2003,第 14、42 页)。以电气/电子工程师为例,2002 年获批的 H-1B 签证持有者的年龄中位数为 32 岁,而身为美国公民的工程师的年龄中位数是 41 岁;就系统分析师/编程员而言,这两个组别的年龄中位数分别为 31 岁和 37 岁。年轻再加上更大的依赖性,使 H-1B 签证持有者愿意长时间且努力地工作(见 Matloff 2006a)。况且,对于那些决定将某些较高增值业务活动转往海外,因而要求其员工全球驻扎的美国公司来说,这些 H-1B 签证持有者堪称理想的雇员。在美国打拼几年取得经验后,那些来自中国和印度等地的前 H－1B 签证持有者仍然较为年轻，他们对公司的离岸运营会非常有价值，并将循着其全球化的职业道路回到自己的国家。

少数民族的教育与就业问题

如果美国主要的信息通信技术公司愿意以合理的工作条件和报酬保留和雇用那些年长的员工，它们是可以解决高技术劳工"危机"的。如果取消除了拉抬公司股价之外没有任何作用的股票回购，这些公司足以支付因雇用这些劳动者而产生的所有额外费用。然而，如果一家公司采用这种方式来解决劳动力的短缺问题，实际上它就摒弃了作为新经济企业模式主要特征的就业模式和资本配置方式。与此相反，这些公司无疑会继续指望通过移民和海外转移来寻找那些符合新经济企业模式要求的年轻高技术员工。

鉴于中国和印度的教育系统已培养出大批潜在的信息通信技术工人，移民和海外转移已成为 21 世纪头 10 年最为可行的方式。据统计，在 2003～2004 学年，美国大学授予的工程、计算机科学和信息技术专业四年制学士学位(大约)为 137 000 个，而在印度是 13.9 万个，中国则达 36.1 万个(Wadhwa 等 2007，第 75 页)。美国 2003～2004 学年的人数比 1999～2000 学年的 10.9 万人有了较大的提升，但在 2004～2005 学年又下降到 134 000 人。而中国和印度在 1999～2000 学年至 2003～2004 学年间授予的学士学位增加数要比美国多得多，并在 2004～2005 学年进一步增长。大学毕业后，这些印度和中国毕业生会大量移居海外，尤其是美国，以接受研究生教育或取得工作经验。

无论是通过移民还是海外转移，21 世纪头 10 年高品质的高技术劳动力全球供应的大量增加已经在美国引起关于 K－12 教育体系的焦虑，担心该体系能否使下一代美国居民适应全球高技术劳动市场的竞争。虽然高技能、高技术工作大量流往海外只是 21 世纪以来的新现象，但对于培养面向新世界的美国年轻人的 K－12 教育体系能否完成其使命的担心却由来已久。早在 20 世纪 80 年代初，包括企业协会、民间社会组织和政府机构各个方面均对 K－12 教育体系是否足以使学生精通数学和科学知识，达到读大学 STEM 学科的水平表示过担心(CPGE 2007; National Commission on Excellence in Education 1983; New Commission on the Skills of the American Workforce 2007)。

美国现已加入经济合作与发展组织(OECD)的国际学生评估项目(Programme for International Student Assessment, PISA),该项目对全球15岁的青少年已经进行了三轮数据收集和分析,分别对其阅读、数学和科学知识的水平加以测试和评估。2000年进行的第一轮测试和评估针对阅读;2003年的第二轮针对数学;2006年的第三轮则针对科学知识。在2000年的国际学生评估中,美国学生的阅读表现仅仅略高于经合组织27个成员国的平均数,排名第十五,略低于中位数水平(Lemke等2001,第7页)。在2003年的国际学生评估中,美国学生的数学成绩大大低于经合组织的平均水平,在29个成员国中仅位列第二十四(Lemke等2004,第14～15页)。[①] 在2006年的国际学生评估中,美国学生的科学知识成绩显著低于经济合作与发展组织的平均水平,在30个成员国中仅排名第二十一位(Baldi等2007,第6页)。

美国的大众教育系统绩差问题的深层原因在于这个国家的社会结构(参见Berliner 2006)。在所有评估测试中,美国黑人和西班牙裔人的成绩均比白人和亚裔人低得多(Baldi等2007,第55页;Lemke等2001,第50页;Lemke等2004,第38页)。在2000年国际学生评估阅读的排名中,美国非西班牙裔白人(作为一个假想国)获得了第二名,仅次于芬兰,略高于加拿大;而美国的黑人获得第二十五名,仅领先于卢森堡和墨西哥。在2003年国际学生的数学测试中,美国非西班牙裔白人的得分高于经济合作与发展组织的平均水平,在29个成员国中排名第十三,而美国黑人的排名为第二十八,仅领先于墨西哥。在2006国际学生的科学知识测试中,美国的非西班牙裔白人排在30个经济合作与发展组织国家的第七位,而美国的黑人则叨陪末座,排在倒数第二名的墨西哥之后。

在这几次评估测试中,美国西班牙裔学生的表现优于美国黑人学生,但显著低于经济合作与发展组织的平均水平。美国的亚裔学生成绩不如美国非西班牙裔白人学生,但阅读和数学成绩优于经济合作与发展组织的平均水平,而科学知识成绩略低。因此,美国在国际学生评估测试中的表现不佳应归咎于美国K-12系统对黑人和西班牙裔人的教育缺陷。在这一时间段,美国15至19岁的人口中,非西班牙裔白人占63%,黑人占15%,西班牙裔人占16%,亚裔人占4%(U. S. Census Bureau 2004, 2005,第14～15页)。

---

① 排名在美国之后的依次是葡萄牙、意大利、希腊、土耳其和墨西哥。

身处一个教育不良之地，将使自己在全球好工作的竞争中处于极为不利的地位。即使是受过良好教育的白人，在我所描述的新经济企业模式下，就业趋势也难言乐观。至于黑人和西班牙裔人，问题就更严重了。近年来，获得大学学士或更高学位的黑人和西班牙裔人的人口比例已有所增加，但仍远远落后于白人(National Center for Education Statistics 2008，表 8)。2007 年，黑人和西班牙裔人获得的副学士学位(associate's degree)也远远少于白人，这种学位对取得信息通信技术业的许多技术工作来说是必不可少的(National Center for Education Statistics 2008，表 9)。

虽然取得了一些进展，但黑人和西班牙裔人在 STEM 领域的就业至今仍不成气候——不仅和白人形成了鲜明的对比，而且与美国的亚裔人相比也多有不如(Lowell & Regets 2006，第 16～18 页)。在 20 世纪最后的 10 年，黑人和西班牙裔美国人在 STEM 领域取得的进展大多体现在收入较低的技术职位(U. S. Census Bureau 2008f，第 388 页)，这些职位被转移到海外的可能性最高。

在美国公司关于劳动力种族、民族和性别构成变化的公开资料中，信息通信技术产业黑人和西班牙裔工人的稀少情况暴露无遗。IBM 在这方面的资料最为完整，涵盖了 1996 年至 2008 年的种族、民族和性别，以及从官员/经理到操作工等 8 个职业类别的各方面信息。①

1996 年，在 IBM 的 125 618 名员工中黑人的比例为 9.9%。2008 年，IBM 的美国员工数为 120 227 名，但黑人的比例却下降到 7.5%。与 1996 年相比，2008 年黑人在 IBM 的工作岗位净减少了 3 439 个，而亚裔人的工作岗位增加了 5 281 个；西班牙裔美国人的数量略有增加，占 IBM 美国劳工的比例从 1996 年的 4%增加到 2008 年的 4.2%。

IBM 黑人雇员的下降主要是由于黑人较为集中的工作岗位的减少，在 1996 年，从事操作工和办公室文员工作的黑人雇员达 43%以上。由于海外转移和制造业的剥离，2008 年 IBM 在美国只雇用了 78 名黑人操作工，而 1996 年为 3 474 人。2008 年，从事办公室文员工作的黑人雇员为 885 人，而 1996 年为 1 905 人。IBM 2008 年聘用的黑人专业人士为 3 347 人，比 1996 年下降

① 1996～2008 年 IBM 的各类就业资料登载在 http://www-03.ibm.com/employment/us/diverse/employment_data.shtml 网站。

了8%。得益于IBM营销职位的增加，黑人从事此类工作的人数也有较大幅度的增加，从1996年的1 248人增长到2008年的2 853人。然而，黑人在全体营销员工的占比却有所下降，从1996的7.9%下降到2008年的7.2%。

总体来说，在这个高科技全球竞争的时代，美国的教育和就业数据清楚地说明，在未来几年乃至几十年，美国社会的一些重要群体仍将处境艰难，除非公共政策能够推倒那些困扰着美国黑人和西班牙裔人的社会经济障碍。除了要重视K－12教育体制转型这一供应端的问题外，公共政策的制定者还必须着力解决美国高技术就业的扩展和增加这一需求端的问题，因为高质量的美国工作岗位正在不可阻挡地流向海外。美国的持续繁荣所面临的挑战并非只是更新那些已消失的工作岗位，而且还要以前所未有的规模创造高品质的就业机会，使以往遭受排斥的群体能够获得报酬丰厚且有意义的工作。

要想有机会取得成功，立法者必须摆脱那种把思科、惠普、IBM、英特尔和微软之类公司的资源配置看作市场力量使然，因而不属于政府政策合法干预范围的观点。本书的分析表明，欲使大多数美国人，包括黑人和西班牙裔人的下一代从政府对美国科技基础设施的投资中受益，美国政府必须对工商企业——无论其来自美国还是外国——进行战略性的干预，从而影响其资源配置，使政府投资造就的高科技知识和高科技人才得到充分利用。

公司治理与持续繁荣

这种战略性干预——虽然它在21世纪头10年的美国政策辩论中仍不见踪影——的主要对象是公司治理，即那种决定和规范企业资源配置的制度和机制。更具体地说，为实现持续繁荣，政府的政策必须聚焦于股票市场在企业资源配置中的作用。我认为股票价格的变动可以由创新、投机和操纵驱动。政府的股市调控政策的目标应当是消除股价变动的投机和操纵因素，使股票市场支持创新，并且股价走势由创新驱动。

这种干预政策的第一步是要彻底摒弃目前流行的那种认为股东价值最大化会导致优良经济绩效的信条。这种摒弃并不容易：股东价值论的权威来源于经济学界占主流地位的市场经济理论。但正如我在许多场合下指出的那样，这种理论无法解释发展型国家和创新型企业在经济增长过程中的作用（例见Lazonick 2008b）。而且，正如我在本书说明的那样，在实践中，美国的家庭、企业和政府的财务活动与股票市场已经绑在一起了。那些强大的经济利益集团，包括美国大公司的高层管理人员——他们从美国家庭乐意参与投机的股市中获利甚丰，肯定会对这种必将导致其盛宴收场的政策大加反对。

或许有人会说，鉴于美国家庭在股市投入了重资，他们也会从股票回购带来的股价上涨中获益。但这种说法是有问题的。知道股票回购何时会实际发生(与宣布总回购金额不同)的内部人将在利用随后的股票价格上涨方面处于最有利的地位(参见 Fried 2000, 2001; Netter & Mitchell 1989)。一般说来，就从股票价格波动中获利所需的专业能力和知识而言，作为外部人的家庭显然要比作为内部人的企业管理人员和资金经理差得多。此外，关于养老金资产的统计显示，甚至在 2008 年金融危机发生之前，21 世纪头 10 年的证券市场并没有为工薪家庭带来预期的退休收入(Munnell & Sundén 2006; Sorokina, Webb, and Muldoon 2008)。确保退休收入的最好办法仍然是在自己拥有生产能力时找到一份报酬丰厚的工作。然而，在 21 世纪第一个 10 年，即使是那些学历最高和最有经验的中年工人也很难找到这种工作了。

如果要使稳定和平等的经济增长得以交给我们的下一代，就必须对公司的股票回购和经理的股票期权加以控制。政府需要制定法律，限制甚至禁止公司回购自家的股票。股票回购仅仅让有权配置公司资源的利益集团从操纵股市中获利。如果说经济学是关于资源“最优”配置以实现优越经济绩效的学问，那么，令企业经理们和华尔街乐此不疲的股票回购就是对美国经济资源的巨大错配。

如第 6 章所述，美国的公司界正痴迷于股票的回购(Lazonick 2008d)。美国的公司将其从海外转移中获得的巨大利润用来回购股票，而不是提升在美国的工作岗位的质量和数量(参见 Milberg 2008)。信息通信技术产业的龙头公司在进行巨额股票回购，同时要求政府对知识基础进行投资；它们不断削减在美国的工作岗位，尽管它们仍在进行海外扩张。美国的大型石油公司在进行巨额股票回购，尽管美国家庭发现由于能源价格的上涨自己的实际收入在缩水。美国的大型制药公司在进行巨额股票回购，尽管它们在国会对美国的药品价格监管大加反对，声称它们需要将尽量多的利润投入药物研究。美国的大型保健公司在进行巨额股票回购，尽管美国人的保健费用空前高涨。华尔街的大型投资银行在进行巨额股票回购，尽管它们对信贷违约掉期和担保债务凭证的投机已使全球金融体系陷入瘫痪。美国政府资助的金融机构房利美(Fannie Mae)和房地美(Freddie Mac)在进行巨额股票回购,尽管它们陷入了次级抵押贷款的泥潭,迫使政府不得不出手挽救。如果政府救助的通用汽车公司不在1986年到2002年间进行股票回购,而是将这笔已分给股东的204亿美元纳入储备,那么它在2008年的金融危机中就会拥有338亿美元(以2.5%的税后年投资回报率计)的自有资金,帮助它脱离险境并应对全球经济竞争。

此外,政府还需要通过立法严格限制高级管理人员的薪酬,这意味着要对股权激励方案,尤其是股票期权施加限制。在股市投机活跃期,持有股票期权的收益最大,因为在美国从来没有这样的规定:只有在公司的股票比同行业同类公司的表现更好时其股票期权持有者才能行权。如果股票市场的投机不足,公司经理们就会把资源投入股票的回购,以此来拉抬公司的股价。公司的"业绩"将因此而立马提高,经理们将手上的大量股票期权再次兑现的时机亦随之而至。令人惊讶的是,关于2008年金融危机的一份调查显示,公司的高管会拿别人的钱来进行投机,同时操纵每股收益,因为他们的薪酬激励方式鼓励他们这样做。

经理薪酬的暴涨问题由来已久,但政府对此未采取任何措施。美国国会对经理股票期权合规性的最后一次严肃挑战发生在20世纪60年代,当时美国(田纳西州民主党的)参议员阿尔伯特·戈尔对公司的避税者发起了斗争(Gore 1965)。国会并没有完全满足戈尔的要求,但在1976年《税务改革法》出台以前,限制股票期权的税收规避作用的立法活动一直在继续。但到了20世纪70年代后半期,在新组建的高科技行业院外团体的不断游说下,资本利得税受到了削减,会计准则也进行了修改,从而使股票回购可以通行无阻地用来增加经理和其他雇员的股票期权收益。

20世纪90年代民主党曾试图遏制公司经理的薪酬上涨,结果却适得其反。1993年,克林顿就任总统后,为兑现其竞选诺言颁布法律,规定公司高管不与业绩挂钩的薪金和奖金总额不超过100万美元者才可申请公司税的扣减。该法律却产生了这样的反面效果:那些首席执行官的年薪和奖金不到100万美元的公司纷纷将其提升至100万美元,认为这是政府认可的"首席执行官最低工资"(Byrne 1994);另一个反面效果是公司加大了对首席执行官股票期权的授予量,这种收益在任何情况下均不得申请减税,以此来替代工资和奖金总额超出100万美元的部分(Byrne 1995)。

对克林顿推动的立法来说，更具讽刺意味的是，当时高科技行业的院外游说团体还对财务会计准则委员会(FASB)试图将公司股票期权计入成本的动议发起了反对(参见 PR Newswire 1994; *World Accounting Report* 1994)。这一拟议中的监管改革将导致报表利润的减少，从而导致较低的股票价格；对那些股票期权覆盖面较广的公司来说尤其是这样。因此，即使 FASB 的这一规定(最终于 2004 年通过)会减少企业的税收，公司的经理们也反对这种改变。既然个人收入已经超过了 100 万美元，这些公司经理何必对这种不会带来公司税扣减的事情多费心思？

与那时一样，现在如果不对经理们借助投机和操纵从股票期权收割利益的行为加以约束，对其薪酬的限制就无从谈起。除宣布股票回购为非法外，还应立法限制个人股票期权的授予，同时规定其行权须与一系列业绩目标的实现挂钩，其中首先且最重要的目标应当是对美国就业的贡献。

最后，为了支付美国所需要的许多开支，对来自股票的收入，无论是股利还是资本利得应切实提高税率。通过把资本利得和股利所得税降至 15%，2003 年的《就业和增长减税调节法》使来自股票的收入，包括可享受资本利得税待遇的股票期权行权收入进一步膨胀。支持这种为富人减税观点的理由是，他们会催生实际投资和促进经济增长。然而，其实际结果是给予公司经理前所未有的更大激励来进行股票回购，而这种资源配置方式只会减少美国公司能够为美国劳动力提供的生产性工作岗位。

旧经济企业模式难称完美，但它确实为数千万名经济核心部门的劳动者提供了就业保障、医疗保险和退休福利。在新经济企业模式下，公司经济不再承担这些集体性职能。在开放式的技术标准、快速的技术变革和技术融合以及激烈的全球竞争时代，企业确实需要对资本和劳动力进行灵活调配。实现这种灵活性的方式之一是让有组织的劳动力在公司治理中发挥主导作用，就像日本人、德国人和瑞典人以其各具特色的方式所做的那样(Lazonick 2005, 2007d)。在这样的体制下，企业与政府才有可能相互配合，既提供广泛的就业和退休保障，同时保持企业在全球竞争的创新力和竞争力。

另一种方式是新经济企业模式时代的美国方式，即我曾称之为“市场经济神话”(Lazonick 1991)的新版本；它宣称不需要集体提供的经济安全，只要获得足够的教育就能够找到一份收入不菲的工作，而个人的能动性足以使其获得一生所需的生活保障。在新经济企业模式看来，政府的唯一合法职能是对知识基础进行投资，同时并不认为借助这种知识基础得以形成的创新型企业的收益应通过税收的形式返还给政府，使之能够支持整个经济的持续发展。

在21世纪头10年的美国，即使很多受过良好教育的人口也无法获得经济安全。取而代之的是对股东价值的追求，对财富的崇拜则使20世纪80年代"贪婪为善"(greed is good)的口号进一步升级为如今的"贪婪至上"(greed is god)。控制着公司资源配置的一小撮人正在攫取空前的财富——正是他们中的一些人导演了2008年的金融危机——同时要求政府将纳税人更多的金钱投资于知识的创造，并警告说只有进一步降低税收才能保持创新精神的活跃。在政府的支持和纵容下，新经济企业模式可能会继续推动美国经济取得不错的增长，虽然由于全球竞争和美国的金融危机，这种增长能否实现尚存疑问。但似乎可以确定的是，对于为数日益增长的大多数美国人来说，新经济企业模式以为基础的股票市场导向的政治经济将继续催生越来越多的不稳定和不平等，这些不稳定和不平等将成为生活的常态。

参考文献

Abbate, Janet. 2000. *Inventing the Internet*. Cambridge, MA: MIT Press.

Abowd, John, John Haltiwanger, Julia Lane, Kevin L. McKinney, and Kristin Sandusky. 2007. "Technology and the Demand for Skill: An Analysis of Within and Between Firm Differences." NBER Working Paper no.13043. Cambridge, MA: National Bureau of Economic Research.

Adams, Walter, ed. 1968. *The Brain Drain*. New York: Macmillan.

Affleck, John. 2000. "IBM Shareholders Reject Return to Traditional Pension Plan." Associated Press Newswires, April 25.

AFL-CIO. 2007. "2007 Trends in CEO Pay." http://www.aflcio.org/corporatewatch/paywatch/pay/index.cfm (accessed February 25, 2009).

AFX International Focus. 2005. "Intel to Build 2nd Chip Test and Package Plant in Southwest China." AFX International Focus, March 23.

Agence France-Press. 2002. "Hewlett-Packard Launches Research Lab in India." Agence France-Press, February 22.

Albright, Robert C. 1964, "Senate Democrats Optimistic about Tax Bill Chances." *Washington Post*, January 15.

Allegretto, Sylvia. 2006. "Dow's All-Time High Inconsequential for Most Americans." Economic Snapshots. Washington, DC: Economic Policy Institute. http://www.epi.org/content.cfm/webfeatures_snapshots_20061011 (accessed October 21, 2008).

Alliance@IBM. 2008. http://www.allianceibm.org/ (accessed February 25, 2009).

Alterio, Julie Moran. 2007. "IBM Authorizes Buy Back of $15 Billion in Shares." *White Plains (NY) Journal News*, April 25.

Amighini, Alessia. 2004. "China in the International Fragmentation of Production: Evidence from the ICT Industry." *European Journal of Comparative Economics* 2(2): 203–219.

Amparano, Julie. 1988. "US West and Nynex to Stick with Plans to Boost Research." *Wall Street Journal*, January 11.

Amsden, Alice. 1989. *Asia's Next Giant: South Korea and Late Industrialization*. New York: Oxford University Press.

Amsden, Alice, and Wan-wen Chu. 2003. *Beyond Late Development: Taiwan's Upgrading Policies*. Cambridge, MA: MIT Press.

Anand, Vineeta. 1994. "New IRS Rules Anticipated: Cash Balance Sponsors to Get Long-Awaited Help." *Pensions and Investments*, April 18.

———. 1999. "Big Blues: IBM's Conversion Draws Watchdogs: Switch to Cash Balance Plan Raises Concern from Lawmakers about Age Discrimination." *Pensions and Investments*, September 6.

Anders, George. 1999. "Packard Children to Split Efforts in Running Entity." *Wall Street Journal*, July 14, B:6.

Anderson, William. 1991. *Corporate Crisis: NCR and the Computer Revolution*. Santa Fe, NM: Landfall Press.

Arditi, Lynn. 2004. "Angry Shareholders, Workers, Retirees Speak Out at IBM's Annual Meeting." *Providence Journal*, April 28.

Arnold, Jay. 1990. "FCC Adopts Price-Cap Regulations for Eight Local Phone Companies." *Washington Post*, September 20, E:3.

Arnold, Walter. 1988. "Science and Technology Development in Taiwan and South Korea." *Asian Survey* 28(4): 437–450.

Arnst, Catherine. 1991. "Poor Nations Seen Aiding Rich by Brainpower Export in Billions." Reuters News, April 7.

Asia in Focus. 2004. "China's Lenovo to Use AMD Chips in Two New PCs." Asia in Focus, June 11.

Asiainfo Daily China News. 2000. "Intel to Set Up R&D Umbrella Program." Asiainfo Daily China News, November 6.

AsiaPort Daily News. 2001. "Intel to Reinvest US$302,000,000 to China." AsiaPort Daily News, September 26.

Asia Pulse. 2000. "Intel Expands IC Chip Production in China." Asia Pulse, September 8.

Associated Press.1994. "Lotus Development Ordered to Pay $275,000 in Age Discrimination Suit." Associated Press, November 30.

Associated Press Newswires. 2005. "Lenovo Ranked Top Chinese Computer Maker in 2004." Associated Press Newswires, March 9.

———. 2008. "Microsoft to Buy Back $40 Billion of Stock." Associated Press Newswires, September 22.

AT&T Corp. 1984. *10-K Filing to the U.S. Securities and Exchange Commission*. Dallas: AT&T Corp.

———. 1999. *1998 Annual Report*. Dallas: AT&T Corp.

Aubin, Dena. 2006. "Cisco Sells $6.5 Billion in Record U.S. Debt Debut." Reuters News, February 14.

Auten, Gerald. 1999. "Capital Gains Taxation." In *The Encyclopedia of Taxation and Tax Policy*, Joseph J. Cordes, Robert D. Ebel, and Jane G. Gravelle, eds. Washington, DC: Urban Institute, pp. 58–61.

Autor, David H., Lawrence F. Katz, and Melissa S. Kearney. 2008. "Trends in U.S. Wage Inequality: Revising the Revisionists." *Review of Economics and Statistics* 90(2): 300–325.

Avnimelech, Gil, Martin Kenney, and Morris Teubal. 2005. "A Life Cycle Model for the Creation of National Venture Capital Industries." In *Clusters Facing Competition: The Importance of External Linkages*, Elissa Giuliani, Roberta Rabellotti, and Meine Pieter van Dijk, eds. Alsershot, UK and Burlington, VT: Ashgate, pp. 195–214.

Bachman, Justin. 2002. "BellSouth Call Centers Consolidating." AP Online, February 5.
Bacon, David. 2006. "Organizing Silicon Valley's High-Tech Workers." *California Labor and Employment Law Review* 20(4): 3–4, 22–23.
Bacon, Kenneth H. 1981. "Lobbyists Say Options Tax Break Is Needed to Spur Innovation and Congress Responds." *Wall Street Journal*, July 1.
Bahr, Morton. 1999. "Federal Pension Plans." Congressional Testimony. Federal Document Clearing House, September 21.
Bailey, Brandon. 2008. "HP to Cut 24,600 Jobs in EDS Integration." *San Jose Mercury News*, September 16.
Baily, Martin Neil, and Daniel E. Sichel. 2003. "Exploding Productivity Growth: Context, Causes, and Implications: Comments and Discussion." *Brookings Papers on Economic Activity* 2: 280–298.
Baker, John C. 1963. "Stock Options at the Crossroads." *Harvard Business Review* 41(1): 22–29, 164–166.
Baldi, Stéphane, Ying Jin, Melanie Skemer, Patricia J. Green, and Deborah Herget. 2007. *Highlights from PISA 2006: Performance of U.S. 15-Year-Old Students in Science and Mathematics Literacy in an International Context*. NCES 2008-016. Washington, DC: National Center for Education Statistics, Institute of Education Sciences, US Department of Education. http://nces.ed.gov/pubs2008/2008016.pdf (accessed October 22, 2008).
Baldwin, Carliss, and Kim Clark 1992. "Capabilities and Capital Investment: New Perspectives on Capital Budgeting." *Journal of Applied Corporate Finance* 5(2): 67–87.
Barro, Robert J., and Jong-Wha Lee. 2000. "International Data on Educational Attainment: Updates and Implications." Harvard Center for International Development Working Paper no. 42, Appendix Data Files. Cambridge, MA: Harvard University. http://www.cid.harvard.edu/ciddata/ciddata.html (accessed October 22, 2008).
Barry, Kenneth. 1988. "FCC Price Plan to Have Major Impact on AT&T." Reuters News, May 11.
Bass, Dina. 2006a. "Ballmer Pressured to Buy Back Shares of Microsoft Stock." *Seattle Times*, May 13.
———. 2006b. "Sagging Stock Sends Ballmer to Wall Street to Quell Critics." *Seattle Times*, May 30.
Bassett, Ross Knox. 2002. *To the Digital Age: Research Labs, Start-Up Companies, and the Rise of MOS Technology*. Baltimore, MD: Johns Hopkins University Press.
———. 2005. "Facing Two Ways: The Indian Institute of Technology Kanpur, American Technical Assistance, and the Indian Computing Community, 1961–1980." Paper presented at the Society of the History of Technology meetings, held in Minneapolis, MN, November 5.

Baton Rouge Advocate. 2002. "Officials Say PSC Can't Stop Call-Center Closures." *Baton Rouge Advocate*, March 22.

Batt, Rosemary. 1995. "Performance and Welfare Effects of Work Restructuring: Evidence from Telecommunications Services." PhD dissertation. Cambridge, MA: Massachusetts Institute of Technology.

———. 1996. "From Bureaucracy to Enterprise? The Changing Jobs and Careers of Managers in Telecommunications Service." In *Broken Ladders: Managerial Careers in the New Economy*, Paul Osterman, ed. New York: Oxford University Press, pp. 55–80.

———. 1999. "Work Organization, Technology, and Performance in Customer Service and Sales." *Industrial and Labor Relations Review* 52(4): 539–564.

———. 2001. "The Economics of Teams among Technicians." *British Journal of Industrial Relations* 39(1): 1–24.

Beckman, Sara L. 1996. "Evolution of Management Roles in a Networked Organization." In *Broken Ladders: Managerial Careers in the New Economy*, Paul Osterman, ed. New York: Oxford University Press, pp. 155–184.

Behrman, Jack N., and Harvey W. Wallender. 1976. *Transfers of Manufacturing Technology within Multinational Enterprises*. Cambridge, MA: Ballinger.

Bell Atlantic. 1997. *10-K Filing to the U.S. Securities and Exchange Commission*. New York: Bell Atlantic.

Bellinger, Bob. 1989. "The Spark of Silicon Valley." *Electronic Engineering Times*, March 13.

BellSouth. 1994. *1993 10-K*. Atlanta: BellSouth.

Benner, Chris. 2002. *Work in the New Economy: Flexible Labor Markets in Silicon Valley*. Oxford: Blackwell.

Berg, Eric. 1985. "New Phone Research Giant." *New York Times*, July 15.

Bergstein, Brian. 2001a. "Computer Maker to Cut 3,000 Jobs, Miss Earnings Expectations." Associated Press State and Local Wire, April 18.

———. 2001b. "Hewlett-Packard Buying Compaq for $25 Billion to Create Technology Giant." Associated Press State and Local Wire, September 4.

———. 2006a. "IBM Ups Dividend 50 Percent in Bid to Boost Stock." Associated Press State and Local Wire, April 25.

———. 2006b. "IBM's Freeze Is a Stronger Move Toward 401(k)s." *Newark Star-Ledger*, January 8.

———. 2008. "IBM Riles Employees with Base Pay Cuts."Associated Press Online, January 23.

Berle, Adolf A., and Gardiner Means. 1932. *The Modern Corporation and Private Property*. New York: Macmillan.

Berlin, Leslie. 2001. "Robert Noyce and Fairchild Semiconductor, 1957–1968." *Business History Review* 75(1): 63–102.

———. 2005. *The Man Behind the Microchip*. New York: Oxford University Press.
Berliner, David C. 2006. "The State versus the Poor." Occasional Paper 13. Potsdam, Germany: Liberal Institute of the Friedrich Naumann Foundation.
Berman, Dennis K. 2003. "New Calling: At Bell Labs, Hard Times Take Toll on Pure Science." *Wall Street Journal*, May 23, A:1.
Best, Michael H. 2001. *The New Competitive Advantage: The Renewal of American Industry*. New York: Oxford University Press.
Billett, Matthew T., and Hui Xue. 2007. "Share Repurchases and the Need for External Finance." *Journal of Applied Financial Economics* 19(2): 42–55.
Bindra, Ashok. 1997. "Silicon Influx Puts India on World Electronics Map." *Electronic Engineering Times*, April 7.
Bishop, Todd. 2004. "Microsoft Wants to Reduce Its Cash Balance and Improve Its Share Price, Analyst Says; Stock Buyback May Be in the Works." *Seattle Post-Intelligencer*, June 16.
Blair, Margaret, ed. 1993. *The Deal Decade: What Takeovers and Leveraged Buyouts Mean for Corporate Governance*. Washington, DC: Brookings Institution.
———. 1995. *Ownership and Control: Rethinking Corporate Governance for the Twenty-First Century*. Washington, DC: Brookings Institution.
Bloom, Martin. 1992. *Technological Change in the Korean Electronics Industry*. Paris: Organisation for Economic Co-Operation and Development.
Blouin, Jennifer L., Jana Smith Raedy, and Douglas A. Shackleford. 2007. "Did Firms Substitute Dividends for Share Repurchases after the 2003 Reductions in Shareholder Tax Rates?" NBER Working Paper no. 13601. Cambridge, MA: National Bureau of Economic Research.
Board of Governors of the Federal Reserve System. 2008. "Flow of Funds Accounts of the United States—Z1 Release." Federal Reserve Statistical Release. Washington, DC: Board of Governors of the Federal Reserve System. http://www.federalreserve.gov/RELEASES/z1/Current/ (accessed October 22, 2008).
Boehner, John. 2006. "Looking Back at 2006's Top Employee Benefits Newsmakers." *Business Insurance*, December 25. http://www.businessinsurance.com/cgi-bin/article.pl?articleId=20685&a=a&bt=employee+benefits+newsmakers (accessed October 22, 2008).
Borrus, Michael, and John Zysman. 1997. "Wintelism and the Changing Terms of Global Competition: Prototype of the Future?" BRIE Working Paper no. 96B. Berkeley, CA: University of California, Berkeley.
Bozman, Jean. 1990. "U.S. Plight: Factory Flight." *Computerworld*, March 19.
Bradbury, Katharine L. 1996. "The Growing Inequality of Family Incomes: Changing Families and Changing Wages." *New England Economic Review* (July–August): 55–82.

Branscomb, Lewis, and Young-Hwan Choi, eds. 1996. *Korea at the Turning Point: Innovation-Based Strategies for Development*. Westport, CT: Praeger.

Braun, Ernest, and Stuart MacDonald. 1982. *Revolution in Miniature: The History and Impact of Semiconductor Electronics*, 2d ed. Cambridge: Cambridge University Press.

Breznitz, Dan. 2007. *Innovation and the State: Political Choice and Strategies for Growth in Israel, Taiwan, and Ireland*. New Haven, CT: Yale University Press.

Brody, David. 1980. *Workers in Industrial America*. New York: Oxford University Press.

Brooks, John. 1973. *The Go-Go Years: The Drama and Crashing Finale of Wall Street's Bullish 60s*. New York: Dutton.

Brown, Clair. 2005. "Career Paths and Job Ladders." Sloan-LEHD working paper. http://www.economicturbulence.com/data/papers/CareerPaths JobLaddersWorkingPaper.pdf (accessed October 22, 2008).

Brown, Clair, John Haltiwanger, and Julia Lane. 2006. *Economic Turbulence: Is a Volatile Economy Good for America?* Chicago: University of Chicago Press.

Brown, Clair, and Greg Linden. 2005. "Offshoring in the Semiconductor Industry: A Historical Perspective." In *Brookings Trade Forum, 2005: Offshoring White-Collar Work*, Lael Brainard and Susan M. Collins, eds. Washington, DC: Brookings Institution, pp. 279–333.

———. 2008a. "Semiconductor Capabilities in the U.S. and Industrializing Asia." Paper presented at the Sloan Annual Industry Studies Conference "Building Capacity for High Wage Employment," held in Boston, May 1–2.

———. 2008b. "Is There a Shortage of Engineering Talent in the U.S.?" Center for Work, Technology, and Society working paper. Berkeley, CA: University of California, Berkeley.

Brown, Ken Spencer. 2005. "HP Turning a Page with its Business." *Investor's Business Daily*, July 12.

Brown, Warren. 1992. "AT&T, Unions Work Late on Contract." *Washington Post*, May 31, A:5.

Browning, Larry D., and Judy C. Shetler. 2000. *Sematech: Saving the U.S. Semiconductor Industry*. College Station, TX: Texas A&M Press.

Brumfiel, Geoff. 2008. "Bell Labs Bottoms Out." *Nature* 454(7207): 927.

Brynjolfsson, Eric, and Loren Hitt. 2003. "Computing Productivity: Firm-Level Evidence." *Review of Economics and Statistics* 85(4): 793–808.

Bulkeley, William M. 1999. "Sycamore Networks' Gain of 386% Ranks as the 4th-Best IPO Performance." *Wall Street Journal*, October 25, B:10.

Bureau of Economic Analysis (BEA). 2009. *1998–2008 NAICS Data: GDPbyInd_VA_NAICS: Value Added by Industry, Gross Output by Industry, Intermediate Inputs by Industry, the Components of Value Added by Industry, and Employment by Industry*. Washington, DC: Bureau of Economic Analysis. http://www.bea.gov/industry/gdpbyind_data.htm (accessed February 25, 2009).

Burgelman, Robert A. 1994. "Fading Memories: A Process Theory of Strategic Exit in Dynamic Environments." *Administrative Science Quarterly* 39(1): 24–56.

Burgess, John. 1993. "IBM Eliminates 200 Jobs in Montgomery County." *Washington Post*, April 23, F:1.

Burlingame, Harold W., and Michael J. Gulotta. 1998. "Case Study: Cash Balance Pension Plan Facilitates Restructuring the Workforce at AT&T." *Compensation and Benefits Review* 30(6): 38–45.

Burns, Judith. 2000. "SEC Tells IBM It Can't Stop Vote on Pension Plan." Dow Jones News Service, February 16.

Burrows, Peter, and Peter Elstrom. 1999. "The Boss: Hewlett-Packard's New CEO." *BusinessWeek*, August 2, pp. 76–80.

Business Insurance. 1998. "Unions Ratify AT&T Pact." *Business Insurance*, July 13: 1.

Business Korea. 1994. "Key Contributor to Korea's Semiconductor Industry Exported $3.2 Billion of Semiconductors, Communications Equipment." *Business Korea*, February 1: 53.

Business Line. 2002. "India to Increase Staff Strength." *Business Line*, March 11.

Business Standard. 2005. "Juniper Sets Eye on Indian Telecom Market." *Business Standard*, November 24.

Business Times. 2003. "Intel to Expand Capacity with RM152m Investment." *Business Times*, August 27.

Business Wire. 1992. "IBM, Solectron Sign Contracts for Transfer of Some Operations in Bordeaux and Charlotte." Business Wire, August 18.

———. 1994. "SP Telecom Acquires Qwest Communications." Business Wire, February 22.

———. 1996. "Home Market and Color Inkjets Spur U.S. Printer Market to 14 Percent Growth." Business Wire, February 5.

———. 1997. "Lucent Technologies Appoints Chief Operating Officers, Organizes Business around Fastest Growth Opportunities." Business Wire, October 23.

———. 2005. "Intel Establishes $200 Million China Venture Fund." Business Wire, June 13.

———. 2006a. "Plaintiffs' Counsel Announces IBM Tech Workers File Nationwide Overtime Pay Class Action Lawsuit in Federal Court." Business Wire, January 24.

———. 2006b. "Landmark Overtime Pay Class Action Lawsuit against IBM by Tech Workers Expands." Business Wire, March 14.

Business World. 2003. "Geek Haven: Texas Instruments." *Business World*, September 1: 28.

BusinessWeek. 1959. "The Death of Equities." *BusinessWeek*, August 13: 54.

———. 1960. "Blue-Ribbon Venture Capital." *BusinessWeek*, October 29.

———. 1975. "How IBM Avoids Layoffs Through Retraining." *BusinessWeek*, November 10.

———. 1976. "The LCD Digital Makes a Comeback." *BusinessWeek*, April 19.

———. 1977. "NCR's New Strategy Puts It in Computers to Stay." *BusinessWeek*, September 26.

———. 1981a. "Intel's Leap into Computers." *BusinessWeek*, November 16.

———. 1981b. "After the Qualified Stock Option." *BusinessWeek*, May 25.

———. 1983. "A Chipmaker Learns a Lesson in Humility." *BusinessWeek*, February 21.

———. 1984. "How Xerox Speeds Up the Birth of New Products." *BusinessWeek*, March 19.

Byrne, John A. 1994. "That's Some Pay Cap, Bill." *BusinessWeek*, April 25, p. 57.

———. 1995. "CEO Pay: Ready for Takeoff." *BusinessWeek*, April 24, pp. 88–90.

Byun, Byung Moon. 1994. "Growth and Recent Development of the Korean Semiconductor Industry." *Asian Survey* 34(8): 706–720.

Campbell, Erwin D. 1961. "Stock Options Should Be Valued." *Harvard Business Review* 39(4): 52–58.

Carbone, James. 2000. "Growth Means More Consolidation, More Services." *Purchasing* 129(7): 48–55.

———. 2002. "Design Moves into EMS Spotlight." *Purchasing* 131(1): 36, 38, 40.

———. 2004. "Targeting Design." *Purchasing* 133(17): 30, 32, 34, 36.

Carpenter, Marie, and William Lazonick. 2008. "Alcatel-Lucent as a Global Competitor: How a Century-Old French Conglomerate Became a Leader in the Communications Equipment Industry, Survived the Telecom Crash, and Recovered to Absorb a One-Time American Giant." Revision of a paper presented at the INSEAD Conference "Innovation and Competition in the Global Communications Technology Industry," held in Fontainebleau, France, August 23–24.

Carpenter, Marie, William Lazonick, and Mary O'Sullivan. 2003. "The Stock Market and Innovative Capability in the New Economy: The Optical Networking Industry." *Industrial and Corporate Change* 12(5): 963–1034.

Cassidy, John. 2002. *Dot.con: The Greatest Story Ever Sold.* New York: HarperCollins.

Cauley, Leslie. 1996. "SAIC Seen Near Agreement to Buy Bellcore." Capital Markets Report, September 23.

Chaffin, Joshua. 2002a. "SEC Launches Investigation into Wall Street Banks." *Financial Times*, April 25.

———. 2002b. "Lawyers Agog as the Banks Spill the IPO Beans." *Financial Times*, September 18.

Chakravartty, Paula. 2006. "Symbolic Analysts or Indentured Servants? Indian High-Tech Migrants in America's Information Economy." *Knowledge, Technology, and Policy* 19(3): 27–43.

Chandler, Alfred D., Jr. 1977. *The Visible Hand: The Managerial Revolution in American Business*. Cambridge, MA: Harvard University Press.

———. 1990. *Scale and Scope: The Dynamics of Industrial Capitalism*. Cambridge, MA: Belknap Press.

———. 2001. *Inventing the Electronic Century: The Epic Story of the Consumer Electronic and Computer Industries*. New York: Free Press.

Chang, Y.S. 1971. "The Transfer of Technology: Economics of Offshore Assembly: The Case of the Semiconductor Industry." UNITAR Research Report no. 11. Geneva: United Nations Institute for Training and Research.

Chase, Marilyn. 1983. "The Chip Race." *Wall Street Journal*, February 4, A:1.

Chatterjee, Julie. 1994. "Bangalore Woos the Technocrat." *Straits Times*, January 21.

Chesbrough, Henry. 2003. *Open Innovation: The New Imperative for Creating and Profiting from Technology*. Boston: Harvard Business School Press.

Chester, John S., Jr. 1990. "BellSouth Offers Retirement Package." *Communications Week,* November 19.

Chicago Daily Tribune. 1901. "Model Factory Closed by Strike." *Chicago Daily Tribune*, June 6.

China Daily. 2007. "AMD Eats into Intel's Market Share in China." *China Daily*, September 6. http://www.chinadaily.com.cn/china/2007-09/06/content_6086152.htm (accessed February 25, 2009).

China Industry Daily News. 2006. "Intel (China) Ltd. Forges Innovation Alliance with 22 Chinese Enterprises." China Industry Daily News, January 13.

Chira, Susan. 1985. "Korea's Chipmakers Race to Catch Up." *New York Times*, July 15.

Clark, Don. 1990. "National Semi to Trim 2,000 Jobs in Cutback." *San Francisco Chronicle*, August 22, C:1.

———. 1991. "3000 Workers OK Buyouts at Hewlett-Packard." *San Francisco Chronicle*, October 19, B:1.

CMP TechWeb. 2005. "Cisco Pledges $50 Million More for Bangalore Campus." CMP TechWeb, October 21.

———. 2006. "HP Outsourcing Chief Wants to Take It Offshore." CMP TechWeb, November 8.

Cohen, Edward S. 1964 "New Revenue Act Reduces Charm of Stock Options for Executives." *Washington Post*, February 28.

Cohen, Stephen S., and John Zysman. 1987. *Manufacturing Matters: The Myth of the Post-Industrial Economy*. New York: Basic Books.

Compete America. 2008. *Compete America Coalition Members*. http://www.competeamerica.org/whoweare/coalition/index.html (accessed February 26, 2009).

Computer Reseller News. 2005. "Intel Announces $1 Billion Investment Plan for India." *Computer Reseller News*, December 15.

Conference Board. 2008. "Total Economy Database." New York: Conference Board. http://www.conference-board.org/economics/database.cfm (accessed December 3, 2008).

Conroy, Richard. 1992. *Technological Change in China*. Development Centre Studies. Paris: Organisation for Economic Co-Operation and Development.

Cooke, Sandra D. 2003. "Information Technology Workers in the Digital Economy." In *Digital Economy 2003*. Washington, DC: U.S. Department of Commerce, Economics and Statistics Adminstration. https://www.esa.doc.gov/reports/DE-Chap2.pdf (accessed October 22, 2008).

Costanza, Anthony. 1989. "Participatory Action Research: A View from the ACTWU." *American Behavioral Scientist* 32(5): 566–573.

Coughlin, Kevin. 2006. "Lucent, Retirees at Odds over Exec Pay." *Newark Star-Ledger*, February 15.

Cowan, Lynn. 2006. "SAIC Is Poised to Gain from the War on Terror." *Wall Street Journal*, October 9, C:4.

Committee on Prospering in the Global Economy of the 21st Century (CPGE). 2007. *Rising Above the Gathering Storm: Energizing and Employing America for a Brighter Economic Future*. Washington, DC: National Academies Press.

Crenshaw, Albert B. 2004. "IBM Stops Offering Cash-Balance Pension." *Washington Post*, December 9, E:5.

Crenshaw, Albert B., and Amy Joyce. 2006. "IBM Adds Its Name to List of Firms Freezing Pensions." *Washington Post*, January 6, A:1.

Crystal, Graef. 1978. *Executive Compensation: Money, Motivation, and Imagination*. New York: American Management Association.

———. 1991. *In Search of Excess: The Overcompensation of American Executives*. New York: W. W. Norton.
Curran, Lawrence J. 1997. "An Expanding Universe (Growth of Electronics Contract Manufacturers)." *Electronic Business Today*, 23(August 1): 57–58.
Cusumano, Michael. 2000. "Making Large Teams Work Like Small Teams: Product Development at Microsoft." In *New Product Development and Production Networks. Global Industrial Experience*, Ulrich Jürgens, ed. Berlin and Heidelberg: Springer-Verlag, pp. 85–104.
Cusumano, Michael, and David Yoffie. 1998. *Competing on Internet Time: Lessons from Netscape and Its Battle with Microsoft*. New York: Free Press.
Cutcher-Gershenfeld, Joel. 1991. "The Impact on Economic Performance of a Transformation in Workplace Relations." *Industrial and Labor Relations Review* 44(2): 241–260
———. 1992. "Xerox and the ACTWU: Tracing a Transformation in Industrial Relations." In *Human Resources Management: Cases and Text*, 2d ed., Fred K. Foulkes and E. Robert Livernash, eds. Englewood Cliffs, NJ: Prentice Hall, pp. 348–373.
Dale, Arden. 2004a. "Judge Rules IBM Must Make Back Payments in Pension Case." Dow Jones Newswires, February 18.
———. 2004b. "Update: IBM Pension Settlement Leaves Unresolved Issues." Dow Jones News Service, September 30.
Danziger, Sheldon, and Peter Gottschalk. 1995. *America Unequal*. Cambridge, MA: Harvard University Press.
Dash, Eric. 2006. "Off To the Races Again, Leaving the Many Behind." *New York Times*, April 9, C:1.
Dataquest. 2002. "DQ Top 20: Hewlett-Packard." Indian Business Insight Database, August 31.
———. 2003. "Hewlett-Packard India." *Indian Business Insight*, August 31.
Davis, Julie Hirschfeld. 2008. "Congress Opens Hearings on Financial Meltdown." CNSNews.com, October 6. http://www.cnsnews.com/public/content/article.aspx?RsrcID=36962 (accessed February 26, 2009).
Davis, Warren E., and Daryl G. Hatano. 1985. "The American Semiconductor Industry and the Ascendancy of East Asia." *California Management Review* 27(1): 128–143.
Dayton Daily News. 2000. "Last Remaining UAW Workers Lose Jobs at Dayton, Ohio, Infotech Firm." *Dayton Daily News*, August 18.
DeBare, Ilana. 1997. "WORKWAYS—Labor Laws Offer Protection for Live-In Workers." *San Francisco Chronicle*, September 8, B:1. http://www.sfgate.com/cgi-bin/article.cgi?f=/c/a/1997/09/08/BU24846.DTL&type=printable (accessed October 23, 2008).

Deffree, Suzanne. 2008. "Acer Overcomes Lenovo as No. 3 PC OEM, Nips at Dell's Heels for No. 2 Spot." Electronic News, March 6.

Dell. 2005. *2004 10-K*. Round Rock, TX: Dell.

———. 2006. *2005 10-K*. Round Rock, TX: Dell.

———. 2007. *2006 10-K*. Round Rock, TX: Dell.

DeNavas-Walt, Carmen, Bernadette D. Proctor, and Jessica C. Smith. 2008. *Income, Poverty, and Health Insurance Coverage in the United States: 2007*. Current Population Reports: Consumer Income. P60-235. Washington, DC: U.S. Census Bureau.

Dennis, Reid. 2000. "Institutional Venture Partners." In *Done Deals: Venture Capitalists Tell their Stories*, Udayan Gupta, ed. Boston: Harvard Business School Press, pp. 179–190.

Dennis, William. 1990. "Intel to Start MPU Production in Malaysia." Electronic World News, April 9.

DePalma, Anthony. 1990. "Graduate Schools Fill with Foreigners." *New York Times*, November 29, A:1.

Deutschman, Alan. 1994. "How H-P Continues to Grow and Grow." *Fortune* 129(May 2): 90–100.

DiCarlo, Lisa. 1999. "IBM Cashes In: Wielding a Massive Arsenal of Patents, Big Blue Shakes Up the High-Tech Industry." *PC Week* 16(38): 1.

Dictionary.com. 2008. *Subsidy*. http://dictionary.reference.com/search?q=subsidy (accessed February 26, 2009).

Dittmar, Amy K. 2000. "Why Do Firms Repurchase Stock?" *Journal of Business* 73(3): 331–354.

Dittmar, Amy K., and Robert F. Dittmar. 2004. "Stock Repurchase Waves: An Explanation of the Trends in Aggregate Corporate Payout Policy." Business school working paper. Ann Arbor, MI: University of Michigan. http://webuser.bus.umich.edu/adittmar/Stock_Repurchase_Waves.pdf (accessed October 23, 2008).

Domis, Olaf de Senerpont. 2003. "Latitude for Change." *Daily Deal*, December 1.

Donlan, Thomas G. 2000 "Cisco's Bids: Its Growth by Acquisition Will Cause Problems." *Barron's* 80(19): 31–34.

Dow Jones International News. 2008. "Tata Consultancy To Hire 30,000–50,000 Staff This FY." Dow Jones International News, April 21.

Dreyfack, Kenneth, and Otis Port. 1986. "Even American Knowhow is Headed Abroad." *BusinessWeek*, March 3, pp 60–63.

Drury, Allan. 2005. "Shareholders Taking IBM to Task." *White Plains (NY) Journal News*, April 26.

Dudley, Brier. 2004. "Microsoft Research Lab is Opening in India." *Seattle Times*, December 1.

Economist. 1986. "Has IBM Abandoned Full Employment?" *Economist* 300(September 20): 73–74.

———. 1991. "India's Electronics Industry: Skills Exporter." *Economist* 319(May 4): 69–70.

Editors of *Fortune*. 1970. *The Conglomerate Commotion*. New York: Viking.

EFA Global Monitoring Report. 2007. *Strong Foundations: Early Childhood Care and Education*. Paris: UNESCO.

Electronic Buyers' News. 1989. "Union Flare-Up Cools at Korean Motorola Site." *Electronic Buyers' News*, January 9: 2.

Electronic News. 2005. "U.S. Could Lose Race for Nanotech Leadership, SIA Panel Says." Electronic News, March 16.

Electronic Times. 1986."The Recession in the Semiconductor Industry Has Added Another 500 Workers to the Ranks of the Unemployed and Caused Two of Silicon Valley's Premium Chip Makers to Lose a Combined $161 Million in the Past Three Months." *Electronic Times*, October 16.

———. 1992a. "Intel to Move Microcontroller Operations to Penang Plant." *Electronic Times*, July 30.

———. 1992b. "Malaysian Unit to Look at Intel Moves Into China." *Electronic Times*, September 3.

———. 1994. "A Golden Deal for Intel." *Electronic Times*, November 3.

Electronic World News. 1989. "National Semiconductor Closes Plant in S. Korea." Electronic World News, May 15.

Electronics Weekly. 1987. "Electronics Weekly Concludes Its Look at U.S. Semiconductors in '86." *Electronics Weekly*, January 28.

———. 1990. "New Visa Limit Could Restrict Companies' Employment of Foreign Staff." *Electronics Weekly*, October 24: 8.

Elmore, Charles. 1987a. "Early-Retirement Plan's Cost Contributes to Drop in BellSouth Profits." *Atlanta Journal-Constitution*, July 21.

———. 1987b. "BellSouth Says 2,400 OK'd Early Retirement." *Atlanta Journal-Constitution*, August 8.

Elstrom, Peter. 2007. "Gates to Senate: More Visas." *BusinessWeek*, March 8. http://www.businessweek.com/bwdaily/dnflash/content/mar2007/db20070308_624948.htm (accessed October 23, 2008).

Endlich, Lisa. 2004. *Optical Illusions: Lucent and the Crash of Telecom*. New York: Simon and Schuster.

Engen, Eric M., and Andreas Lehnert. 2000. "Mutual Funds and the U.S. Equity Market." *Federal Reserve Bulletin* 86(12): 797–812.

Ernst, Dieter. 2002. "Global Production Networks and the Changing Geography of Innovation Systems: Implications for Developing Countries." *Economics of Innovation and New Technology* 11(6): 497–523.

———. 2005. "Complexity and Internationalisation of Innovation—Why Chip Design is Moving to Asia." *International Journal of Innovation Management* 9(1): 47–73.

ESP Report on Engineering Construction and Operations in the Developing World. 1995. *China: Initial Investment of $30,000,000 to Build Microchip Plant Is to Be Followed by Significant Additional Outlays, Intel (USA)*. ESP Report on Engineering Construction and Operations in the Developing World, July 1.

Evers, Joris. 2006. "Lenovo Expands Use of AMD Chips." ZDNet UK, August 8.

Farber, Henry. 2007. "Job Loss and the Decline of Job Security in the United States." Princeton University Industrial Relations Section Working Paper no. 520. Princeton, NJ: Princeton University. http://www.irs.princeton.edu/pubs/pdfs/520revised.pdf (accessed October 23, 2008).

Federal Communications Commission (FCC). 2007. "Trends in Telephone Service." Washington, DC: Industry Analysis and Technology Division, Wireline Competition Bureau, Federal Communications Commission. http://www.fcc.gov/wcb/iatd/trends.html (accessed October 23, 2008).

Feng, Kaidong, and Ming Zhang. 2008. "Governance and Technological Learning in a Transition Economy: The Case of the Chinese Telecommunications Equipment Sector." Revision of a paper presented at the INSEAD conference "Innovation and Competition in the Global Communications Technology Industry," held in Fontainebleau, France, August 23–24.

Fenn, George W., and Nellie Liang. 2001. "Corporate Payout Policy and Managerial Stock Incentives." *Journal of Financial Economics* 60(1): 45–72.

Financial Accounting Standards Board (FASB). 2001. "FASB Issues Two Statements on its Business Combinations Project." News release, July 20. http://72.3.243.42/news/nr072001.shtml (accessed February 26, 2009).

Fisher, Lawrence M. 1999. "Hewlett Trims Its Forecast for Quarter." *New York Times*, October 2, C:1.

Flamm, Kenneth. 1985. "Internationalization in the Semiconductor Industry." In *The Global Factory: Foreign Assembly in International Trade*, Joseph Grunwald and Kenneth Flamm, eds. Washington, DC: Brookings Institution, pp. 38–136.

———. 1987. *Targeting the Computer: Government Support and International Competition*. Washington, DC: Brookings Institution.

———. 1988. *Creating the Computer: Government, Industry, and High-Technology*. Washington, DC: Brookings Institution.

Flannery, Russell. 1999. "Advanced Semiconductor to Buy 2 Motorola Plants." *Asian Wall Street Journal*, February 8, 3.

Forbes. 2007. "The World's Billionaires." http://www.forbes.com/lists/2007/10/07billionaires_The-Worlds-Billionaires_Rank.html (accessed February 26, 2009).

Forelle, Charles, and James Bandler. 2006. "The Perfect Payday: Some CEOs Reap Millions by Landing Stock Options When They are Most Valuable; Luck—Or Something Else?" *Wall Street Journal*, March 18, A:1.

Foremski, Tom. 1990. "Jobs for Thousands of UK Programmers/Analysts Threatened by Immigration Bill Limiting Work Visas." *Computing*, October 25.

Fortney, Judith. 1970. "International Migration of Professionals." *Population Studies* 24(2): 217–232.

Fortune. 2006. "Fortune 500 Largest U.S. Corporations." *Fortune* 153(7): F1–F20.

———. 2008. "Fortune 500 Largest U.S. Corporations." *Fortune* 157(9). http://money.cnn.com/magazines/fortune/fortune500/2007/full_list/index.html (accessed February 26, 2009).

Freund, Bob. 2002. "IBM Stockholders Reject Pension Proposal." *Post-Bulletin*, April 30.

Frey, Carol. 1999a. "IBM Makes Pension Plan More Attractive to Younger Workers." *Raleigh (NC) News and Observer*, May 4.

———. 1999b. "IBM's Pension Concession Doesn't Stop Union Movement." *Raleigh (NC) News and Observer*, September 22, D:3.

Fried, Jesse M. 2000. "Insider Signaling and Insider Trading with Repurchase Tender Offers." *University of Chicago Law Review* 67(2): 421–477.

———. 2001. "Open Market Repurchases: Signaling or Managerial Opportunism?" *Theoretical Inquiries in Law* 2(2): 1–30.

Fukasaku, Tohiko. 1992. *Technology and Industrial Development in Pre-War Japan: Mitsubishi Nagasaki Shipyard, 1884–1934*. New York: Routledge.

Fuller, Joseph, and Michael C. Jensen. 2002. "Just Say No to Wall Street: Putting a Stop to the Earnings Game." *Journal of Applied Corporate Finance* 14(4): 41–46.

Fulman, Ricki. 1998. "AT&T Unions Move to Cash Balance Plan." *Pensions and Investments*, June 15.

Fuscaldo, Donna. 2001. "IBM Shareholders Vote on Proposal Attacking Pension Plan." Dow Jones News Service, April 24.

Garr, Doug. 1999. *IBM Redux: Lou Gerstner and the Business Turnaround of the Decade*. New York: HarperBusiness.

Gartner Incorporated. 2008. "Worldwide Semiconductor Revenue Increased 4 Percent in 2007, According to Final Results by Gartner." Press release, March 31. Stamford: CT: Gartner. http://www.gartner.com/it/page.jsp?id=635207 (accessed February 26, 2009).

Gates, Bill. 2007. "How to Keep America Competitive." *Washington Post*, February 25, B:7.

Geisel, Jerry. 1995. "Pension Equity Plans Another Option When Traditional Pension Doesn't Fit." *Business Insurance*, August 14.

———. 1999. "IBM Debuts Innovative Health Plan for Retirees." *Business Insurance*, May 24.

Gerstner, Louis V., Jr. 2002. *Who Says Elephants Can't Dance?* New York: HarperBusiness.

Ghilarducci, Teresa. 1992. *Labor's Capital: The Economics and Politics of Private Pensions*. Cambridge, MA: MIT Press.

Gilson, Ronald J. 1999. "The Legal Infrastructure of High-Technology Industrial Districts: Silicon Valley, Route 128, and Covenants Not to Compete." *New York University Law Review* 74(3): 575–629.

Gimein, Mark, Eric Dash, Lisa Munoz, and Jessica Sung. 2002. "You Bought. They Sold." *Fortune* 146(4): 64–68, 72, 74.

Glimstedt, Henrik, William Lazonick, and Hao Xie. 2006. "Evolution and Allocation of Stock Options: Adapting U.S.-Style Compensation to the Swedish Business Model." *European Management Review* 3(3): 1–21.

Goldin, Claudia, and Lawrence F. Katz. 2008. *The Race between Education and Technology*. Cambridge, MA: Harvard University Press.

Gompers, Paul, and Josh Lerner. 2002. *The Venture Capital Cycle*. Cambridge, MA: MIT Press.

Gonsalves, Antone. 2008. "PC Market Rises on Notebook Sales: HP, Dell, Acer Hold Top Rankings." *InformationWeek*, June 27. http://www.informationweek.com/news/hardware/desktop/showArticle.jhtml?articleID=208801463 (accessed October 23, 2008).

Gordon, Bart. 2007. "U.S. Competitiveness: The Education Imperative." *Issues in Science and Technology*, Spring. http://www.issues.org/23.3/gordon.html (accessed November 6, 2008).

Gordon, Marcy. 2001. "Wall Street to Reopen with Relaxed Rules." Associated Press, September 15.

Gordon, Robert J. 2003. "Exploding Productivity Growth: Context, Causes, and Implications." *Brookings Papers on Economic Activity* 2: 207–279.

Gore, Albert. 1965. "How to Be Rich without Paying Taxes." *New York Times*, April 11.

Government Of India. 2002. *Statistical Abstract India*. New Delhi: Government of India, Ministry of Statistics and Programme Implementation.

———. 2003. *Statistical Abstract India*. New Delhi: Government of India, Ministry of Statistics and Programme Implementation.

Green, Milford B. 2004. "Venture Capital Investment in the United States, 1995–2002." *Industrial Geographer* 2(1): 2–30.

Grindley, Peter C., David C. Mowery, and Brian Silverman. 1994. "SEMATECH and Collaborative Research: Lessons in the Design of High-Technology Consortia." *Journal of Policy Analysis and Management* 13(4): 723–758.

Grindley, Peter C., and David J. Teece. 1997. "Managing Intellectual Capital: Licensing and Cross-Licensing in Semiconductors and Electronics." *California Management Review* 39(2): 8–41.

Griswold, Erwin N. 1960. "Are Stock Options Getting Out of Hand?" *Harvard Business Review* 38(6): 49–55.

Groshen, Erica, and Simon Potter. 2003. "Has Structural Change Contributed to a Jobless Recovery?" *Current Issues in Economics and Finance* 9(8): 1–7.

Grove, Andrew S. 1996. *Only the Paranoid Survive: How to Exploit the Crisis Points That Challenge Every Company*. New York: Doubleday Business.

Grullon, Gustavo, and David L. Ikenberry. 2000. "What Do We Know about Stock Repurchases?" *Journal of Applied Corporate Finance* 13(1): 31–51.

Grullon, Gustavo, and Roni Michaely. 2002. "Dividends, Share Repurchases, and the Substitution Hypothesis." *Journal of Finance* 57(4): 1649–1684.

Gu, Shulin. 1999. *China's Industrial Technology: Market Reform and Organizational Change*. London: Routledge.

Guarisco, Tom. 1995. "BellSouth to Cut Up to 11,000 Jobs." *Baton Rouge Advocate*, May 19.

Gutchess, Jocelyn. 1985a. "Employment Security and Productivity? It Can Be Done." *National Productivity Review* 4(3): 275–286.

———. 1985b. *Employment Security in Action: Strategies That Work*. Oxford, UK: Pergamon Press.

Hall, Brian J., and Jeffrey B. Leibman. 1998. "Are CEOs Really Paid Like Bureaucrats?" *Quarterly Journal of Economics* 113(3): 653–691.

Hall, Brian J., and Kevin Murphy. 2003. "The Trouble with Options." *Journal of Economic Perspectives* 17(3): 49–70.

Halperin, Morton P. 1961. "The Gaither Committee and the Policy Process." *World Politics* 13(3): 360–384.

Hambrecht, William R. 1984. "Venture Capital and the Growth of Silicon Valley." *California Management Review* 26(2): 74–82.

Harden, Blain. 2003. "Microsoft Millionaires Grapple with Wealth: Stock Option Riches Leave Some Uneasy." *Washington Post*, August 23, A:1.

Harrison, Bennett, and Barry Bluestone. 1988. *The Great U-Turn: Corporate Restructuring and the Polarizing of America*. New York: Basic Books.

Hays, Kristen, and David Ivanovich. 2008. "Politicians Fume as Exxon Profits; Firm Buys Back $8 Billion in Shares." *Houston Chronicle*, August 1, A:1.

Hays, Laurie. 1994a. "IBM's Czarnecki Resigns No. 3 Post After Less Than Year." *Wall Street Journal*, April 27, A:3.

———. 1994b. "IBM Aide Quit under Pressure, Executives Say." *Wall Street Journal*, April 28, A:3.
Head, Beverley. 1989. "Bodyshopping Boom Eases Australia's Skill Shortage." *Australian Financial Review*, September 4.
Hearn, Edward T. 1991. "Baby Bells Seek OK to Manufacture." *Chicago Tribune*, March 10.
Heim, Kristi. 2004. "U.S. High-Tech Giants Invest in Future Competitor." *San Jose Mercury News*, March 15.
Henderson, Jeffrey. 1989. *The Globalisation of High Technology Production: Society, Space, and Semiconductors in the Restructuring of the Modern World*. London: Routledge.
Henry, David, and Donald Dalton. 2003. "Information Technology Producing Industries—Hopeful Signs in 2003." In *Digital Economy 2003*, U.S. Department of Commerce, Economics and Statistics Administration, ed. http://www.esa.doc.gov/reports/DE-Chap1.pdf (accessed November 6, 2008).
Hewlett-Packard (HP). 1985. *1984 Annual Report*. Palo Alto, CA: Hewlett-Packard.
———. 2006. *2005 10-K*. Palo Alto, CA: Hewlett-Packard.
———. 2008. *Global Citizenship Report 2007*. Palo Alto, CA: HP.
Hiltzik, Michael A. 2000. *Dealers of Lightning: Xerox PARC and the Dawn of the Computer Age*. New York: HarperCollins.
Hira, Ron. 2003. "Global Outsourcing of Engineering Jobs: Recent Trends and Possible Implications." Testimony to the Committee on Small Business, U.S. House of Representatives, June 18.
———. 2007. "Policy and the STEM Workforce System." STEM Workforce Data Project Report No. 9. Washington, DC: Commission on Professionals in Science and Technology. http://www.cpst.org/STEM/STEM9_Report.pdf (accessed November 6, 2008).
Hira, Ron, and Anil Hira. 2005. *Outsourcing America*. New York: American Management Association.
Hira, Ron, and Philip E. Ross. 2007. "The R&D 100: A Company's Research Budget Tells You Very Little about Its Prospects." *IEEE Spectrum*, December.
Hirschman, Albert O. 1970. *Exit, Voice, and Loyalty: Responses to Decline in Firms, Organizations, and States*. Cambridge, MA: Harvard University Press.
Ho, Samuel P.S. 1975. "Industrialization in Taiwan: Recent Trends and Problems." *Pacifica* 48(1): 27–41.
Hobday, Michael. 1995. *Innovation in East Asia: The Challenge to Japan*. Cheltenham, UK: Edward Elgar.

Holbrook, Daniel, Wesley M. Cohen, David A. Hounshell, and Steven Klepper. 2000. "The Nature, Sources, and Consequences of Firm Differences in the Early History of the Semiconductor Industry." *Strategic Management Journal* 21(10–11): 1017–1041.
Holland, Daniel M., and Wilbur G. Lewellen. 1962. "Probing the Record of Stock Options." *Harvard Business Review* 40(2): 132–150.
Hollinger, Peggy, Frédéric Schaeffer, Guillaume de Calignon, and Andrew Parker. 2007. "Deadline for Alcatel-Lucent." *Financial Times*, September 28. http://www.ft.com/cms/s/0/735b7e0c-6d60-11dc-ab19-0000779fd2ac.html (accessed November 6, 2008).
Holmes, Stanley. 1996. "Unionizing the Nerds." *PC Week*, October 28.
Holusha, John. 1989. "Stress on Quality Lifts Xerox's Market Share." *New York Times*, November 9, D:1.
Hopfner, Jonathan. 2007. "Intel Readies Vietnam Facility for Fall 2009 Launch." *EETimes*, August 9.
Horwitt, Elisabeth. 1996. "For Whom the Bells Toll: As Competition among RBOCs Heats Up, Joint Ownership of Bellcore Has Become Dicey." *ComputerWorld*, November 1.
Hou, Mingjuan. 2000. "Intel Boosts R&D in China." *China Daily*, October 26.
Houseman, Susan N. 2007. "Outsourcing, Offshoring, and Productivity Measurement in U.S. Manufacturing." Upjohn Institute Working Paper no. 06-130. Kalamazoo, MI: W.E. Upjohn Institute for Employment Research. http://www.upjohninstitute.org/publications/wp/06-130.pdf (accessed November 7, 2008).
Howells, Thomas F. III, and Barefoot, Kevin B. 2007. "Annual Industry Accounts: Advance Estimates for 2006." *Survey of Current Business* 88(10): 12–25. www.bea.gov/scb/pdf/2007/05%20May/0507_annual_industry_accounts.pdf (accessed November 7, 2008).
Hsieh, Jim, and Qinghai Wang. 2006. "Insiders' Tax Preferences and Firm's Choice between Dividends and Share Repurchases." Finance Group Working Paper no. 41. Atlanta, GA: Georgia Tech University, College of Management. http://papers.ssrn.com/sol3/papers.cfm?abstract_id=925350 (accessed November 7, 2008).
Hsu, David H., and Martin Kenney. 2005. "Organizing Venture Capital: The Rise and Demise of American Research & Development Corporation, 1946–1973." *Industrial and Corporate Change* 14(4): 579–616.
Hudson, Richard L. 1982. "SEC Eases Way for Repurchase of Firms' Stock." *Wall Street Journal*, November 10.
Husted, Bill. 1991. "BellSouth Hopes Early Retirement Can Trim Payroll." *Atlanta Journal and Constitution*, May 14.

Hyde, Alan. 2003. *Working in Silicon Valley: Economic and Legal Analysis of a High-Velocity Labor Market*. Armonk, NY: M.E. Sharpe.

IBM. 2004. *2003 Annual Report*. Armonk, NY: IBM.

———. 2006. *IBM Notice of 2006 Annual Meeting and Proxy Statement*. Armonk, NY: IBM.

———. 2007. *IBM Annual Meeting of Stockholders, Final Stockholder Voting Results*. Armonk, NY: IBM.

———. 2008. *2007 Annual Report*. Armonk, NY: IBM. http://www.ibm.com/annualreport/2007/index.shtml (accessed February 26, 2009).

IEEE–Cedar Rapids Section 2006. "IEEE-USA Disappointed with Senate Bill Increasing H-1B Visas." Press release, May 26. http://www.ieee-cr-section.org/content.asp?ID=1296&I=5169 (accessed February 26, 2009).

IEEE–Central Texas Section. 2008. "Employment Opportunities for CTS Members." http://ewh.ieee.org/r5/central_texas/employment.html (accessed February 26, 2009).

IEEE-USA 2004a. "Employed Number of Electrical Engineers, Computer Scientists Declines, Unemployment Rate Increases from Fourth Quarter '03 to First Quarter '04." Press release, May 4. Washington, DC: IEEE-USA. http://www.ieeeusa.org/communications/releases/2004/050404pr.html (accessed February 26, 2009).

———. 2004b. "High-Tech Employment Shrinks in Second Quarter, Despite Positive Signs on Unemployment Rates." Press release, July 26. Washington, DC: IEEE-USA. http://www.ieeeusa.org/communications/releases/2004/072604pr.html (accessed February 26, 2009).

———. 2006a. *IEEE-USA 2006 Annual Report*. Washington, DC: IEEE-USA. http://www.ieeeusa.org/about/Annual_Report/2006.pdf (accessed February 26, 2009).

———. 2006b. *2006 IEEE-USA Unemployment Survey Results*. Washington, DC: IEEE-USA. http://www.ieeeusa.org/careers/pdf/EmploymentSurvey2006Report.pdf (accessed February 26, 2009).

IFI Patent Intelligence. 2008. "IFI Patent Intelligence Announces 2007's Top U.S. Patent Assignees." Press release, January 14. Wilmington, DE: Wolters Kluwer Health. http://www.ificlaims.com/IFI Patent Release 1-9-08.htm (accessed February 26, 2009).

Ilchman, Warren F. 1969. "'People in Plenty': Educated Unemployment in India." *Asian Survey* 9(10): 781–795.

Immigration and Naturalization Service. 1999. *1997 Statistical Yearbook of the Immigration and Naturalization Service*. Washington, DC: Immigration and Naturalization Service. http://www.dhs.gov/xlibrary/assets/statistics/yearbook/1997YB.pdf (accessed July 13, 2009).

———. 2000. *1998 Statistical Yearbook of the Immigration and Naturalization Service*. Washington, DC: Immigration and Naturalization Service. http://www.dhs.gov/xlibrary/assets/statistics/yearbook/1998/1998yb.pdf (accessed July 13, 2009).

———. 2002a. *1999 Statistical Yearbook of the Immigration and Naturalization Service*. Washington, DC: Immigration and Naturalization Service. http://www.dhs.gov/xlibrary/assets/statistics/yearbook/1999/FY99 Yearbook.pdf (accessed July 13, 2009).

———. 2002b. *2000 Statistical Yearbook of the Immigration and Naturalization Service*. Washington, DC: Immigration and Naturalization Service. http://www.dhs.gov/xlibrary/assets/statistics/yearbook/2000/Yearbook 2000.pdf (accessed July 13, 2009).

———. 2003. *2001 Statistical Yearbook of the Immigration and Naturalization Service*. Washington, DC: Immigration and Naturalization Service. http://www.dhs.gov/xlibrary/assets/statistics/yearbook/2001/yearbook2001.pdf (accessed July 13, 2009).

Index Mundi. 2008. *Malaysia GDP—Real Growth Rate*. http://indexmundi.com/malaysia/gdp_real_growth_rate.html (accessed February 26, 2009).

Indo-Asian News Service. 2007. "Texas Instruments to Focus R&D in India." Indo-Asian News Service, April 3.

Industrial Union Department, AFL-CIO. 1959. *The Stock Option Scandal*. Washington, DC: AFL-CIO.

Industry Updates. 2006. "Lenovo Sees More Market Share Growth." Industry Updates, June 1. .

Infosys. 2008. *Annual Report, 2007–2008*. Bangalore: Infosys.

Ingebretsen, Mark. 2002. *NASDAQ: A History of the Market That Changed the World*. Rosedale, CA: Prima Publishing.

Institute of International Education. 2005. *Open Doors: Report on International Educational Exchange, 1948–2004*. New York: Institute of International Education.

Intel. 1973. *1972 Annual Report*. Santa Clara, CA: Intel.

———. 2008a. *Intel China Research Center*. Beijing: Intel. http://www.intel.com/cd/corporate/icrc/apac/eng/167066.htm (accessed February 26, 2009).

———. 2008b. *Stock Data—Stock Buyback Summary*. Santa Clara, CA: Intel. http://www.intc.com/stockBuyBack.cfm (accessed February 26, 2009).

International Labour Organization. 1999. "Americans Work Longest Hours among Industrialized Countries, Japanese Second Longest. Europeans Work Less Time, but Register Faster Productivity Gains. New ILO Statistical Volume Highlights Labour Trends Worldwide." Press release, September 6. Geneva: ILO. http://www.ilo.org/global/About_the_ILO/Media_and_public_information/Press_releases/lang--en/WCMS_071326 (accessed February 26, 2009).

Ismail, Izwan. 2005. "Intel Steps Up Local Investment." *New Straits Times*, December 12.

Ismail, Mohd Nazai. 1999. "Foreign Firms and National Technological Upgrading: The Electronics Industry in Malaysia." In *Industrial Technology Development in Malaysia*, K.S. Jomo, Greg Fulker, and Rajah Rasiah, eds. New York: Routledge, pp. 21–37.

Jackson, Tim. 1997. *Inside Intel: Andy Grove and the Rise of the World's Most Powerful Chip Company*. New York: Dutton.

Jacobson, Gary. 1988. "Employee Relations at Xerox: A Model Worth Copying." *Management Review* 77(2): 22–23, 27.

Jacobson, Gary, and John Hillkirk. 1986. *Xerox American Samurai: The Behind the Scenes Story of How a Corporate Giant Beat the Japanese at Their Own Game*. New York: Scribner.

Jander, Mary. 2000. "Lucent Shares Hammered by $125M Goof." *Light Reading*, November 21.

———. 2001. "SEC Knocking on Lucent's Door." *Light Reading*, February 9.

Jenkins, David. 2006. "Programmers Win EA Overtime Settlement, EA Spouse Revealed." *Gamasutra News*, April 26. http://www.gamasutra.com/php-bin/news_index.php?story=9051 (accessed February 26, 2009).

Jensen, Michael C. 1986 "Agency Costs of Free Cash Flow, Corporate Finance, and Takeovers." *American Economic Review* 76(2): 323–329.

Jensen, Michael C., and Kevin J. Murphy. 1990. "Performance Pay and Top Management Incentives." *Journal of Political Economy* 98(2): 225–264.

Jensen, Michael C., Kevin J. Murphy, and Eric G. Wruck. 2005. "CEO Pay... and How to Fix It." Harvard Business School NOM Working Paper no. 04-28. Boston: Harvard Business School. http://www.nber.org/~confer/2005/si2005/cg/jensen.pdf (accessed November 7, 2008).

Johns, Brian. 1994. "Chip Maker Intel Signs China Partnership Agreement." *Journal of Commerce*, March 30.

Johnson, Jean, and Mark Regets. 1998. "International Mobility of Scientists and Engineers to the United States—Brain Drain or Brain Circulation?" Division of Science Resources Studies Issue Brief, NSF 98-316. Arlington, VA: National Science Foundation.

Johnson, Tom. 2000. "Lucent Target of Lawsuits Over 4th-Quarter Earnings." *Star-Ledger*, November 29.

Jolls, Christine. 1998. "Stock Repurchases and Incentive Compensation." NBER Working Paper no. 6467. Cambridge, MA: National Bureau of Economic Research.

Jomo, K.S., Greg Fulker, and Rajah Rasiah, eds. 1999. *Industrial Technology Development in Malaysia*. New York: Routledge.

Jones, Arthur F. Jr., and Daniel H. Weinberg. 2000. *The Changing Shape of the Nation's Income Distribution, 1947–1998*. Current Population Report P60-204. Washington, DC: U.S. Census Bureau. http://www.census.gov/prod/2000pubs/p60-204.pdf (accessed November 7, 2008).

Jorgenson, Dale W. 2001. "Information Technology and the U.S. Economy." *American Economic Review* 91(1): 1–32.

Jun, Sang-Gyung, Mookwan Jung, and Ralph A. Walking. 2008. "Share Repurchase, Executive Options, and Wealth Changes to Stockholders and Bondholders." LeBow College of Business Working Paper. Philadelphia: Drexel University.

Kahle, Kathleen M. 2002. "When a Buyback Isn't a Buyback: Open Market Repurchases and Employee Options." *Journal of Financial Economics* 63(2): 235–261.

Ke, Wei. 1998. "First U.S. JV Now Reaps Rewards." *Business Weekly*, June 28.

Kehoe, Louise. 1991. "Lumbering Giant Starts to Stir." *Financial Times*, July 5.

———. 1994. "Intel in Chinese Partnership." *Financial Times*, March 29.

Keller, Greg. 2008. "Salvaging Alcatel-Lucent Deal a Job for New Blood." Associated Press, July 29.

Kelly, Terence K., William P. Butz, Stephen Carroll, David M. Adamson, and Gabrielle Bloom, eds. 2004. *The U.S. Scientific and Technical Workforce: Improving Data for Decisionmaking*. Santa Monica, CA: RAND Corporation.

Kelly, Tracey Elizabeth. 1997. "Productivity of the Regional Bell Operating Companies Under Rate-of-Return and Price-Cap Regulation." Master's thesis. Blacksburg, VA: Virginia Polytechnic Institute and State University.

Kenney, Martin, ed. 2000. *Understanding Silicon Valley: The Anatomy of an Entrepreneurial Region*. Palo Alto, CA: Stanford University Press.

Kenney, Martin, and Richard Florida. 2000. "Venture Capital in Silicon Valley: Fueling New Firm Formation." In *Understanding Silicon Valley: The Anatomy of an Entrepreneurial Region*, Martin Kenney, ed. Palo Alto, CA: Stanford University Press, pp. 98–123.

Khatiwada, Ishwar, and Andrew Sum. 2004. "Labor Market Problems in Massachusetts from the End of the Labor Market Boom in 2000 through 2003." Boston: Northeastern University, Center for Labor Market Studies. http://www.massworkforce.com/files/Recession_in_Massachusetts_2000_2003April2004.pdf (accessed November 7, 2008).

Kim, Dong-Won, and Stuart W. Leslie. 1998. "Winning Markets or Winning Noble Prizes? KAIST and the Challenges of Late Industrialization." *Osiris*, 2d. series. 13: 154–185.

Kim, Linsu. 1997a. *Imitation to Innovation: The Dynamics of Korea's Technological Learning*. Boston: Harvard Business School Press.

———. 1997b. "The Dynamics of Samsung's Technological Learning in Semiconductors." *California Management Review* 39(3): 86–100.

Kirby, Carrie. 2000. "Sweeping Proposal: Janitors Look to Silicon Valley Giants for Help in Pay Dispute." *San Francisco Chronicle*, May 20, A:1.

———. 2001. "Hewlett-Packard Asks Workers to Take Pay Cut, Vacation Days." *San Francisco Chronicle*, June 30, E:1.

Klayman, Ben. 2002. "Lucent's New CEO to Get Double Chairman's 2001 Pay." Reuters News, February 14.

Knight, Jerry. 1999. "Nextel Builds War Chest." *Washington Post*, November 11, E:1.

Koike, Kazuo, and Takenori Inoki, eds. 1990. *Skill Formation in Japan and Southeast Asia*. Tokyo: University of Tokyo Press.

Konrad, Rachel. 2005. "Hewlett-Packard Ousts CEO Fiorina." *Seattle Times*, February 10.

———. 2006. "IBM Settles Overtime Lawsuit." Associated Press Online, November 23.

Korea Economic Weekly. 1999. "ASE Group to Beef Up Korean Operation." *Korea Economic Weekly*, November 1.

Korea Herald. 1998. "Motorola Korea Opens Software R&D Center." *Korea Herald*, July 23.

Korea Times. 1999. "Motorola Vows Continued Commitment to Korea." *Korea Times*, April 19.

Kornblut, Anne E. 1999. "IBM Relents on Pension Plan Revision." *Boston Globe*, September 18, F:1.

Kotkin, Joel. 1985. "Is IBM Good for America?" *Washington Post*, October 6.

Krishnan, Anne. 2003. "IBM Shareholders Reject Pension Choice Proposal for Third Time." *Durham (NC) Herald-Sun*, April 30.

Kulkarni, Vishwanath. 2008. "EDS Buy Gives HP Services India Edge." *Mint*, May 14.

Lane, Randall. 1994. "Venture Capital Heaven." *Forbes* 154(July 18): 130.

Langlois, Richard N. 1992 "External Economies and Economic Progress: The Case of the Microcomputer Industry." *Business History Review* 66(1): 1–50.

LaPedus, Mark. 1997. "China: Sleeping Giant is Stirring." *Electronic Buyers' News*, January 13.

Lazes, Peter, Leslie Rumpeltes, Ann Hoffner, Larry Pace, and Anthony Costanza. 1991. "Xerox and ACTWU: Using Labor-Management Teams to Remain Competitive." *National Productivity Review* 10(3): 339–349.

Lazonick, William. 1990. *Competitive Advantage on the Shop Floor*. Cambridge, MA: Harvard University Press.

———. 1991. *Business Organization and the Myth of the Market Economy*. New York: Cambridge University Press.

———. 1992. "Controlling the Market for Corporate Control: The Historical Significance of Managerial Capitalism." *Industrial and Corporate Change* 1(3): 445–488.

———. 1998. "Organizational Learning and International Competition." In *Globalization, Growth and Governance: Creating an Innovative Economy*, Jonathan Michie and John Grieve Smith, eds. New York: Oxford University Press, pp. 204–238.

———. 1999. "The Japanese Economy and Corporate Reform: What Path to Sustainable Prosperity?" *Industrial and Corporate Change* 8(4): 607–633.

———. 2003a. "Stock Options and Innovative Enterprise: The Evolution of a Mode of High-Tech Compensation." Center for Industrial Competitiveness and INSEAD Working Paper. Lowell, MA: University of Massachusetts Lowell, Center for Industrial Competitiveness.

———. 2003b. "The Theory of the Market Economy and the Social Foundations of Innovative Enterprise." *Economic and Industrial Democracy* 24(1): 9–44.

———. 2004a. "Corporate Restructuring." In *The Oxford Handbook of Work and Organization*, Stephen Ackroyd, Rose Batt, Paul Thompson, and Pamela Tolbert, eds. New York: Oxford University Press, pp. 577–601.

———. 2004b. "Indigenous Innovation and Economic Development: Lessons from 'China's Leap into the Information Age.'" *Industry and Innovation* 11(4): 273–298.

———. 2005. "The Institutional Triad and Japanese Development." In *The Contemporary Japanese Enterprise*, vol.1, Glenn Hook and Akira Kudo, eds. Tokyo: Yuhikaku Publishing, pp. 55–82.

———. 2006. "Innovative Enterprise and Economic Development." INSEAD working paper. Fontainebleau, France: INSEAD.

———. 2007a. "Varieties of Capitalism and Innovative Enterprise." *Comparative Social Research* 24: 21–69.

———. 2007b. "Evolution of the New Economy Business Model." In *Internet and Digital Economics*, Eric Brousseau and Nicola Curien, eds. New York: Cambridge University Press, pp. 59–113.

———. 2007c. "Globalization of the ICT Labor Force." In *The Oxford Handbook of Information and Communication Technologies*, Robin Mansell, Christanthi Avgerou, Danny Quah, and Roger Silverstone, eds. New York: Oxford University Press, pp. 75–99.

———. 2007d. "The U.S. Stock Market and the Governance of Innovative Enterprise." *Industrial and Corporate Change* 16(6): 983–1035.

———. 2007e. "Economic Institutional Change and Employer Pensions." In *Employee Pensions: Policies, Problems and Possibilities*, Teresa Ghilarducci and Christian E. Weller, eds. Ithaca, NY: Cornell University Press, pp. 29–68.

———. 2008a. "Comment on 'Technological Revolutions and the Evolution of Industrial Structures' (by Giovanni Dosi, Alfonso Gambardella, Marco Grazzi, and Luigi Orsenigo)." *Capitalism and Society* 3(1): Article 3.

———. 2008b. "Entrepreneurial Ventures and the Developmental State: Lessons from the Advanced Economies." World Institute of Development Economics Research Discussion Paper dp2008-01. Helsinki: World Institute of Development Economics. http://www.wider.unu.edu/publications/working-papers/discussion-papers/2008/en_GB/dp2008-01/_files/78805634425684379/default/dp2008-01.pdf (accessed November 11, 2008).

———. 2008c. "Everyone Is Paying the Price for Share Buy-Backs." *Financial Times*, September 26.

———. 2008d. "The Quest for Shareholder Value: Stock Repurchases in the U.S. Economy." *Louvain Economic Review* 74(4): 479–540.

Lazonick, William, Michael Fiddy, and Steven Quimby. 2002. "'Grow Your Own' in the New Economy? Skill-Formation Challenges in the New England Optical Networking Industry." In *Globalization, Universities, and Sustainable Human Development*, Robert Forrant and Jean Pyle, eds. Cheltenham, UK: Edward Elgar, pp. 233–259.

Lazonick, William, and Edward March. 2008. "The Rise and Fall of Lucent Technologies." Center for Industrial Competitiveness Working Paper. Lowell, MA: University of Massachusetts Lowell, Center for Industrial Competitiveness.

Lazonick, William, and Mary O'Sullivan. 2000a. "Maximizing Shareholder Value: A New Ideology for Corporate Governance." *Economy and Society* 29(1): 13–35.

———. 2000b. *Perspectives on Corporate Governance, Innovation, and Economic Performance*. Report prepared for the project on Corporate Governance, Innovation, and Economic Performance under the Targeted Socio-Economic Research Programme of the European Commission. Fountainbleau, France: INSEAD. http://www.insead.edu/v1/projects/cgep/Research/Perspectives/PCGIEPFinalCorrected%200201.pdf (accessed November 11, 2008).

———. 2004. "Corporate Governance, Innovation, and Economic Performance in the EU: Final Report," Targeted Socio-Economic Research (TSER) Report to the European Commission (DGXII) under the Fourth Framework Programme. Fountainbleu, France: INSEAD. http://www.insead.edu/v1/projects/cgep/Research/NationalSystems/GermanSystem310101.pdf (accessed November 11, 2008).

Lazonick, William, and Steven Quimby. 2007. "Transitions of a Displaced High-Tech Labor Force." In *The Future of Work in Massachusetts*, Tom Juravich, ed. Amherst, MA: University of Massachusetts Press, pp. 111–134.

Lazonick, William, and Oner Tulum. 2008. "U.S. Biopharmaceutical Finance and the Sustainability of the Biotech Boom." Paper presented at the Business History Conference, held in Sacramento, CA, April 10–12.

Leachman, Robert C., and Chien H. Leachman. 2004. "Globalization of Semiconductors: Do Real Men Have Fabs, or Virtual Fabs?" In *Locating Global Advantage: Industry Dynamics in the International Economy*, Martin Kenney with Richard Florida, eds. Palo Alto, CA: Stanford University Press, pp. 203–231.

Lécuyer, Christophe. 2000. "Fairchild Semiconductor and Its Influence." In *The Silicon Valley Edge: A Habitat for Innovation and Entrepreneurship*, Chong-Moon Lee, William Miller, Marguerite Hancock, and Henry Rowen, eds. Palo Alto, CA: Stanford University Press, pp. 158–183.

———. 2006. *Making Silicon Valley: Innovation and the Growth of High Tech, 1930–1970*. Cambridge, MA: MIT Press.

Lee, Charles S. 1998. "Remaking Korea, Inc." *Far Eastern Economic Review* (April 30): 10–14.

Lee, Chong-Moon, William F. Miller, Marguerite Gong Hancock, and Henry S. Rowen, eds. 2000. *The Silicon Valley Edge: A Habitat for Innovation and Entrepreneurship*. Palo Alto, CA: Stanford University Press.

Lee, Dal Hwan, Zong-Tae Bae, and Jinjoo Lee. 1991. "Performance and Adaptive Roles of the Government-Supported Research Institute in South Korea." *World Development* 19(10): 1421–1440.

Lee, Susan. 1991. "Train 'em Here: Foreign Students Crowd Our Schools for Advanced Scientific and Engineering Education." *Forbes* 147(11): 110–116.

Lemke, Mariann, Christopher Calsyn, Laura Lippman, Leslie Jocelyn, David Kastberg, Yan Yun Liu, Stephen Roey, Trevor Williams, Thea Kruger, and Ghedam Bairu. 2001. *Outcomes of Learning: Results from the 2000 Program for International Student Assessment of 15-Year-Olds in Reading, Mathematics, and Science Literacy*. Washington, DC: U.S. Department of Education, National Center for Education Statistics.

Lemke, Mariann, Arindita Sen, Erin Pahlke, Lisette Partelow, David Miller, Trevor Williams, David Kastberg, and Leslie Jocelyn. 2004. *International Outcomes of Learning in Mathematics Literacy and Problem Solving: PISA 2003 Results from the U.S. Perspective*. Washington, DC: U.S. Department of Education, National Center for Education Statistics.

Lenoir, Timothy, Nathan Rosenberg, Henry Rowen, Christophe Lécuyer, Jeannette Colyvas, and Brent Goldfarb. 2003. "Inventing the Entrepreneurial University: Stanford and the Co-Evolution of Silicon Valley." Paper presented at the Stanford University Social Science and Technology Seminar Series, held in Stanford, CA, November 19. http://siepr.stanford.edu/programs/SST_Seminars/Lenoir.pdf (accessed November 11, 2008).

Lent, George E., and John A. Menge. 1962. "The Importance of Restricted Stock Options in Executive Compensation." *Management Record* (June): 6–13.

Leow, Claire. 1992. "Intel Corp Plans US$80m Investment in Penang Plant." *Business Times Singapore*, November 13.

Lerner, Josh. 2002. "Boom and Bust in the Venture Capital Industry and the Impact on Innovation." *Economic Review* 87(4): 25–39.

Leslie, Stuart W. 1993a. "How the West Was Won: The Military and the Making of Silicon Valley." In *Technological Competitiveness: Contemporary and Historical Perspectives on the Electrical, Electronics, and Computer Industries*, William Aspray, ed. Los Alamitos, CA: IEEE Press, pp. 75–89.

———.1993b. *The Cold War and American Science: The Military-Industrial-Academic Complex at MIT and Stanford*. New York: Columbia University Press.

———. 2000. "The Biggest 'Angel' of Them All: The Military and the Making of Silicon Valley." In *Understanding Silicon Valley: The Anatomy of an Entrepreneurial Region*, Martin Kenney, ed. Palo Alto, CA: Stanford University Press, pp. 48–67.

Leslie, Stuart W., and Robert H. Kargon. 1996. "Selling Silicon Valley: Frederick Terman's Model for Regional Advantage." *Business History Review* 70(4): 435–472.

Levy, Frank, and Richard J. Murnane. 1992. "U.S. Earnings Levels and Earnings Inequality: A Review of Recent Trends and Proposed Explanations." *Journal of Economic Literature* 30(3): 1333–1381.

Lewellen, Wilbur. 1968. *Executive Compensation in Large Industrial Corporations*. New York: Columbia University Press.

Lewis, Anthony. 1956. "AT&T Settles Antitrust Case; Shares Patents." *New York Times*, January 25, A:1.

Lewis, Diane E. 1999. "Change in Pension Plan Stirs Union Talk at Big Blue." *Boston Globe*, July 25, G:1.

Lie, Erik. 2005. "On the Timing of CEO Stock Option Awards." *Management Science* 51(5): 802–812.
Lohr, Steve. 1994. "IBM Struggling with Task of Keeping Its Best People." *Austin American-Statesman*, January 23.
———. 2004. "I.B.M. Sought a China Partnership, Not Just a Sale." *New York Times*, December 13, C:1.
Loomis, Carol J. 2003. "The Whistleblower and the CEO." *Fortune* 148(1): 88–92, 94, 96.
Louis, Henock, and Hal White. 2007. "Do Managers Intentionally Use Repurchase Tender Offers to Signal Private Information? Evidence from Firm Financial Reporting Behavior." *Journal of Financial Economics* 85(1): 205–233.
Lowell, B. Lindsay. 2000. "H-1B Temporary Workers: Estimating the Population." Center for Comparative Immigration Studies Working Paper no. 12. San Diego, CA: University of California, San Diego, Center for Comparative Immigration Studies. http://www.ccis-ucsd.org/publications/wrkg12.PDF (accessed November 11, 2008).
Lowell, B. Lindsay, and Mark Regets. 2006. *A Half-Century Snapshot of the STEM Workforce, 1950–2000.* Commission on Professionals in Science and Technology, STEM Workforce Data Project, White Paper no. 1. Washington, DC: Commission on Professionals in Science and Technology.
Lowell, B. Lindsay, and Hal Salzman. 2007. "Into the Eye of the Storm: Assessing the Evidence on Science and Engineering Education, Quality, and Workforce Demand." Urban Institute Working Paper. Washington, DC: The Urban Institute. http://www.urban.org/UploadedPDF/411562_Salzman_Science.pdf (accessed November 11, 2008).
Lu, Qiwen. 2000. *China's Leap into the Information Age.* New York: Oxford University Press.
Lu, Qiwen, and William Lazonick. 2001. "The Organization of Innovation in a Transitional Economy: Business and Government in Chinese Electronic Publishing." *Research Policy* 30(1): 35–54.
Lucent Technologies. 2000. "Lucent Technologies Selects Massachusetts Site to become Global Optical Systems Integration Center." Press release, June 7. Murray Hill, NJ: Lucent Technologies.
———. 2002. *2001 10-K.* Murray Hill, NJ: Lucent Technologies.
———. 2003. *2002 10-K.* Murray Hill, NJ: Lucent Technologies.
Lynn, Kathleen. 1999. "For Older Workers, Cash-Balance Pension Plans Can Hurt." *Hackensack (NJ) Record*, May 20.
M2 Presswire. 1995. "Bell Atlantic Introduces 'Portable' Pension Plan for Management Employees." M2 Presswire, October 26.

———. 2005. "Intel Expands Research and Development in China." M2 Presswire. September 15.

Maddison, Angus. 2007. "Historical Statistics, World Population, GDP, and Per Capita GDP, 1–2003 AD." http://www.ggdc.net/maddison/Historical_Statistics/horizontal-file_03-2007.xls (accessed November 11, 2008).

Mailman, Stanley, and Stephen Yale-Loehr. 2003. "Foreign Nurses: Dealing with the Shortage." *New York Law Journal*, December 22.

Main, Frank. 1991. "BellSouth Has Several Options in Cutting La. Work Force, Spokesman Says." *Baton Rouge State-Times*, March 8.

Malone, Michael. 1985. "Union Worries Add New Cloud to High-Tech Industry's Horizon." *Dallas Morning News*, August 10.

Mandel, Michael, Anderson Forest, and Gary McWilliams. 1992. "No Help Wanted: Ongoing Layoffs are Hobbling the Recovery." *BusinessWeek*, September 21: 26–29.

Manners, David. 1997. "Hero of Our Time." *Electronics Weekly*, March 26.

Maragus, Nick. 2005. "Electronic Arts Settles Overtime Suit, Will Reclassify Entry-Level Artists." *Gamasutra News*, October 5. http://www.gamasutra.com/php-bin/news_index.php?story=6747 (accessed February 26, 2009).

Maremont, Mark D. 1984. "The New AT&T Struggles to Get to Its Feet." *BusinessWeek*, December 3.

Mathews, John A. 1997. "A Silicon Valley of the East: Creating Taiwan's Semiconductor Industry." *California Management Review* 39(4): 26–54.

Mathews, John A., and Dong-Sung Cho. 2000. *Tiger Technology: The Creation of a Semiconductor Industry in East Asia*. New York: Cambridge University Press.

Matloff, Norman. 2004. "On the Need for Reform of the H-1B Non-Immigrant Work Visa in Computer-Related Occupations." *University of Michigan Journal of Law Reform* 36(4): 1–99.

———. 2006a. "The Adverse Impact of Work Visa Programs on Older U.S. Engineers and Programmers." *California Labor and Employment Law Review* 20(4): 5–6, 24, 34.

———. 2006b. "IEEE-USA Hastening the Demise of the American Engineer." E-mail to H-1B/L-1/offshoring newsletter, April 10. http://heather.cs.ucdavis.edu/Archive/IEEEUSAHastensDemise.txt (accessed July 21, 2009).

Matsumoto, Miwao. 1999. "Reconsidering Japanese Industrialization: Marine Turbine Transfer at Mitsubishi." *Technology and Culture* 40(1): 74–97.

Maury, Mary, and Victoria Shoaf. 2001. "The Effects of Adopting Cash-Balance Pension Plans." *Business Horizons* 44(2): 67–74.

May, Jeff. 1998a. "AT&T Staff is Torn over Buyout Offer." *Newark Star-Ledger*, May 20.

———. 1998b. "Managers Denied Retirement Buyouts Sue AT&T." *Newark Star-Ledger*, September 9.

———.1999. "U.S. Judge Throws Out AT&T Managers' Suit." *Newark Star-Ledger*, October 16.

Mayer, David, and Martin Kenney. 2004. "Economic Action Does Not Take Place in a Vacuum: Understanding Cisco's Acquisition and Development Strategy." *Industry and Innovation* 11(4): 299–325.

McCabe, Kathy. 2007a. "Union Fights to Retain 250 Telecom Jobs." *Boston Globe*, October 7. http://www.boston.com/news/local/articles/2007/10/07/union_fights_to_retain_250_telecom_jobs/ (accessed December 1, 2008).

———. 2007b. "Workers Mourn 'Death of Ma Bell' as Plant Closes." *Boston Globe*, December 16. http://www.boston.com/news/local/massachusetts/articles/2007/12/16/workers_mourn_death_of_ma_bell_as_plant_closes/?page=1 (accessed December 1, 2008).

McCarthy, Ed. 1999. "Stock Buybacks: The Rules." *Journal of Accountancy* 187(5): 91–97.

McCash, Vicki. 1993. "BellSouth Announces More Cuts by 1996." *Fort Lauderdale Sun-Sentinel*, November 11.

McEnaney, Maura. 1985. "Semiconductors: Fear and Loathing on the Comeback Trail." *Computerworld*, December 30.

McKay, Martha. 2006. "Lucent Stockholders OK Pay Proposals." *Hackensack (NJ) Record*, February 16.

McNamee, Mike, and Susan Scherreik. 2003. "What the Cuts Mean to You." *BusinessWeek*, June 9: 40–42.

McNerney, Donald. 1996. "HR Practices: HR Adapts to Continuous Restructuring." *HR Focus* 73(May): 1, 4–6.

Mehran, Hamid, and Joseph Tracy. 2001. "The Impact of Employee Stock Options on the Evolution of Compensation in the 1990s." NBER Working Paper no. 8353. Cambridge, MA: National Bureau of Economic Research.

Menendez, Robert. 2008. "Democrats Tell Big Oil: Spend More on Production and Renewable Energy, Less on Stock Buybacks before Making Demands for New Drilling Leases." Press release, July 31. Washington, DC: Senator Robert Menendez, U.S. Senate. http://menendez.senate.gov/newsroom/record.cfm?id=301639 (accessed February 26, 2009).

Merritt, Rick. 2004. "Political Winds Hit Offshoring." *Electronic Engineering Times*, March 26, 66.

Microsoft. 2004. "Microsoft Outlines Quarterly Dividend, Four-Year Stock Buyback Plan, and Special Dividend to Shareholders." Press release, July 20. Redmond, WA: Microsoft. http://www.microsoft.com/presspass/press/2004/jul04/07-20boardPR.mspx (accessed February 26, 2009).

Milberg, William. 2008. "Shifting Sources and Uses of Profits: Sustaining U.S. Financialization with Global Value Chains." *Economy and Society* 37(3): 420–451.

Miller, Michael W. 1984. "Unions Curtail Organizing in High Tech." *Wall Street Journal*, November 13.

———. 1993. "IBM is Planning $2 Billion Charge to Slash Jobs." *Wall Street Journal*, July 2, A:3.

Mills, C. Wright. 1951. *White Collar: The American Middle Classes*. New York: Oxford University Press.

Mitchell, Jim. 1986. "TI Grasping the Future with Both Hands." *Dallas Morning News*, September 26.

Mitra, Raja M. 2007. "India's Emergence as a Global R&D Center." ITPS Working Paper R2007:012. Östersund, Sweden: Swedish Institute for Growth Policy Studies. http://www.itps.se/Archive/Documents/Swedish/Publikationer/Rapporter/Arbetsrapporter%20(R)/R2007/R2007_012_webb.pdf (accessed December 1, 2008).

Molloy, Chuck. 1989. "Hitachi Ltd. and Electronic Data Systems Form Hitachi Data Systems." Business Wire, May 1.

Monthly Labor Review. 1965. "Developments in Industrial Relations." *Monthly Labor Review* 88(5): 571.

Moore, Heidi. 2002. "High Stakes in N.Y. Suits Over IPOs." *National Law Journal*, April 22.

Morganthaler Ventures. 2008. *About Morganthaler*. Menlo Park, CA: Morganthaler Ventures. http://www.morgenthaler.com/about.asp (accessed February 26, 2009).

Morikawa, Hidemasa. 2001. *History of Top Management in Japan: Managerial Enterprises and Family Enterprises*. New York: Oxford University Press.

Morris, Martina, and Bruce Western. 1999. "Inequality in Earnings at the Close of the Twentieth Century." *Annual Review of Sociology* 25: 623–657.

Morrison, Scott. 2005. "HP to Launch 'Breakthrough' Inkjets." *Financial Times*, July 11, 27.

Morrow, David J. 2000a. "Talks Stall at Boeing, and Engineers Go on Strike." *New York Times*, February 10, C:1.

———. 2000b. "No Direct Talks Set by 2 Sides in Boeing Strike." *New York Times*, February 22, C:1.

Moskowitz, Milton. 1985. "Firms Do Like Their Employees." *San Francisco Chronicle*, August 28.

Moss, Philip. 2002. "Earnings Inequality and the Quality of Jobs: Current Research and a Research Agenda." In *Corporate Governance and Sustainable Prosperity*, William Lazonick and Mary O'Sullivan, eds. New York: Palgrave, pp. 183–225.

Mowery, David, and Richard Langlois. 1996. "Spinning Off and Spinning On(?): The Federal Government Role in the Development of the U.S. Computer Software Industry." *Research Policy* 25(6): 947–966.
Moxon, Richard. 1974. "Offshore Production in the Less Developed Countries: A Case Study of Multinationality in the Electronics Industry." Institute of Finance Bulletin nos. 98–99. New York: New York University.
Mulqueen, John T. 1989a. "Industry Watch: The Data Communications 100: A Year of Waiting for Another to Begin So Something Significant Could Happen." *Data Communications*, January 1.
———. 1989b. "Industry Watch: Connecting Nets, A Growth Business. T1 Links Take Bridge and Router Sales to New, and Brighter, Horizons." *Data Communications*, July 1.
Munnell, Alicia H., and Annika Sundén. 2006. "401(k) Plans Are Still Coming Up Short." Center for Retirement Research Issues in Brief no. 43. Chestnut Hill, MA: Center for Retirement Research at Boston College.
Murray, Andy. 2003a. "Lucent Property Sold." *Lawrence (MA) Eagle-Tribune*, September 3.
———. 2003b. "Breakup Haunts Lucent Workers." *Lawrence (MA) Eagle-Tribune,* April 20.
———. 2003c. "Lucent Trims 110 Jobs." *Lawrence (MA) Eagle-Tribune*, April 30.
National Center for Education Statistics. 2008. *Digest of Education Statistics, 2007*. Washington, DC: National Center for Education Statistics. http://nces.ed.gov/pubs2008/2008022.pdf (accessed December 1, 2008).
National Commission on Excellence in Education (NCEE). 1983. *A Nation at Risk: The Imperative for Educational Reform*. Washington, DC: Government Printing Office. http://www.ed.gov/pubs/NatAtRisk/risk.html (accessed December 1, 2008).
National Research Council. 1999. *Funding a Revolution: Government Support for Computing Research.* Washington, DC: National Academies Press.
National Science Board. 2004. *Science and Engineering Indicators 2004*. Arlington, VA: National Science Foundation. http://www.nsf.gov/statistics/seind04/ (accessed December 1, 2008).
———. 2008. *Science and Engineering Indicators 2008*. Arlington, VA: National Science Foundation. http://www.nsf.gov/statistics/seind08/ (accessed December 1, 2008).
National Science Foundation. 1993. "Human Resources for Science and Technology: The Asian Region." Surveys of Science Resources Series, Special Report, NSF 93-303. Arlington, VA: National Science Foundation.

———. 2003. *Survey of Industrial Research and Development*. Arlington, VA: National Science Foundation, Division of Science Resources Statistics. http://www.nsf.gov/statistics/srvyindustry/ (accessed December 1, 2008).
Netter, Jeffrey M., and Mark L. Mitchell. 1989. "Stock Repurchase Announcements and Insider Trading after the October 1987 Stock Market Crash." *Financial Management* 18(3): 84–96.
New Commission on the Skills of the American Workforce. 2007. *Tough Choices or Tough Times: The Report of the New Commission on the Skills of the American Workforce*. Washington, DC: National Center on Education and the Economy. http://skillscommission.org/report.htm (accessed December 1, 2008).
New York Times. 1959. "Investment Firm Formed in West." *New York Times*, August 14.
———. 1967. "Low Wages in Korea Attracting Foreign Investors." *New York Times,* January 20, 45.
———. 1968. "National Cash Register Strike Ends 67 Years of Labor Peace." *New York Times*, November 25, 34.
———. 1986. "Hewlett-Packard Retirement Plan." *New York Times*, June 13.
———. 2006. "Microsoft to Use Cash for Development, Not Share Buybacks." *New York Times*, June 1, C:11.
Newsbytes. 1995. "China-Intel Plans Assembly Plant in Shanghai." Newsbytes, June 7.
Nguyen, Thi. 2001. "Cisco's $3Bln Stock Buyback May Usher in Other Plans." Reuters News, September 14.
Nikkei Weekly. 2005. "Profit Streak Continues at Canon." *Nikkei Weekly*, March 14.
Niland, Powell. 1976. "Reforming Private Pension Plan Administration." *Business Horizons* 19(1): 25–35.
Noble, Kenneth B. 1981. "Stock Option Plans: Clouds on Horizon." *New York Times*, December 31, D:1.
Noone, Charles M., and Stanley M. Rubel. 1970. *SBICs: Pioneers in Organized Venture Capital*. Chicago: Capital Publishing Corp.
North, David S. 1995. *Soothing the Establishment: The Impact of Foreign-Born Scientists and Engineers on America*. Lanham, MD: University Press of America.
Nossiter, Bernard D. 1961. "Gore Seeks to Plug Stock Option Loophole." *Washington Post*, July 21.
Okimoto, Daniel I., and Yoshio Nishi. 1994. "R&D Organization in Japanese and American Semiconductor Firms." In *The Japanese Firm: The Sources of Competitive Strength*, Masahiko Aoki and Ronald Dore, eds. New York: Oxford University Press, pp.178–208.

Oliner, Stephen D., and Daniel E. Sichel. 2002. "Information Technology and Productivity: Where Are We Now and Where Are We Going?" *Federal Reserve Bank of Atlanta Economic Review* 87(3): 15–43.

O'Neill, Mark. 1998. "Legend Gives Intel Chief Millionth PC." *South China Morning Post*, May 7.

O'Reilly, Brian. 1992. "Your New Global Work Force." *Fortune* 126(December 14): 52–54.

O'Reilly, Charles A. 1998. "Cisco Systems: The Acquisition of Technology is the Acquisition of People." Stanford Business School Case HR10. Palo Alto, CA: Graduate School of Business, Stanford University.

O'Reilly, Charles A., and Jeffrey Pfeffer. 2000. "Cisco Systems: Acquiring and Retaining Talent in Hypercompetitive Markets." *Human Resource Planning* 23(3): 38–52.

Organisation for Economic Co-operation and Development (OECD). 2004. *Learning for Tomorrow's World: First Results from PISA 2003*. Paris: Programme for International Student Assessment, OECD.

O'Sullivan, Mary. 2000a. "The Innovative Enterprise and Corporate Governance." *Cambridge Journal of Economics* 24(4): 393–416.

———.2000b. *Contests for Corporate Control: Corporate Governance and Economic Performance in the United States and Germany*. New York: Oxford University Press.

———. 2002. "Corporate Control." In *The IEBM Handbook of Economics*, William Lazonick, ed. London: Thomson, pp. 129–155.

———. 2004. "What Drove the U.S. Stock Market in the Last Century?" INSEAD Working Paper. Fontainebleau, France: INSEAD.

———. 2007. "Funding New Industries: A Historical Perspective on the Financing Role of the U.S. Stock Market in the Twentieth Century." In *Financing Innovation in the United States, 1870 to the Present*, Naomi Lamoreaux and Kenneth Sokoloff, eds. Cambridge, MA: MIT Press, pp. 163–216.

———. Forthcoming. "The Deficiencies, Excesses and Control of Competition: The Development of the U.S. Stock Market from the 1930s to 2001." In *Balancing Public and Private Control: Germany and the U.S. in the Postwar Era*, Louis Galambos and Caroline Fohlin, eds. New York: Cambridge University Press.

Oyer, Paul, and Scott Schaefer. 2005. "Why Do Some Firms Give Stock Options to All Employees? An Empirical Examination of Alternative Theories." *Journal of Financial Economics* 76(1): 99–133.

Pace, Larry, and Dominick Argona. 1989. "Participatory Action Research: A View from Xerox." *American Behavioral Scientist* 32(5): 552–565.

Pace, Larry, and Eileen Kelly. 1998. "TQM at Xerox: Lessons Worth Duplicating." *International Journal of Technology Management* 16(4-6): 326–335.

Packard, David. 1995. *The HP Way: How Bill Hewlett and I Built Our Company*. New York: HarperBusiness.

Parker, Jeffrey. 1994a. "Intel's First China Chip Project Challenges Curbs." Reuters News, March 25.

———. 1994b. "Intel Pushes Software in China." *Reuters News*, December 5.

Patterson, William Pat. 1981. "Gathering Storm Clouds for Semiconductors." *Industry Week*, January 26.

———. 1982. "It's Semiconductors' Turn to Fight the Japanese." *Industry Week*, Feb 22.

Patton, Arch. 1988. "The Executive Pay Boom is Over." *Harvard Business Review* 66(5): 154–155.

Pearson, Drew. 1950. "Big Business Gets Tax Loopholes." *Washington Post*, September 5.

Pei, Jianfeng. 1994. "Intel May Produce Chips in Shanghai." *Business Weekly*, September 11.

Pension Benefit Guaranty Corporation. 2007. *Pension Insurance Data Book 2006, No. 11*. Washington, DC: Pension Benefit Guaranty Corporation.

Pensions and Investment Age. 1987. "Profiles." *Pensions and Investment Age*, January 26.

———. 1988. "Letters." *Pensions and Investment Age*, March 21.

———. 1989. "Profiles." *Pensions and Investment Age*, January 13.

Perkins, Anthony. 1994. "Venture Pioneers." *Red Herring*, February 1.

Pernia, Ernest M. 1976. "The Question of the Brain Drain from the Philippines." *International Migration Review* 10(1): 63–72.

Pierson, John, 1978, "Trend of Higher Levies on Capital Gains is Reversed as President Signs Tax Bill." *Wall Street Journal*, November 9.

Piketty, Thomas, and Emmanuel Saez. 2003. "Income Inequality in the United States, 1913–1998." *Quarterly Journal of Economics* 118(1): 1–39.

———. 2006. "The Evolution of Top Incomes: A Historical and International Perspective." *American Economic Review* 96(2): 200–205.

Piller, Dan. 2006. "Exxon Mobil Sets Record for Profits." *Fort Worth Star-Telegram*, January 31.

Pimentel, Benjamin. 2002a. "HP Tells Details of Layoff Scheme." *San Francisco Chronicle*, April 10, B:1.

———. 2002b. "As Tech Jobs Decrease, Interest in Unions Is Up." *San Francisco Chronicle*, July 18, B:1.

———. 2003. "The HP-Compaq Merger: One Year Later." *San Francisco Chronicle*, May 4, I:1.

Pirtle, Caleb III. 2005. *Engineering the World: Stories from the First 75 Years of Texas Instruments*. Dallas, TX: Southern Methodist University Press.

Poletti, Therese. 2001a. "Hewlett-Packard Workplace Philosophy Hits a Rough Patch." *San Jose Mercury News*, February 1.
———. 2001b. "Hewlett-Packard Announces Plans to Trim 3,000 Management Positions." *San Jose Mercury News*, April 19.
———. 2004. "IBM to Sell Majority Stake in PC Business to Chinese Firm." *San Jose Mercury News*, December 8.
Pollack, Andrew. 1985a. "The Daunting Power of IBM." *New York Times*, January 20, 3:1.
———. 1985b. "US–Korea Chip Ties Grow." *New York Times*, July 15, D:1.
Poole, Shelia M. 1991. "BellSouth Creates Management Unit." *Atlanta Journal-Constitution*, March 5, C:1.
Potter, Joseph C. 1953. "Good 'Human Relations' Keep Employees Happy and Put IBM at the Top of Its Field." *Wall Street Journal*, February 11.
Powell, Walter W., and Kaisa Snellman. 2004. "The Knowledge Economy." *Annual Review of Sociology* 30: 199–220.
PR Newswire. 1988. "American Immigration Lawyers Association Elects New President." PR Newswire, July 19.
———. 1989. "Xerox Wins National Quality Award." PR Newswire, November 2.
———. 1991. "BellSouth Reports about 3,100 Managers Elect Early Retirement." PR Newswire, August 13.
———. 1994. "FASB Drops Controversial Stock Option Proposal; Elects Footnote Disclosure." PR Newswire, December 14.
———. 1998. "IEEE-USA Releases 'Misfortune 500' List of Displaced High-Tech Workers." PR Newswire, October 12.
———. 1999a. "Communications Workers to 14 Western Governors: Qwest Takeover Would Further Undermine Phone Services, Slash Jobs and Investment." PR Newswire, June 21.
———. 1999b. "IBM Employees Forming Nationwide Organization: Alliance@IBM/CWA." PR Newswire, September 21.
———. 2001. "Hewlett Family Members and William R. Hewlett Revocable Trust to Vote against Hewlett-Packard/Compaq Merger." PR Newswire, November 6.
———. 2003. "Lucent Technologies Reaches Agreement to Settle Shareowner Class Action." PR Newswire, March 28.
Prencipe, Loretta W. 2001. "Lucent's Early-Out Brings Questions." InfoWorld, August 10. http://www.infoworld.com/articles/pe/xml/01/08/13/010813peknow.html (accessed December 2, 2008).
Press Trust of India. 2007. "Two Indian BPO Firms in World's 'Hot Growth' Companies List." Press Trust of India, May 28.

PricewaterhouseCoopers. 2008a. *MoneyTree Report*. London: PricewaterhouseCoopers. https://www.pwcmoneytree.com/MTPublic/ns/index.jsp (accessed February 26, 2009).

———. 2008b. *MoneyTree Report–Historical Trend Data*. London: PricewaterhouseCoopers. https://www.pwcmoneytree.com/MTPublic/ns/nav.jsp?page=historical (accessed February 26, 2009).

Prokesch, Steven. 1985. "Xerox Halts Japanese March." *New York Times*, November 6, D:1.

Pryor, Frederic L. 2007. "The Anatomy of Increasing Inequality of U.S. Family Incomes." *Journal of Socio-Economics* 36(4): 595–618.

Rai, Saritha. 2003. "In India, a High-Tech Outpost for U.S. Patents." *New York Times*, December 15, C:4.

Raleigh News and Observer. 1996. "Ex-IBMers File Redux of Suit against Severance Tax." *Raleigh News and Observer*, March 29, C:9.

Ramirez, Anthony. 1992. "BellSouth to Cut 8,000 from Work Force." *New York Times*, November 7, A:37.

Ramstad, Evan. 1994a. "IBM's Year Marked by Series of Upheavals." *Austin American-Statesman*, January 1.

———. 1994b. "Ex-IBMers Confront IRS Over Taxes." Associated Press, May 24.

———. 1994c. "Ex-IBM Workers Battle IRS." *San Francisco Chronicle*, June 1.

Ramstad, Evan, and Qin Juying. 2006. "Intel Pushes Chip Production Deep into China." *Wall Street Journal*, May 23, B:1.

Rankin, Deborah. 1981. "Applause for the 'Incentive' Stock Option." *New York Times*, August 16, 3:15.

Rapoport, Michael. 2001. "Stock Buybacks Could Help Bolster Market When It Reopens." Dow Jones News Service, September 14.

Rappaport, Alfred, and Mark L. Sirower. 1999. "Stock or Cash? The Trade-Offs for Buyers and Sellers in Mergers and Acquisitions." *Harvard Business Review* 77(6): 56–58.

Rayburn, Frank, and Ollie Powers. 1991. "A History of Pooling of Interests Accounting for Business Combinations in the United States." *Accounting Historians Journal* 18(2): 155–192.

Reid, T.R. 1985. *The Chip: How Two Americans Invented the Microchip and Launched a Revolution*. New York: Random House.

Reiner, Martha L. 1989. "The Transformation of Venture Capital: A History of Venture Capital Organization in the United States." PhD diss., University of California, Berkeley.

Reuters News. 1988. "Workers Occupy Computer Room of Motorola Factory." Reuters News, December 29.

———. 1999a. "Qwest, U.S. West See $4.4 Bln in Cost Savings." Reuters News, July 18.
———. 1999b. "Legend, Intel to Boost China Internet Use." Reuters News, March 8.
———. 2001. "Table—Company Share Buybacks Announced Since U.S. Attacks." Reuters News, September 18.
Ribbing, Mark. 1998. "AT&T to Cut as Many as 18,000 Jobs." *Baltimore Sun*, January 27, 1:C.
Riley, James. 1994. "Intel Out to Expand China PC Activities." *South China Morning Post*, September 6.
Riley, Sheila. 2001. "Tech Slowdown: HP Tries Range of Cost-Cutting Plans amid Shortfall." *Investor's Business Daily*, August 2.
Roach, Stephen S. 2003. "The Index of Missing Economic Indicators: The Productivity Paradox." *New York Times*, November 30, 4:9.
Robertson, Jordan. 2008. "HP Surprises Wall Street with Size of EDS Job Cuts." Associated Press, September 16.
Rock, Arthur. 2000. "Arthur Rock and Co." In *Done Deals: Venture Capitalists Tell Their Stories*, Udayan Gupta, ed. Boston: Harvard Business School Press, pp. 139–148.
Rohrer, Julie. 1995. "IBM Rethinks Pensions." *Institutional Investor*, March 1.
Romano, Benjamin J. 2006. "Ballmer Defends Microsoft's Spending Increase." *Seattle Times*, May 1. http://community.seattletimes.nwsource.com/archive/?date=20060502&slug=microsoft02 (accessed December 2, 2008).
Rosegrant, Susan, and David R. Lampe. 1992. *Route 128: Lessons from Boston's High-Tech Community*. New York: Basic Books.
Rosenbloom, Richard. 2000. "Leadership, Capabilities, and Technological Change: The Transformation of NCR in the Electronic Era." *Strategic Management Journal* 21(10/11): 1083–1103.
Ross, Nancy L. 1979. "New Law Gives Money Managers Breathing Space." *Washington Post*, July 15, G:4.
Rugaber, Christopher S. 2007. "Supreme Court Refuses to Hear IBM Pension, Workplace Retaliation Cases." Associated Press, January 16.
Ryan, Margaret. 1990. "Cuts to Affect Engineers." *Electronic Engineering Times*, February 5.
Sabin, Russell. 1986. "Intel's Man in China Chips Away at Vast Market." *San Francisco Chronicle*, April 28.
Sabow, Steven, and Erin Milligan. 2000. "Trends in Broad-Based Stock Option Plans." *Journal of Employee Ownership, Law, and Finance* 12(2): 99–105.
Saez, Emmanuel. 2005. "Top Incomes in the United States and Canada over the Twentieth Century." *Journal of the European Economic Association* 3(2–3): 402–411.

Sahlman, William A. 1990. "The Structure and Governance of Venture Capital Organizations." *Journal of Financial Economics* 27(2): 473–521.

Salih, Kamal, and Mei Ling Young. 1987. "Social Forces, the State, and the International Division of Labour: The Case of Malaysia." In *Global Restructuring and Territorial Development*, Jeffrey Henderson and Manuel Castells, eds. London: Sage Publications: pp. 168–202.

San Francisco Chronicle. 2002. "HP to Begin Worker Cuts." *San Francisco Chronicle*, May 13, E:1.

Sawyer, Kathy. 1984. "Unions Striking Out in High-Tech Firms." *Washington Post*, March 18.

Saxenian, AnnaLee. 1994. *Regional Advantage: Culture and Competition in Silicon Valley and Route 128*. Cambridge, MA: Harvard University Press.

———. 2006. *The New Argonauts: Regional Advantage in a Global Economy*. Cambridge, MA: Harvard University Press.

Saxenian, AnnaLee, and Jinn-Yuh Hsu. 2001. "The Silicon Valley-Hsinchu Connection: Technical Communities and Industrial Upgrading." *Industrial and Corporate Change* 10(4): 893–920.

Schmeck, Harold M., Jr. 1973. "Asia Biggest Source of Brain Drain to U.S." *New York Times*, January 13, A:28.

Schultz, Ellen E. 2000 "Pension Cuts 101: Companies Find Subtle Ways to Pare Retirement Benefits." *Wall Street Journal*, July 27, A:1.

Schultz, Ellen E., and Theo Francis. 2006. "IBM Ruling Paves Way for Changes to Pensions: Appeals Court's Reversal of Discrimination Finding to Aid Cash Balance Plans." *Wall Street Journal*, August 8, A:3.

Schultze, Charles L. 1999. "Downsized and Out: Job Security and American Workers." *Brookings Review* 17(4): 9–17.

Schuyten, Peter J. 1979. "To Clone a Computer: Neophyte National Semiconductor Has Jolted the Industry." *New York Times*, February 4, F:1.

Scott, A.J. 1987. "The Semiconductor Industry in South-East Asia: Organization, Location, and the International Division of Labour." *Regional Studies* 21(2): 143–160.

Sebaly, Kim Patrick. 1972. "The Assistance of Four Nations in the Establishment of the Indian Institutes of Technology, 1945–1970." PhD dissertation. Ann Arbor, MI: University of Michigan.

Securities and Exchange Commission (SEC). 1963. *Report of the Special Study of the Securities Markets of the Securities and Exchange Commission*. H.R. Doc. no. 95, 88th Cong., 1st sess. Washington, DC: Government Printing Office.

Seipel, Tracy. 2001. "Co-Founder's Son is Displeased with Direction of Hewlett-Packard." *San Jose Mercury News*, November 7.

Seipel, Tracy, and Therese Poletti. 2002. "Hewlett Files Suit over Merger Vote." *San Jose Mercury News*, March 29.

Seligman, Joel. 1995. *The Transformation of Wall Street: A History of the Securities and Exchange Commission and Modern Corporate Finance*, 2d. ed., rev. Boston: Northeastern University Press.

Semiconductor Equipment and Materials International (SEMI). 1995. "Silicon Valley Genealogy Chart." San Jose, CA: SEMI.

Sesil, J., M. Kroumova, J. Blasi, and D. Kruse. 2002. "Broad-Based Employee Stock Options in U.S. 'New Economy' Firms." *British Journal of Industrial Relations* 40(2): 273–294.

Shabecoff, Philip. 1970. "South Korea's Economy Booming with Cheap Labor." *New York Times*, May 12, 57.

Shanghai Star. 1994. "Intel to Help Set Up PC Standards." *Shanghai Star*, September 9.

Sharma, Dinesh. 2004. "AMD to Open Engineering Center in India." CNET-News.com, April 22.

Sharpston, Michael. 1975. "International Sub-Contracting." *Oxford Economic Papers* 27(1): 94–135.

Shenkman, Albert S. 1954. "Higher Education in India." *Far Eastern Survey* 23(2): 24–28.

Shiller, Robert. 2000. *Irrational Exuberance.* Princeton, NJ: Princeton University Press.

Shleifer, Andre, and Lawrence Summers. 1988. "Breach of Trust in Hostile Takeovers." In *Corporate Takeovers: Causes and Consequences*, Alan J. Auerbach, ed. Cambridge, MA: National Bureau of Economic Research, pp. 33–56.

Siegel, Jeremy J. 2008. *Stocks for the Long Run: The Definitive Guide to Financial Market Returns and Long-Term Investment Strategies*, 4th ed. New York: McGraw-Hill.

Sigurdson, Jon. 1980. *Technology and Science in the People's Republic of China.* New York: Oxford University Press.

Simison, Robert. 1985. "Texas Instruments Hopes for Better Times." *Wall Street Journal*, June 14, A:6.

Solow, Robert S. 1987. "We'd Better Watch Out." *New York Times Book Review*, July 12, 36.

Sorokina, Olga, Anthony Webb, and Dan Muldoon. 2008. "Pension Wealth and Income: 1992, 1998, and 2004." Center for Retirement Research Issue in Brief no. 8-1. Chestnut Hill, MA: Center for Retirement Research at Boston College.

Souder, Elizabeth. 2008. "Exxon's 17% Gain Disappoints, Irritates." *Dallas Morning News*, May 2. http://www.dallasnews.com/sharedcontent/dws/bus/industries/energy/stories/DN-exxon_02bus.ART.State.Edition1.4626ce1.html (accessed December 2, 2008).

Spaeth, Anthony. 1984. "Korean Companies Set Expensive Plans to Make Microchip Plants Competitive." *Wall Street Journal*, February 8.

Sporck, Charles E., with Richard L. Molay. 2001. *Spinoff: A Personal History of the Industry That Changed the World*. Saranac Lake, NY: Saranac Lake Publishing.

Sprout Group. 2009. *Our Team*. New York: Sprout Group. http://www.sproutgroup.com/janet_hickey.shtml (accessed February 26, 2009).

Stark, Louis. 1940. "Say NLRB Dragged Case to Aid CIO." *New York Times*, May 1, 17.

Starobin, Paul. 1989. "Democrats Unlikely to Block FCC's Price-Cap Plan." *Congressional Quarterly Weekly Report*, March 4.

Stone, Katherine V.W. 2004. *From Widgets to Digits: Employment Regulation for the Changing Workplace*. New York: Cambridge University Press.

Stroud, Jerri. 1988. "SW Bell Sets Up Technology Unit." *St. Louis Post-Dispatch*, October 30.

Sturgeon, Timothy J. 2002. "Modular Production Networks: A New American Model of Industrial Organization." *Industrial and Corporate Change* 11(3): 451–496.

Subramanyam, R. 2005. "Intel Sets Up Circuit Research Lab in B'lore." *Economic Times*, May 25.

Sun Microsystems. 2004. *2003 10-K*. Santa Clara, CA: Sun Microsystems.

Suttmeier, Richard P. 1975. "Science Policy Shifts, Organizational Change, and China's Development." *China Quarterly* 62: 207–241.

Swoboda, Frank. 1992. "Cooperation Worth Copying? In N.Y., Xerox and Its Union Team to Keep U.S. Jobs from Moving to Mexico." *Washington Post*, December 13, H:1.

Sycamore Networks. 2006. *2005 10-K*. Chelmsford, MA: Sycamore Networks.

———. 2008. "Sycamore Networks, Inc., Reports Fourth Quarter and Fiscal Year 2008 Financial Results." Press release, September 5. Chelmsford, MA: Sycamore Networks. http://media.corporate-ir.net/media_files/irol/94/94677/sycamore2008q4.pdf (accessed February 26, 2009).

Szabo, Joan C. 1989. "Opening Doors for Immigrants." *Nation's Business*, August 1: 48.

Taiwan Industry Semiconductor Association. 2007. *Overview on Taiwan Semiconductor Industry (2007 Edition)*. Chutung, Hsinchu, Taiwan: Taiwan Industry Semiconductor Association. http://www.tsia.org.tw/eng/Files/Publication/2007%20Overview%E8%8B%B1%E6%96%87.pdf (accessed December 3, 2008).

Takahashi, Dean. 2003. "Hewlett-Packard Reports Profit Boost as Employees Lose Jobs." *San Jose Mercury News*, May 21.

———. 2004. "Hewlett-Packard to Add 1,400 Jobs." *San Jose Mercury News*, June 10.

Tarrant, Bill. 1991. "IBM Set to Return to India." *Reuters News*, August 28.

Tata Consultancy Services (TCS). *2008. Annual Report, 2007–2008*. Mumbai: TCS.

Teal, Gordon K.. 1991. "Gordon K. Teal: An Interview Conducted by Andrew Goldstein." New Brunswick, NJ: IEEE History Center, Rutgers University. http://www.ieee.org/portal/cms_docs_iportals/iportals/aboutus/history_center/oral_history/pdfs/Teal136.pdf (accessed October 23, 2008).

Teather, David. 2002. "'Flipping' Goldman Fingered." *Guardian*, October 4, 22.

Teitelbaum, Michael S. 1996. "Too Many Engineers, Too Few Jobs." *New York Times*, March 19, A:23.

———. 2004. "Do We Need More Scientists?" In *The U.S. Scientific and Technical Workforce: Improving Data for Decisionmaking*, Terence K. Kelly, William P. Butz, Stephen Carroll, David M. Adamson, and Gabrielle Bloom, eds. Santa Monica, CA: RAND Corporation, pp. 11–20.

Tenorio, Vyvyan. 1985. "The Big Computer Catch-Up Begins." *Australian Financial Review*, July 31, 13.

Tilton, John E. 1971. *International Diffusion of Technology: The Case of Semiconductors*. Washington, DC: Brookings Institution.

Tripathi, Salil. 1992. "India Approves Seven Foreign Investment Plans Worth S$685m." *Business Times Singapore*, January 15.

Tully, Shawn. 1993. "Managing the Modular Corporation." *Fortune* 127(3): 106–115.

Tumulty, Brian. 2003. "Age Bias Claim Tested in IBM Pension Conversion Case." Gannett News Service, June 5.

Tyler, David. 2005. "Health Plan Still in Xerox Contract." *Rochester Democrat and Chronicle*, March 15.

Uchitelle, Louis. 1990. "Unequal Pay Widespread in U.S." *New York Times*, August 14, D:1.

United Press International. 1985. "Texas Inst. Looks to Grab Fast-Growing Asia Market." United Press International, August 19.

U.S. Bureau of Labor Statistics. 2007. *BLS Collective Bargaining Agreements File: Online Listings of Private and Public Sector Agreements*. Washington, DC: U.S. Bureau of Labor Statistics. http://www.dol.gov/esa/olms/regs/compliance/cba/index.htm (accessed February 26, 2009).

———. 2008a. *Table 2. Retirement Benefits: Access, Participation, and Take-Up Rates, Private Industry Workers, National Compensation Survey, March 2008*. Washington, DC: U.S. Bureau of Labor Statistics. http://www.bls.gov/ncs/ebs/benefits/2008/ownership/private/table02a.pdf (accessed December 3, 2008).

———. 2008b. "Union Members in 2007." Economic News Release USDL-08-0092, January 25. Washington, DC: U.S. Bureau of Labor Statistics. http://www.bls.gov/news.release/union2.nr0.htm (accessed December 3, 2008).

U.S. Census Bureau. 1976. *Historical Statistics of the United States from the Colonial Times to the Present*. Washington, DC: U.S. Government Printing Office.

———. 1997. *1997 NAICS and 1987 SIC Correspondence Tables*. Washington, DC: U.S. Census Bureau. http://www.census.gov/epcd/www/naicstab.htm (accessed February 26, 2009).

———. 2004. *Statistical Abstract of the United States, 2004*. Washington, DC: U.S. Government Printing Office.

———. 2005. *Statistical Abstract of the United States, 2005*. Washington, DC: U.S. Government Printing Office.

———. 2008a. *Censtats: County Business Patterns Data (SIC & NAICS)*. Washington, DC: U.S. Census Bureau. http://censtats.census.gov/ (accessed February 26, 2009).

———. 2008b. *Foreign Trade Statistics, Advanced Technology Product Data—Imports and Exports*. Washington, DC: U.S. Census Bureau. http://www.census.gov/foreign-trade/statistics/product/atp/select-atpctry.html (accessed February 26, 2009).

———. 2008c. "Annual Capital Expenditure Surveys, 1994–2006." Washington, DC: U.S. Census Bureau. http://www.census.gov/csd/ace/pubs.html (accessed December 3, 2008).

———. 2008d. *International Data Base—Country Summaries*. Washington, DC: U.S. Census Bureau. http://www.census.gov/ipc/www/idb/summaries.html (accessed February 26, 2009).

———. 2008e. "Foreign Trade Statistics—Country and Product Trade Data." Washington, DC: U.S. Census Bureau. http://www.census.gov/foreign-trade/statistics/country/index.html (accessed February 26, 2009).

———. 2008f. *Statistical Abstract of the United States, 2008*. Washington, DC: U.S. Government Printing Office. http://www.census.gov/compendia/statab/ (accessed December 3, 2008).

———. 2009.`*Historical Income Tables—Families: Table F-4, Gini Ratios for Families, by Race and Hispanic Origin of Householder: 1947 to 2007*. Washington, DC: U.S. Census Bureau. http://www.census.gov/hhes/www/income/histinc/f04.html (accessed February 26, 2009).

U.S. Citizenship and Immigration Services. 2005. "USCIS Reaches H-1B Cap." Press Release, August 12. Washington, DC: U.S. Citizenship and Immigration Services. http://www.uscis.gov/files/pressrelease/H-1Bcap_12Aug05.pdf (accessed February 26, 2009).

U.S. Congress. 2009. *Economic Report of the President*. Washington, DC: U.S. Government Printing Office.

U.S. Department of Commerce. 2003. *Digital Economy 2003*. Washington, DC: U.S. Department of Commerce, Economics and Statistics Administration. http://www.esa.doc.gov/2003.cfm (accessed December 3, 2008).

U.S. Department of Homeland Security. 2003a. *2002 Yearbook of Immigration Statistics*. Washington, DC: U.S. Department of Homeland Security, Office of Immigration Statistics. http://www.dhs.gov/xlibrary/assets/statistics/yearbook/2002/Yearbook2002.pdf (accessed July 13, 2009).

———. 2003b. Characteristics of Specialty Occupation Workers (H-1B): Fiscal Year 2002. Washington, DC: U.S. Department of Homeland Security, Office of Immigration Statistics. http://www.uscis.gov/files/article/FY2002Charact.pdf (accessed July 13, 2009).

———. 2004a. *2003 Yearbook of Immigration Statistics*. Washington, DC: U.S. Department of Homeland Security, Office of Immigration Statistics. http://www.dhs.gov/xlibrary/assets/statistics/yearbook/2003/2003Yearbook.pdf (accessed July 13, 2009).

———. 2004b. Characteristics of Specialty Occupation Workers (H-1B): Fiscal Year 2003. Washington, DC: U.S. Department of Homeland Security, Office of Immigration Statistics. http://www.uscis.gov/files/article/FY-03H1BFnlCharRprt.pdf (accessed July 13, 2009).

———. 2006a. *2004 Yearbook of Immigration Statistics*. Washington, DC: U.S. Department of Homeland Security, Office of Immigration Statistics. http://www.dhs.gov/xlibrary/assets/statistics/yearbook/2004/Yearbook2004.pdf (accessed July 13, 2009).

———. 2006b. *2005 Yearbook of Immigration Statistics*. Washington, DC: U.S. Department of Homeland Security, Office of Immigration Statistics. http://www.dhs.gov/xlibrary/assets/statistics/yearbook/2005/OIS_2005_Yearbook.pdf (accessed July 13, 2009).

———. 2006c. Characteristics of Specialty Occupation Workers (H-1B): Fiscal Year 2004. Washington, DC: U.S. Department of Homeland Security, U.S. Citizenship and Immigration Services. http://www.uscis.gov/files/nativedocuments/H1B_FY04_Characteristics.pdf (accessed July 13, 2009).

———. 2007. *2006 Yearbook of Immigration Statistics*. Washington, DC: U.S. Department of Homeland Security, Office of Immigration Statistics. http://www.dhs.gov/xlibrary/assets/statistics/yearbook/2006/OIS_2006_Yearbook.pdf (accessed July 13, 2009).

———. 2008. *2007 Yearbook of Immigration Statistics*. Washington, DC: U.S. Department of Homeland Security, Office of Immigration Statistics. http://www.dhs.gov/xlibrary/assets/statistics/yearbook/2007/ois_2007_yearbook.pdf (accessed July 13, 2009).

U.S. Department of Labor. 2007. *Labor Condition Applications and Requirements for Employers Using Nonimmigrants on H-1B Visas in Specialty Occupations and as Fashion Models, and Labor Attestation Requirements for Employers Using [04/01/2005]*. Washington, DC: U.S. Department of Labor. http://www.dol.gov/eta/regs/fedreg/proposed/2005006454.htm (accessed February 26, 2009).

———. 2008. "Occupational Employment Statistics." Washington, DC: U.S. Department of Labor. http://www.bls.gov/oes/home.htm (accessed February 26, 2009).

U.S. Department of State. 2009. *Visa Statistics: Reports of the Visa Office, 2000–2008*. Reports for years 1997–1999 available from State Department upon request. Washington, DC: U.S. Department of State, Bureau of Consular Affairs. http://travel.state.gov/visa/frvi/statistics/statistics_1476.html (accessed July 15, 2009).

U.S. General Accounting Office. 2003. *H-1B Foreign Workers: Better Tracing Needed to Help Determine H-1B Program's Effects on U.S, Workforce*. Report to the Ranking Minority Member, Subcommittee on Environment, Technology, and Standards, Committee on Science, House of Representatives. GAO-03-883. Washington, DC: U.S. Government Accounting Office. http://www.gao.gov/new.items/d03883.pdf (accessed December 4, 2008).

U.S. House of Representatives. 1990. "Joint Hearings before the Subcommittee of Immigration, Refugees, and International Law of the Committee on the Judiciary and the Immigration Task Force of the Committee on Education and Labor." 101st Congress, Second Session, on S. 358, H.R. 672, H.R. 2448, H.R. 2646, and H.R 4165, Immigration Act of 1989, February 21, March 1, 7, 13, and 14. Washington, DC: U.S. House of Representatives.

U.S. Newswire. 1992. "'Justice for Janitors' Campaign Adds Hewlett-Packard to Victory List." U.S. Newswire, August 6.

Van der Kroef, Justus M. 1968. "Asia's 'Brain Drain': The Causes Are Complex and Not Wholly Economic." *Journal of Higher Education* 39(5): 241–253.

Van Jaarsveld, Danielle D. 2004. "Collective Representation among High-Tech Workers at Microsoft and Beyond: Lessons from WashTech/CWA." *Industrial Relations* 43(2): 364–385.

Vaughan, Jessica. 2003. "Shortcuts to Immigration: The 'Temporary' Visa Program is Broken." *Backgrounder* (January): 1–15. http://www.cis.org/articles/2003/back103.pdf (accessed December 4, 2008).

Vermaelen, Theo. 2005. *Share Repurchases: Foundations and Trends in Finance*. Hanover, MA: Now Publishers.

Vickers, Marcia, and Mike France. 2002. "How Corrupt is Wall Street?" *BusinessWeek*, May 13: 36–42.

Vosti, Curtis. 1992. "Hybrids Are Taking Root: IRS Nod Provides Boon to Popular Cash Balance Plans." *Pensions & Investments* 20(1): 17, 20.

Voxant FD (Fair Disclosure) Wire. 2006. "Microsoft at Sanford C. Bernstein and Co. Strategic Decisions Conference—Final." Herndon, VA: Voxant.

Wade, Robert. 1990. *Governing the Market: Economic Theory and the Role of Government in East Asian Industrialization*. Princeton, NJ: Princeton University Press.

Wadhwa, Vivek, Gary Gereffi, Ben Rissing, and Ryan Ong. 2007. "Where the Engineers Are." *Issues in Science and Technology* 23(3): 73–84.

Wall Street Journal. 1958. "IBM Puts Hourly-Rated Workers on a Salary Basis." *Wall Street Journal*, January 31.

———. 1959. "Fairchild Camera Acquires All Common of Semiconductor Firm." *Wall Street Journal*, October 9: 20.

———. 1974a. "SEC Moves Closer to Goal of Ending Fixed Fees by May 1." *Wall Street Journal*, October 25, A:4.

———. 1974b. "Intel Closes Two Plants in California for Week Due to Slowing Business." *Wall Street Journal*, September 4.

———. 1984. "Intel Begins Shipment under Chinese Contract." *Wall Street Journal*, December 12.

Wallace, Richard. 2005. "Intel Spies Opportunities Aplenty for China Growth." *Electronic Engineering Times*, August 8, 1.

Wallman, S, K. Wallman, and G. Aronow. 1999. "Pooling-of-Interests Accounting and High Growth Economy Companies." Submitted to the Financial Accounting Standards Board. Great Falls, VA: Wallman Consulting. http://www.wallman.com/pdfs_etc/fasb.pdf (accessed December 4, 2008).

Warner, Melanie. 2000. "Friends and Family: Sycamore Gave Lots of 'Directed Shares' To a Key Customer." *Fortune* (March 20). http://money.cnn.com/magazines/fortune/fortune_archive/2000/03/20/276388/index.htm (accessed December 4, 2008).

Washington Post. 1963. "Text of Special Message on Tax Reduction and Reform." *Washington Post*, January 25, A:12.

———. 1982. "Kodak, Xerox Layoffs Set." *Washington Post*, August 24, D:8.

WashTech. 2008. *About WashTech*. Seattle, WA: WashTech. http://www.washtech.org/about/ (accessed February 26, 2009).

Watson, Lloyd. 1988. "Another S.F. First—A Consumer Data Bank." *San Francisco Chronicle*, January 27.

Watson, Thomas J., Jr., and Peter Petre. 1990. *Father, Son and Co.: My Life at IBM and Beyond*. New York: Bantam Books.

Weinstein, Eric. 1998. "How and Why Government, Universities, and Industry Create Domestic Labor Shortages of Scientists and High-Tech Workers." NBER/PEAT working paper. Cambridge, MA: National Bureau of Economic Research. http://www.nber.org/~peat/PapersFolder/Papers/SG/NSF.html (accessed December 4, 2008).

Weisbenner, Scott J. 2000. "Corporate Share Repurchases in the 1990s: What Role Do Stock Options Play?" FEDS Working Paper 2000-29. Washington, DC: Federal Reserve Board of Governors. http://www.federalreserve.gov/pubs/feds/2000/200029/200029pap.pdf (accessed July 20, 2009).

Wells, Rob. 2004. "U.S. House Backs Court Cash Balance Pension Plan Decision." Dow Jones International News, September 22.

Wharton, John. 1990. "Top 10 List: Intel's Technological Detours en Route to Success." InfoWorld, April 9.

Whyte, William H. 1956. *The Organization Man*. New York: Simon & Schuster.

Williams, Fred. 1995. "3 Baby Bells Select Cash Balance Plans." *Pensions and Investments* 23(23): 1, 55.

———. 1997. "SBC Picks Cash Balance: Company is 6th RBOC to Modify Its Pension Plan." *Pensions and Investments* 25(11): 3, 46.

Williamson, Oliver E. 1985. *The Economic Institutions of Capitalism*. New York: Free Press.

———. 1996. *The Mechanisms of Governance*. New York: Oxford University Press.

Wilson, Gretchen, and Mike Blain. 2001. "Organizing in the New Economy: The Amazon.com Campaign." *Working USA* 5(2): 32–58.

Wilson, John W. 1986. *The New Venturers: Inside the High-Stakes World of Venture Capital*. Reading, MA: Addison-Wesley.

Wohn, Dong-Hee. 2005. "Chip Developers See Korea as Ideal for R&D Centers." Joins.com, May 20.

Wong, Nicole C. 2006. "HP Uses Worker 'Churn' to Hone Its 'Edge.'" *Oakland Tribune*, December 26.

World Accounting Report. 1994. "Congress Threatens to Overrule FASB." *World Accounting Report*, February 23.

World Bank. 1993. *The East Asian Miracle: Economic Growth and Public Policy*. New York: Oxford University Press.

Wyatt, Lindsay. 1996. "Hybrid Plans Fit Evolving Workforce." *Pension Management* 32(3): 12–19.

Xerox. 2006. *2006 Report on Global Citizenship*. Norwalk, CN: Xerox. http://www.xerox.com/downloads/usa/en/c/citizenshipreport06.pdf (accessed July 8, 2009).

Xie, Wie, and Steven White. 2004. "Sequential Learning in a Chinese Spin-Off: The Case of Lenovo Group Ltd." *R&D Management* 34(4): 407–422.

Xinhua Financial Network. 2003. "Intel, China's Legend Group Set Up Technology Center in Beijing." Xinhua Financial Network, August 28.
Xinhua News Agency. 1991. "State Councillor Meets U.S. Businessman." Xinhua News Agency, March 8.
———. 2006. "HP China to Hire over 1,000 People, Biggest Ever." Xinhua News Agency, May 13.
Yale-Loehr, Stephen. 2003a. "Testimony of Mr. Stephen Yale-Loehr, Cornell Law School, September 16." U.S. Congress. Senate Committee on the Judiciary. Examining the Importance of the H-1B Visa to the American Economy, 108th Cong., 1st sess. http://judiciary.senate.gov/hearings/testimony.cfm?id=913&wit_id=2611 (accessed December 4, 2008).
———. 2003b. "Testimony of Mr. Stephen Yale-Loehr, Adjunct Professor, Cornell Law School, July 29." U.S. Congress. Senate Committee on the Judiciary. Subcommittee on Immigration and Border Security. The L-1 Visa and American Interests in the 21st Century, 108th Cong., 1st sess. http://judiciary.senate.gov/hearings/testimony.cfm?id=878&wit_id=2520 (accessed December 4, 2008).
Yang, Dori Jones, and Laxmi Nakarmi. 1989. "Is the Era of Cheap Asian Labor Over?" *BusinessWeek*, May 15: 45–46.
Yee, Ho Siew. 2005. "Intel to Spend RM800m on New Centres." *Business Times*, December 9, 1.
Yoder, Stephen Kreider. 1989. "Costly Exports: Reverse 'Brain Drain' Helps Asia but Robs U.S. of Scarce Talent." *Wall Street Journal*, April 18.
Yonekawa, Shin-ichi. 1984. "University Graduates in Japanese Enterprises before the Second World War." *Business History* 26(3): 193–218.
Yoon, Bang-Soon L. 1992. "Reverse Brain-Drain in South Korea: State-Led Model." *Studies in Comparative International Development* 27(1): 4–26.
Young, Doug. 2003. "Interview: Intel Sees China PC Market Overtaking U.S. by 2010." Reuters News, October 15.
Young, Doug, and David Lin. 2006. "Interview: Intel Aims for Increased Market Share in China." Reuters News, March 16.
Zachary, G. Pascal. 1994. "Trading Places: Malaysians Become Stars at U.S. Electronic Firms." *Asian Wall Street Journal*, October 3.
ZaZona.com. 2008. *H-1B FAQs*. Chandler, AZ: ZaZona.com/JobDestruction.info. http://www.zazona.com/ShameH1B/H1BFAQs.htm#IfH-1BAbolished (accessed February 26, 2009).
ZDNet UK. 2003. "HP Marks Indian Employment Milestone." *ZDNet UK*, December 4.
Zerega, Blaise. 1999. "Real Men Hire Fabs: Chip Companies Are Cutting Costs by Outsourcing." *Red Herring*, March 1.
Zintner, Aaron. 1993. "More U.S. Software Jobs Going to Foreign Workers." *Boston Globe*, July 5, 1.

图书在版编目（CIP）数据

创新魔咒：新经济能否带来持续繁荣？/（美）威廉·拉让尼克著；黄一义，冀书鹏译．—2版．—上海：上海远东出版社，2016
（世纪中国论坛典藏文库）
ISBN 978－7－5476－1160－9

Ⅰ．①创… Ⅱ．①威…②黄…③冀… Ⅲ．①新经济一研究 Ⅳ．①F06

中国版本图书馆CIP数据核字（2016）第174846号

责任编辑　程云琦
封面设计　陈　楠

图字：09－2010－672号

·世纪中国论坛典藏文库·
创新魔咒
——新经济能否带来持续繁荣？
［美］威廉·拉让尼克 著
黄一义　冀书鹏 译
上海世纪出版股份有限公司
远东出版社出版
（200235　中国上海市钦州南路81号　www. ydbook. com）
上海世纪出版股份有限公司发行中心发行
上海中华印刷有限公司印刷
开本720×1000　1/16　印张20.25　插页4　字数327,000
2016年8月第2版　2016年8月第1次印刷
ISBN 978－7－5476－1160－9/F·588
定价 68.00元